Mrs. T. Cecil

UNDER THE ADVISORY EDITORSHIP OF

Robert J. Clements

Die Stadt Laufenburg am Rhein

Gemälde von Hans Thoma (1839–1924)

Photo Von Bruckmann, München

(SEE OVER)

FIRST READINGS IN GERMAN MASTERPIECES

SELECTED AND EDITED
WITH INTRODUCTORY COMMENTS,
FOOTNOTES, QUESTIONS, AND VOCABULARY

BY

WALTER NAUMANN
UNIVERSITY OF WISCONSIN

GINN AND COMPANY

BOSTON · NEW YORK · CHICAGO · ATLANTA · DALLAS · COLUMBUS
SAN FRANCISCO · TORONTO · LONDON

951.8

PREFACE

AIMS

First Readings in German Masterpieces is intended to serve as a German reader for the student who has covered German grammar and has become acquainted with the rudiments of German style through the study of some original literary material of a preparatory nature. In the second-semester course at the University of Wisconsin, for instance, such material consists of *Kalif Storch*, *Immensee*, *Germelshausen*, *L'Arrabiata*, and *Der blinde Geronimo.* In a college course which offers four hours of instruction during the first two semesters, this book will thus be suitable for the third semester. It should more properly fit the level of the fourth semester if only a three-hour course is offered in the first year.

It is my conviction, borne out by experience, that in our present system of language instruction, addressed as it is largely to persons at the maturity level of college students, nothing can be lost, but much can be gained, by the use of material of the highest literary quality. It seems possible, while teaching a mature person how to read a language, to offer him at the same time some literary and cultural training in that language by confronting him with great literature. This conviction has guided me in my selection and arrangement of the text. The material presented here has nowhere been changed from its original wording; rather an effort has been made to find passages which, though of the highest value, do not contain forbidding structural difficulties.

The main part of the book (comprising the chapters "Sagen und Märchen," "Anekdoten und Erzählungen," "Schauspiel," "Aus Selbstbiographien," and "Aus einem Roman") consists of narrative prose and dialogue. I have tried to satisfy two apparently conflicting requirements which a selection of reading texts on this level ought to fulfill. On the one hand, there must be stories long enough to allow the student to become entirely familiar with one particular style and in the end to read this style with a certain ease. On the other hand, there must be a variety of texts and styles to prepare the student to read different kinds of material. It is my belief that this second aim cannot be achieved by an anthology which offers only a few pages each from different authors as samples of style. Only the three selections from autobiographies in this part of the book have the nature of such an anthology, and even these present well-rounded episodes. All the other stories are complete in themselves if we assume that the selection from Keller's novel may be regarded as a complete story. Thus, except for the short and easy tales that serve as an introduction, all the major selections of this part of the book, the stories by Paul Ernst, Brentano, Strauss, the Goethe play, and the Keller passage, have the length of an average *Novelle*.

This main part of the book, comprising in itself approximately the work of one semester, can be used alone. A selection of poetry follows. Great care has been taken to choose such lyric poems as offer an appeal of the highest quality and yet present such simple structures that a relatively inexperienced student can grasp the poems directly without being obliged to resort to the vocabulary or to explanations of constructions.

Finally, some letters and several passages of typical German expository prose have been added. These selections offer the student a rather extensive variety of styles. They also serve another function. The book is not devised, primarily, to be a cultural reader; its primary aim is language instruction. Yet the cultural aspect is inseparable from a more advanced knowledge of a language. All the implications with which words and ideas have been used in the growth of the civilization by which they have been fashioned are constantly present in any passage of a given language. A foreigner who approaches another language is excluded from that particular consciousness of associations of words which a native absorbs through his daily contacts and through his school education. It is an important aim of this book, and particularly of its last part, to provide some of the notions which for a German mind constitute the natural framework from which he looks out at the world and understands his own civilization and his own literature. The selections have been made not so much with a view to presenting acknowledged literary masterpieces as to equipping the student with those elements of a German education, with some of those memories present in a modern German mind, which will help him to read and readily enjoy all German literature.

NOTES

Short introductory notes precede each selection. The students should be urged to read these notes. They give an idea of the general background and the atmosphere of the passage that follows and thus try to remove some of the unfamiliarity with which each new author and piece of writing bewilders the reader. Individual references in the text to names or ideas unfamiliar to the student are explained in the footnotes. The illustrations provide some of the notions concerning landscape, architecture, and the like that are present in the mind of an educated German and that aid in the full appreciation of some of the texts.

VOCABULARY

The vocabulary of a reader which combines a variety of selections tends to become extensive and therefore a handicap to the student. To facilitate the reading and at the same time to stress the vocabulary that the student should be expected to master on this level, the following system of distribution is used: It is assumed that at the stage for which this book is intended, the third or fourth semester of college German, the student should gradually arrive at the possession of a vocabulary which approximates the two-thousand-word list of the American Association of Teachers of German. This list, prepared in dictionary form by Wadepuhl and Morgan, *Minimum Standard German Vocabulary* (MSGV),[1] is therefore taken as a

[1] Appleton-Century-Crofts, 1947.

basic vocabulary for the book. If a word contained in this list is unknown to the student, he must refer to the vocabulary at the end of the book and should make an effort to retain the word. However, few of the words not included in the minimum vocabulary are vital to him on this level. They are glossed in the visible vocabulary at the bottom of each page of text. (In the same selection new words are repeated at the bottom of the page once, after which the student must look them up in the general vocabulary.)

It is hoped that the sequence in which the texts of the book are arranged corresponds to their increasing syntactical difficulty. From the point of view of the vocabulary, the first five stories (through the *Novelle* by Paul Ernst) are treated as preparatory material. Their footnotes, therefore, contain most of the words not included in the *first thousand* words of the MSGV (except a few common words that frequently occur in beginning texts). In the last two chapters of the book, "Briefe" and "Prosa," an enlargement of the vocabulary beyond the MSGV is taken for granted and is reflected in the footnotes. It is assumed that the student has acquired not necessarily a greater store of root words, but an ability to recognize compounds and derivatives.

The system of indicating, in the footnotes, the plurals of nouns, the vowel changes of strong verbs, verbs with separable prefixes, archaic meanings, and the accent of words which are irregular in this respect is explained on page 279.

QUESTIONS

For the narrative material of the book (through the Keller passage) questions have been drawn up which, in general, ask the student to summarize a certain passage—an event or a situation—in order to give him practice in presenting, in his own words, a short, connected discourse in German.

ACKNOWLEDGMENTS

The inspiration to prepare this reader came from a French textbook of a similar nature, *First Readings in French Masterpieces*, by Christian Gauss and Henry A. Grubbs,[1] which I used very successfully while teaching at Oberlin College. I owe many helpful suggestions and criticisms to a number of friends and colleagues. My wife, Hanna Naumann, did the groundwork for most of the vocabulary and the questions. Mrs. Lida Kirchberger reviewed the whole manuscript.

W. N.

---

[1] Appleton-Century-Crofts, 1939.

Inhalt

Märchen und Sagen · 3

Anekdoten und Erzählungen · 15

Schauspiel · 115

Aus Selbstbiographien · 139

Aus einem Roman · 165

Gedichte · 189

Seite

Prosa · 231

First Readings

in

German Masterpieces

EXPLANATION OF FOOTNOTE GLOSSARIES

Following nouns the formation of the plural is indicated (der Schuh, –e = die Schuhe) unless in the meaning given here the plural is not common. The sign *pl.* is added where the German word is offered in the plural because the plural alone is usual, or because it has a special meaning.

Strong verbs add the vowels that form the past and the perfect (tragen, u, a = trage, trug, (habe) getragen); in compounds or special uses of the most common strong verbs, however, the stem vowels are omitted. Prefixes of verbs are separated by a hyphen if they are so-called separable prefixes (aus=gehen = ich gehe aus), otherwise they are printed as one word (übersetzen = ich übersetze).

To preserve the special archaic, dialect or poetic flavor in the use of a certain word, a synonym rather than a translation is given with the sign =, if the student is familiar with the synonym (einsmal = einmal).

The accent of most German words agrees with these rules: If the word begins with the prefix be=, ent=, er=, ge=, ver=, or zer=, the accent is on the next syllable; other words have the accent on the first syllable. Exceptions are marked in the glossary (Fami'lie).

Märchen und Sagen

It is a characteristic feature of the modern European mind that it endeavors above all to know itself and what has made it. The institutions, the history, the artistic productions,—in a word, the heritage,—of a nation are thus the worthiest objects of study for the members of that nation. They are the means by which a nation tries to understand itself; they are the source from which it draws its inspiration. It is only since the romantic period that this preponderant place has been assigned to the national heritage of a people. In Germany the writers of the beginning of the nineteenth century, called the romantic writers, initiated this movement. Following their ideas and example, scholars developed the tools of literary study. With the help of these tools the literary heritage of Germany has been made accessible and understandable to everyone and has thus been impressed upon the memory of the nation. The editing of forgotten texts, the gathering of data concerning the writers and their works, the critical evaluation of the works, have been among these tools. Literary productions which had never been written down, which circulated anonymously from mouth to mouth, the fairy tales and folk songs, were collected. The brothers Jacob and Wilhelm Grimm are known throughout the world for their edition of fairy tales, which was published for the first time in 1812.

The first and the third of the stories given below are taken from the Grimm collection. The first (*Das kluge Gretel*) is a merry tale of which parallels can be found in many languages of the world. This kind of story was mostly written down from oral telling. Other stories had already been written down, and written so perfectly, that they were simply copied by the collectors. That is the case with the third story (*Jorinde und Joringel*), which the Grimm brothers found in the autobiography of Jung-Stilling; the passage in which the story is told is offered later in this book. This story is a genuine fairy tale (Märchen); it tells a deeply felt and ever-recurring psychological experience crystallized in a fantastic symbolical event which generations of narrators have shaped into a simple and perfect narrative.

The second of the stories below (Der Friesen Bekehrung) is taken from the work of one of the followers of the Grimm brothers, Ludwig Bechstein, whose collection of legends was published in 1853. A legend (Sage) reflects historical events or local peculiarities in the manner in which the popular memory retains them. Thus this story recalls the difficulties which attended the Christianization of Germany, especially among the German tribes east of the Rhine and north of the Danube, that is, those living beyond the Romanized parts of Germany. Saint Wolfram, who was the first to try in vain to convert the Frisians, in northwestern Germany by the sea, was a bishop in the kingdom of the Franks, which corresponds to modern France, and died about 703. The true apostle of the Germans was Saint Boniface (673–754), an Anglo-Saxon monk, who converted large parts of central Germany to Christianity and organized the new churches under the leadership of the Pope at Rome.

Das kluge Gretel+

Es war eine Köchin, die hieß Gretel, die trug Schuhe mit roten Absätzen,+ und wenn sie damit ausging, so drehte sie sich hin und her, war ganz fröhlich und dachte: „Du bist doch ein schönes Mädel." Und wenn sie nach Haus kam, so trank sie aus Fröhlichkeit einen
5 Schluck+ Wein, und weil der Wein auch Lust zum Essen macht, so versuchte sie das Beste, was sie kochte, so lang, bis sie satt war, und sprach: „Die Köchin muß wissen, wie's+ Essen schmeckt."

Es trug+ sich zu, daß der Herr einmal zu ihr sagte: „Gretel, heut'

Gretel. Like Gretchen, term of endearment for Margaret
der Absatz, ⸗e heel
der Schluck, –e gulp
's = das
sich zu⸗tragen, u, a to happen

abend kommt ein Gast, richte[+] mir zwei Hühner fein wohl zu." „Will's schon machen, Herr", antwortete Gretel. Nun stach's[+] die Hühner ab, brühte[+] sie, rupfte[+] sie, steckte sie an den Spieß[+] und brachte sie, wie's gegen Abend ging, zum Feuer, damit sie braten sollten. Die Hühner fingen an braun und gar zu werden, aber der Gast war noch nicht gekommen. Da rief Gretel dem Herrn: „Kommt der Gast nicht, so muß ich die Hühner vom Feuer tun, ist aber Jammer und Schade,[+] wenn sie nicht bald gegessen werden, wo sie am besten im Saft[+] sind." Sprach der Herr: „So will ich nur selbst laufen und den Gast holen." Als der Herr den Rücken gekehrt hatte, legte Gretel den Spieß mit den Hühnern beiseite und dachte: „So lange da beim Feuer stehen, macht schwitzen[+] und durstig, wer weiß, wann die kommen! derweil[+] spring' ich in den Keller und tue einen Schluck." Lief hinab, setzte[+] einen Krug[+] an, sprach: „Gott gesegne's[+] dir, Gretel", und tat einen guten Zug. „Der Wein hängt aneinander", sprach's weiter, „und ist nicht gut abbrechen", und tat noch einen ernsthaften Zug. Nun ging es und stellte die Hühner wieder über's Feuer, strich sie mit Butter und trieb[+] den Spieß[+] lustig herum. Weil aber der Braten so gut roch, dachte Gretel: „Es könnte etwas fehlen, versucht muß er werden!", schleckte[+] mit dem Finger und sprach: „Ei, was sind die Hühner so gut! ist ja Sünd' und Schand',[+] daß man sie nicht gleich ißt!" Lief zum Fenster, ob der Herr mit dem Gast noch nicht käm', aber es sah niemand: stellte sich wieder zu den Hühnern, dachte: „Der eine Flügel verbrennt, besser ist's, ich eß' ihn weg." Also schnitt es ihn ab und aß ihn auf, und er schmeckte ihm; und wie es damit fertig war, dachte es: „Der andere muß auch herab, sonst merkt der Herr, daß etwas fehlt." Wie die zwei Flügel verzehrt waren, ging

---

zu=richten to prepare
ab=stechen, a, o to "stick" (kill an animal or a bird by piercing it with a knife)
brühen to scald
rupfen to pick (feathers)
der **Spieß, –e** spit
Jammer und Schade a great pity
der **Saft** juice
schwitzen to sweat
derweil' in the meantime
an=setzen to put to one's lips
der **Krug, ⸗e** jug
gesegnen to bless
treiben, ie, ie to turn
schlecken to wipe off and taste (literally: to lap)
Sünd' und Schand' a sin and a shame

es wieder und schaute nach dem Herrn und sah ihn nicht. „Wer weiß," fiel ihm ein, „sie kommen wohl gar nicht und sind wo+ eingekehrt."+ Da sprach's: „Hei, Gretel, sei guter Dinge,+ das eine ist doch angegriffen,+ tu noch einen frischen Trunk und iß es vollends auf, wenn's
5 all+ ist, hast du Ruhe: warum soll die gute Gottesgabe umkommen?"+ Also lief es noch einmal in den Keller, tat einen ehrbaren Trunk und aß das eine Huhn in aller Freudigkeit auf. Wie das eine Huhn hinunter war, und der Herr noch immer nicht kam, sah Gretel das andere an und sprach: „Wo das eine ist, muß das andere auch sein,
10 die zwei gehören zusammen: was dem einen recht ist, das ist dem andern billig;+ ich glaube, wenn ich noch einen Trunk tue, so sollte mir's nicht schaden." Also tat es noch einen herzhaften Trunk und ließ das zweite Huhn wieder zum andern laufen.

Wie es so im besten Essen war, kam der Herr dahergegangen und
15 rief: „Eil' dich, Gretel, der Gast kommt gleich nach." „Ja, Herr, will's schon zurichten,"+ antwortete Gretel. Der Herr sah indessen, ob der Tisch wohl gedeckt war, nahm das große Messer, womit er die Hühner zerschneiden wollte, und wetzte+ es auf dem Gang. Indem kam der Gast, klopfte sittig+ und höflich an der Haustüre. Gretel
20 lief und schaute, wer da war, und als es den Gast sah, hielt es den Finger an den Mund und sprach: „Still! still! macht geschwind,+ daß ihr wieder fortkommt, wenn euch mein Herr erwischt,+ so seid ihr unglücklich; er hat euch zwar zum Nachtessen eingeladen, aber er hat nichts anders im Sinn, als euch die beiden Ohren abzuschneiden.
25 Hört nur, wie er das Messer dazu wetzt."+ Der Gast hörte das Wetzen und eilte, was er konnte, die Stiegen+ wieder hinab. Gretel war nicht faul, lief schreiend zu dem Herrn und rief: „Da habt ihr

---

wo somewhere
ein=kehren to stop at a restaurant
das **Ding:** guter ~ sein to be in good spirits
an=greifen, i, i to break into, to start
all: ~ sein to be all gone
um=kommen, a, o to spoil (to perish)
billig fair
zu=richten to get ready, serve
wetzen to sharpen
sittig modest
geschwind: ~ machen to hurry
erwischen to catch
die **Stiege, –n** stair(s)

einen schönen Gast eingeladen!" „Ei, warum, Gretel? was meinst du damit?" „Ja," sagte es, „der hat mir beide Hühner, die ich eben auftragen+ wollte, von der Schüssel+ genommen und ist damit fortgelaufen." „Das ist feine Weise!" sprach der Herr, und ward ihm leid+ um die schönen Hühner, „wenn er mir dann wenigstens das eine ge- 5
lassen hätte, damit mir was+ zu essen geblieben wäre." Er rief ihm nach, er sollte bleiben, aber der Gast tat, als hörte er es nicht. Da lief er hinter ihm her, das Messer noch immer in der Hand, und schrie: „Nur eins! nur eins!" und meinte, der Gast sollte ihm nur ein Huhn lassen und nicht alle beide nehmen: der Gast aber meinte 10
nicht anders, als er sollte eins von seinen Ohren hergeben,+ und lief, als wenn Feuer unter ihm brennte, damit er sie beide heimbrächte.

Der Friesen+ Bekehrung+

Nach Friesland+ kam der heilige Wolfram, der wurde des Volkes und Landes erster Apostel. Ein Traum-Gesicht+ hatte ihm offenbart,+ daß er das werden solle, und so kam er zum Hofe des Friesen-Her- 15
zogs,+ der hieß Radbot, und wie der Heilige kam, da sollte dem Götzen,+ nach der heidnischen Landessitte,+ eben wieder ein Opfer+ durch den Strang+ gebracht werden, ein durch das Los+ erwählter Knabe, des Namens Occo. Da bat Wolfram für den Knaben und um dessen Leben im Namen seines Gottes und Heilandes+ bei Herzog 20
Radbot, und Radbot sprach: siehe, ob dein Christus ihn vom Tode erretten kann, dann soll er dein sein. — Wie nun der Knabe zum

---

auf-tragen, u, a to serve
die **Schüssel, –n** dish, platter
leid: es wird mir ~ um I regret
was = etwas
her-geben, a, e to give up

der **Friese, –n** Frisian
die **Bekehrung** conversion
Friesland (das) Frisia
das **Gesicht, –e** vision
offenba'ren to reveal
der **Herzog, ⸚e** duke
der **Götze, –n** idol
die **Landessitte, –n** custom of the region
das **Opfer,–** sacrifice
der **Strang, ⸚e** (hangman's) rope, gallows
das **Los, –e** lot
der **Heiland** Saviour

Strange geführt und aufgeknüpft+ ward, da betete Wolfram und da riß der Strang, der Knabe fiel zur Erde und wandelte+ unversehrt+ und Wolfram taufte+ ihn. Da erkannte Radbot die Macht des Heilandes, und dachte, sich auch zum Christenglauben zu bekehren.+ Ehe Radbot aber dazu schritt+, erschien ihm in der Nacht der Teufel+ in Engelsgestalt und in herrlichem Geschmuck,+ und flüsterte ihm zu: warum willst du abfallen+ von deines Landes Gott? Tust du das nicht, so wirst du künftig+ wohnen in einem goldnen Hause, das will ich dir zeigen morgen des Tages. Nun frage aber auch Wolfram, wo denn sein Himmel sei, den er dir verheißt.+ Er soll ihn dir auch zeigen, so+ er das vermag.

Das sagte Radbot andern+ Tages dem heiligen Wolfram an und verhieß+, er wolle ein Christ werden, wenn der Friesen Gott ihm nicht das goldne Haus zeige. Wolfram aber sagte, und wenn dem Herzoge auch solches Haus gezeigt werde, so werde es ein Gaukelspiel+ des Satans sein.—Da wurde nun ein Friese erwählt für Radbot, und ein Diacon+ für Wolfram, die gingen aus zusammen, das Haus zu finden, und alsbald+ gesellte sich ein Dritter zu ihnen als ein Wegweiser. Sie kamen unvermerkt+ auf einen herrlichen Weg, der war mit Marmor+ geplattet,+ und von fern leuchtete ihnen das goldene Haus entgegen, herrlich und voller Glast,+ und darin stand auch ein Thron von Elfenbein+ mit Edelsteinen geziert+ und mit Purpur+ ausgeschlagen.+ Und der Führer sprach zu dem Diacon und zu dem Friesen: sehet, das ist Herzog Radbots ewiges Haus.—Und der

---

auf=knüpfen to hang
wandeln to walk (about)
unversehrt uninjured
taufen to baptize
sich **bekehren** to be converted
schreiten, i, i, zu to carry out
der **Teufel, –** devil
das **Geschmuck** = der **Schmuck** finery
ab=fallen, ie, a (von) to desert
künftig in the future
verheißen, ie, ei to promise
so = **wenn**
ander next
das **Gaukelspiel** juggler's trick
der **Diacon'** deacon
alsbald very soon
unvermerkt suddenly
der **Marmor** marble
platten to pave
der **Glast** = der **Glanz** radiance
das **Elfenbein** ivory
zieren to adorn
der **Purpur** purple
aus=schlagen, u, a to upholster

Rheinisches Museum, Köln-Deutz

Altdeutsches Schmuckstück

Diaconus+ sprach: ja, wenn Gott es gebaut hat, so wird es ewig stehen, und schlug ein Kreuz+ gegen das Haus—hui+ da schwand es dahin,+ und war ein stinkender Kothaufen,+ und der Marbelweg+ war eine Sumpflache+ und der Führer war der Teufel+ selber, der
5 verschwand mit Gestank+ und Zorngebrüll.+ Schnell waren der Friese und der Diacon zum Hause gelangt, aber drei Tage lang mußten sie mühsam durch Binsen+ und Geröhrig+ schreiten, ehe sie die Stadt des Herzogs wieder erreichten. Der Friese sagte seine Botschaft+ an und was er gesehen, und ließ sich taufen.+ Sein Name hieß Sugomar.
10 Und Herzog Radbot, als er diese Mär+ vernommen, wollte sich auch taufen lassen, und da er in das große steinerne Taufbecken+ treten wollte, und schon einen Fuß hinein gestellt hatte, fragte er, wo die Schar+ seiner Vorfahren+ sich befinde, bei den Seligen im Himmel, oder bei den Teufeln in der Hölle?—Darauf antwortete der
15 Bischof: wer nicht glaubet und getauft wird, der wird nicht selig.—Da zog Radbot den Fuß wieder aus dem Becken und sprach: wo meine Voreltern+ sind, will ich auch sein, bei meiner Magschaft+ und Sippschaft;+ was soll ich allein im Paradiese bei den wenigen Christenleuten?—Und ließ sich nicht taufen. Aber am dritten Tage starb
20 Herzog Radbot und fuhr hin+ zu seiner Sippschaft und Magschaft.

Da der heilige Bonifazius zu den Friesen kam und sie auch bekehren wollte, ließ wohl ein Teil sich taufen, aber nachher erschlugen sie ihn samt+ seinen Gefährten Adolar und Theoban, und fielen wieder in das Heidentum zurück.

---

der **Diaco'nus** deacon
das **Kreuz:** ein ∼ schlagen, u, a to make the sign of the cross
hui Exclamation indicating swiftness
dahin=schwinden, a, u to vanish
der **Kot** dung
Marbel = der **Marmor** marble
die **Sumpflache, -n** swamp
der **Teufel, -** devil
der **Gestank** offensive odor, stench
das **Zorngebrüll** wrathful roaring
die **Binse, -n** rush
das **Geröhrig** reeds
die **Botschaft, -en** message
taufen to baptize
die **Mär** story
das **Becken, -** font
die **Schar, -en** host
der **Vorfahr, -en** ancestor
die **Voreltern** *pl.* ancestors
die **Magschaft** relatives
die **Sippschaft** kindred
hin=fahren, u, a to pass away
samt together with

Jorinde und Joringel

Es war einmal+ ein altes Schloß, mitten in einem großen, dicken Wald, darinnen+ wohnte eine alte Frau ganz allein, das war eine Erzzauberin.+ Am Tage machte sie sich zur Katze oder zur Nachteule,+ des Abends aber wurde sie wieder ordentlich wie ein Mensch gestaltet. Sie konnte das Wild+ und die Vögel herbeilocken, und dann schlachtete+ sie's, kochte und briet es. Wenn jemand auf hundert Schritte dem Schloß nahe kam, so mußte er stille stehen und konnte sich nicht von der Stelle bewegen, bis sie ihn lossprach:+ wenn aber eine keusche+ Jungfrau in diesen Kreis kam, so verwandelte sie dieselbe in einen Vogel und sperrte+ sie dann in einen Korb ein und trug den Korb in eine Kammer des Schlosses. Sie hatte wohl siebentausend solcher Körbe mit so raren Vögeln im Schlosse.

Nun war einmal eine Jungfrau, die hieß Jorinde; sie war schöner als alle anderen Mädchen. Die und dann ein gar schöner Jüngling, namens Joringel, hatten sich zusammen versprochen.+ Sie waren in den Brauttagen,+ und sie hatten ihr größtes Vergnügen eins am andern. Damit sie nun einsmalen+ vertraut+ zusammen reden könnten, gingen sie in den Wald spazieren. „Hüte+ dich", sagte Joringel, „daß du nicht so nahe ans Schloß kommst." Es war ein schöner Abend, die Sonne schien zwischen den Stämmen der Bäume hell ins dunkle Grün des Waldes, und die Turteltaube+ sang kläglich auf den alten Maibuchen.+

Jorinde weinte zuweilen+, setzte sich hin in+ Sonnenschein und klagte; Joringel klagte auch. Sie waren so bestürzt,+ als wenn sie

---

einmal: Es war ~ Once upon a time there was
darinnen = darin
die **Erzzauberin, –nen** arch-sorceress
Nachteule: die Eule, –n owl
das **Wild** game
schlachten to slaughter
los=sprechen, a, o to release
keusch chaste
ein=sperren to imprison
sich versprechen, a, o to become engaged
die **Brauttage** *pl.* time between engagement and marriage
einsmalen = einmal
vertraut intimate
sich hüten to beware
die **Turteltaube, –n** turtle-dove
die **Maibuche, –n** (European) beech
zuweilen at times—**in = in den**
bestürzt dismayed

hätten sterben sollen: sie sahen sich um, waren irre und wußten nicht, wohin sie nach Hause gehen sollten. Noch halb stand die Sonne über dem Berg und halb war sie unter. Joringel sah durchs Gebüsch und sah die alte Mauer des Schlosses nah bei sich; er erschrak und wurde
5 todbang.+ Jorinde sang:

„Mein Vöglein mit dem Ringlein rot
singt Leide,+ Leide, Leide:
es singt dem Täubelein+ seinen Tod,
singt Leide, Lei—zicküt,+ zicküt, zicküt."

10 Joringel sah nach Jorinde. Jorinde war in eine Nachtigall+ verwandelt, die sang „zicküt, zicküt." Eine Nachteule mit glühenden Augen flog dreimal um sie herum und schrie dreimal „schu, hu, hu, hu, hu." Joringel konnte sich nicht regen: er stand da wie ein Stein, konnte nicht weinen, nicht reden, nicht Hand noch Fuß regen. Nun
15 war die Sonne unter: die Eule flog in einen Strauch,+ und gleich darauf kam eine alte, krumme Frau aus diesem hervor, gelb und mager:+ große rote Augen, krumme Nase, die mit der Spitze ans Kinn reichte. Sie murmelte, fing die Nachtigall und trug sie auf der Hand fort. Joringel konnte nichts sagen, nicht von der Stelle
20 kommen; die Nachtigall war fort. Endlich kam das Weib wieder und sagte mit dumpfer Stimme: „Grüß' dich,+ Zachiel,+ wenn's Möndel+ ins Körbel+ scheint, bind' los, Zachiel, zu guter Stund." Da wurde Joringel los. Er fiel vor dem Weib auf die Knie und bat, sie möchte ihm seine Jorinde wiedergeben; aber sie sagte, er sollte sie nie wieder-
25 haben, und ging fort. Er rief, er weinte, er jammerte, aber alles umsonst. „Uu, was soll mir geschehen?" Joringel ging fort und kam endlich in ein fremdes Dorf: da hütete er die Schafe lange Zeit.

---

todbang deadly afraid
Leide = das **Leid** sorrow
das **Täubelein,** – Diminutive of die Taube, –n dove
zicküt'. Onomatopoetic, imitating the bird's cry
die **Nachtigall, –en** nightingale
der **Strauch, ¨–er** bush
mager lean
Grüß' dich, *etc.* Magic formula. Literal meaning makes little sense
Zachiel. Proper name
das **Möndel** little moon
das **Körbel** little basket

Hans Retzlaff

Wald im Frühjahr

Oft ging er rund um das Schloß herum, aber nicht zu nahe dabei. Endlich träumte er einmal des Nachts, er fände eine blutrote Blume, in deren Mitte eine schöne, große Perle war. Die Blume brach er ab, ging damit zum Schlosse: alles, was er mit der Blume berührte, ward von der Zauberei+ frei: auch träumte er, er hätte seine Jorinde dadurch wiederbekommen. Des Morgens als er erwachte, fing er an durch Berg und Tal zu suchen, ob er eine solche Blume fände: er suchte bis an den neunten Tag, da fand er die blutrote Blume am Morgen früh. In der Mitte war ein großer Tautropfen, so groß wie die schönste Perle. Diese Blume trug er Tag und Nacht bis zum Schloß. Wie er auf hundert Schritt nahe bis zum Schloß kam, da ward er nicht fest+, sondern ging fort bis ans Tor. Joringel freute sich hoch, berührte die Pforte+ mit der Blume, und sie sprang auf. Er ging hinein, durch den Hof, horchte, wo er die vielen Vögel vernähme: endlich hörte er's. Er ging und fand den Saal,+ darauf+ war die Zauberin und fütterte die Vögel in den siebentausend Körben. Wie sie den Joringel sah, ward sie bös, sehr bös, schalt, spie+ Gift+ und Galle+ gegen ihn aus, aber sie konnte auf zwei Schritte nicht an ihn kommen. Er kehrte+ sich nicht an sie und ging, besah die Körbe mit den Vögeln; da waren aber viele hundert Nachtigallen, wie sollte er nun seine Jorinde wiederfinden? Indem er so zusah, merkte er, daß die Alte heimlich ein Körbchen mit einem Vogel wegnahm und damit nach der Türe ging. Flugs+ sprang er hinzu, berührte das Körbchen mit der Blume und auch das alte Weib: nun konnte sie nichts mehr zaubern, und Jorinde stand da, hatte ihn um den Hals gefaßt, so schön wie sie ehemals war. Da machte er auch alle die andern Vögel wieder zu Jungfrauen, und da ging er mit seiner Jorinde nach Hause, und sie lebten lange vergnügt zusammen.

---

die **Zauberei'** magic, spell
fest paralyzed by magic
die **Pforte, -n** gate
der **Saal,** *pl.* **Säle** large hall
darauf = darin
speien, ie, ie to spit
das **Gift** venom
die **Galle** gall
sich kehren an to pay attention to
flugs quickly

Anekdoten und Erzählungen

HEBEL

The event on which Johann Peter Hebel (1760–1826) based the following anecdote actually took place at Falun in central Sweden. It was first recorded in Germany for its scientific interest; but very soon it became a favorite literary subject. Hebel, who wrote up for a popular almanac all kinds of scientific information, anecdotes, and little stories with a moralizing tendency, made an edifying fairy tale out of it. Other German writers of the romantic period and down to the twentieth century found in this story a symbol for their own aspirations. In a number of works they presented the buried miner, preserved with the appearance of his youthful vigor for a whole life span, as a symbol of man in quest of a realm—the realm of art or contemplation—that is everlasting and removed from the changing world.

Unverhofftes Wiedersehen

In Falun in Schweden küßte vor guten fünfzig Jahren und mehr ein junger Bergmann+ seine junge hübsche Braut+ und sagte zu ihr: „Auf Sankt Luciä+ wird unsere Liebe von des Priesters Hand gesegnet. Dann sind wir Mann und Weib und bauen uns ein eigenes Nestlein." „Und Friede und Liebe soll darin wohnen", sagte die schöne 5 Braut mit holdem+ Lächeln, „denn du bist mein Einziges und Alles, und ohne dich möchte ich lieber im Grab sein als an einem andern Ort." Als sie aber vor Sankt Luciä der Pfarrer zum zweitenmal in der Kirche ausgerufen+ hatte: „So+ nun jemand Hindernis wüßte anzuzeigen,+ warum diese Personen nicht möchten ehelich zusammen- 10 kommen",—da meldete+ sich der Tod. Denn als der Jüngling den

---

der Bergmann, -leute miner
die Braut, ⸚e affianced bride
Auf Sankt Luci'ä (*Latin gen. of Lucia*) On Saint Lucy's Day (December 13). German often omits **Tag** with names of the church calendar.
hold lovely
aus⸗rufen, ie, u to read the banns of marriage
so = wenn
an⸗zeigen to indicate, announce
sich melden to come forward

andern+ Morgen in seiner schwarzen Bergmannskleidung an ihrem Haus vorbeiging, der Bergmann hat+ sein Totenkleid immer an, da klopfte er zwar noch einmal an ihrem Fenster und sagte ihr guten Morgen, aber keinen guten Abend mehr. Er kam nimmer+ aus dem
5 Bergwerk+ zurück, und sie säumte+ vergeblich+ selbigen+ Morgen ein schwarzes Halstuch mit rotem Rand für ihn zum Hochzeittag, sondern+ als er nimmer kam, legte sie es weg und weinte um ihn und vergaß ihn nie. Unterdessen+ wurde die Stadt Lissabon+ in Portugal durch ein Erdbeben zerstört,+ und der siebenjährige Krieg+ ging vorüber,
10 und Kaiser Franz der Erste+ starb, und der Jesuitenorden+ wurde aufgehoben+ und Polen+ geteilt, und die Kaiserin Maria Theresia+ starb, und der Struensee+ wurde hingerichtet,+ Amerika wurde frei, und die vereinigte französische und spanische Macht konnte Gibraltar+ nicht erobern.+ Die Türken schlossen+ den General Stein in der
15 Veteraner Höhle+ in Ungarn+ ein, und der Kaiser Joseph+ starb

---

ander next
an=haben to wear
nimmer = nie wieder
das **Bergwerk, -e** mine
säumen to hem—**vergeblich** in vain
selbig = derselbe
sondern = aber
unterdes'sen in the meantime
Lissabon'. The earthquake that destroyed two thirds of Lisbon on November 1,1755 and cost more than twenty thousand lives deeply stirred Europe (Goethe speaks of it in his autobiography).
zerstören to destroy
siebenjähriger Krieg. The Seven Years' War (1756-1763) on the European continent was waged by a coalition of Austria, Russia, France and a number of small German states against Frederic II of Prussia.
Franz der Erste Francis I German, i.e., Holy Roman, emperor 1745-1765.
Jesui'tenorden. The order of the Society of Jesus, founded in 1539, was suppressed by Pope Clement XIV in 1773, restored in 1814 by Pius VII.
auf=heben, o, o to dissolve
Polen. Poland was partitioned between Russia, Austria and Prussia in 1772, 1793, and 1795.
Mari'a There'sia. Ruler of Austria 1740-1780; wife of Francis I
Struensee. Progressive prime minister of Denmark, overthrown by reactionaries in 1772, and executed
hin=richten to execute
Gibral'tar. Beleaguered 1779-1782
erobern to conquer
ein=schließen, o, o to surround
Vetera'ner Höhle. The fortified *Veterani cave*, near the Iron Gate of the Danube, where General Stein, then a major, with the remnants of his batallion, held out 21 days in the war that Austria and Russia waged against Turkey 1787-1792
Ungarn Hungary
Kaiser Joseph. Joseph II, Holy Roman emperor 1765-1790

Photo Marburg

Adolf von Menzel (1815–1905): Die Tafelrunde Friedrichs des Großen, Königs von Preußen (1740–1786), in Schloß Sanssouci bei Potsdam

Im Hintergrund in der Mitte der König. Rechts vorn der französische Philosoph Voltaire

auch. Der König Gustav von Schweden+ eroberte russisch Finnland, und die französische Revolution und der lange Krieg+ fing an, und der Kaiser Leopold der Zweite+ ging auch ins Grab. Napoleon eroberte Preußen,+ und die Engländer bombardierten Kopenhagen,+
5 und die Ackerleute säten+ und schnitten. Der Müller mahlte,+ und die Schmiede hämmerten, und die Bergleute+ gruben nach den Metalladern+ in ihrer unterirdischen Werkstatt+. Als aber die Bergleute in Falun im Jahr 1809 etwas vor oder nach Johannis+ zwischen zwei Schachten+ eine Öffnung durchgraben wollten, gute dreihundert
10 Ellen+ tief unter dem Boden, gruben sie aus dem Schutt+ und Vitriolwasser den Leichnam+ eines Jünglings heraus, der ganz mit Eisenvitriol durchdrungen, sonst aber unverwest+ und unverändert war, also+ daß man seine Gesichtszüge und sein Alter noch völlig erkennen konnte, als wenn er erst vor einer Stunde gestorben oder ein wenig
15 eingeschlafen wäre an der Arbeit. Als man ihn aber zu Tag ausgefördert+ hatte, Vater und Mutter, Gefreundte+ und Bekannte waren schon lange tot, kein Mensch wollte den schlafenden Jüngling kennen oder etwas von seinem Unglück wissen, bis die ehemalige Verlobte+ des Bergmanns kam, der eines Tages auf die Schicht+ gegangen war
20 und nimmer zurückkehrte. Grau und zusammengeschrumpft+ kam sie an einer Krücke+ an den Platz und erkannte ihren Bräutigam+;

Gustav von Schweden. Gustav III waged war against Catherine II of Russia 1788-1790
langer Krieg. That is, the series of wars commencing in 1792, as a sequence to the French Revolution
Kaiser Leopold der Zweite. Leopold II, Holy Roman emperor, 1790-1792
Preußen Prussia. Defeated in the War of 1806-1807
Kopenhagen. The bombardment took place in 1807
säen to sow
mahlen to grind (corn)
die **Bergleute** *pl.* miners
Metallader: die Ader, –n lode, vein
die **Werkstatt, ⸗en** workshop
Johan'nis Feast of Saint John the Baptist (June 24)
der **Schacht, –e** *or* **⸗e** pit, shaft
die **Elle, –n** ell (in Southern Germany about 33 inches)
der **Schutt** rubble
der **Leichnam** corpse
unverwest not decayed
also = **so**
aus⸗fördern: zu Tag ∾ to haul out to the surface
Gefreundte *pl.* = **Freunde**
die **Verlobte, –n** betrothed
die **Schicht, –en** shift
zusam'men⸗schrumpfen to shrivel up
die **Krücke, –n** crutch
der **Bräutigam** bridegroom

und mehr mit freudigem Entzücken als mit Schmerz sank sie auf die geliebte Leiche+ nieder, und erst als sie sich von einer langen heftigen Bewegung des Gemüts+ erholt hatte, „es ist mein Verlobter", sagte sie endlich, „um den ich fünfzig Jahre lang getrauert hatte, und den mich Gott noch einmal sehen läßt vor meinem Ende. Acht Tage vor der Hochzeit ist er unter die Erde gegangen und nimmer herauf gekommen." Da wurden die Gemüter+ aller Umstehenden von Wehmut+ und Tränen+ ergriffen, als sie sahen die ehemalige Braut jetzt in der Gestalt des hingewelkten+ kraftlosen Alters und den Bräutigam noch in seiner jugendlichen Schöne,+ und wie in ihrer Brust nach fünfzig Jahren die Flamme der jungendlichen Liebe noch einmal erwachte; aber er öffnete den Mund nimmer zum Lächeln oder die Augen zum Wiedererkennen; und wie sie ihn endlich von den Bergleuten in ihr Stüblein tragen ließ, als die einzige, die ihm angehöre und ein Recht an ihn habe, bis sein Grab gerüstet+ sei auf dem Kirchhof. Den andern Tag, als das Grab gerüstet+ war auf dem Kirchhof und ihn die Bergleute holten, schloß sie ein Kästlein auf, legte sie ihm das schwarzseidene Halstuch mit roten Streifen um und begleitete ihn alsdann+ in ihrem Sonntagsgewand,+ als wenn es ihr Hochzeittag und nicht der Tag seiner Beerdigung+ wäre. Denn als man ihn auf dem Kirchhof ins Grab legte, sagte sie: „Schlafe nun wohl, noch einen Tag oder zehen+ im kühlen Hochzeitbett, und laß dir die Zeit nicht lange werden. Ich habe nur noch wenig zu tun und komme bald, und bald wird's wieder Tag. Was die Erde einmal wiedergegeben hat, wird sie zum zweitenmal auch nicht behalten", sagte sie, als sie fortging und noch einmal umschaute.+

---

die **Leiche, -n** corpse
das **Gemüt, -er** soul, heart
die **Wehmut** sadness
die **Träne, -en** tear
hin=welken to wither away
die **Schöne** = **Schönheit**
rüsten to prepare
alsdann' = **dann**
das **Gewand, ¨-er** garment
die **Beerdigung, -en** burial
zehen = **zehn**
um=schauen to look back

The *Novelle* is the special form of a shorter narrative that German literature preferred and developed during the nineteenth century. A typical German *Novelle* is more extensive than a short story; it presents a complete human character or situation or a whole philosophy of life. It does not, however, illustrate that character or philosophy with the wealth of detail that a novel would offer. The *Novelle* rather concentrates on a few events, which thus assume a more or less symbolical value. The story by Brentano and that by Strauss, which follow *Eine fürstliche Liebesheirat*, are good examples of this favorite German prose form, although many *Novellen* have a more leisurely and more detailed development than these do. Paul Ernst (1866–1933), in keeping with his general leanings toward classicism in his writing, reverted to the original form of the *Novelle*, as it was practiced by the Italian writers of the Renaissance. His *Novellen* narrate in a pleasing form an isolated, striking, moving, or humorous event.

The story given below, however, is valuable for another reason. It brings to life for a modern reader a political and social situation which prevailed in Germany from the seventeenth century through the nineteenth and which formed the underlying reality for most of Germany's great literature. During these centuries Germany was split up into small, sometimes tiny, principalities, which were often ruled in the patriarchal fashion that Paul Ernst describes. While this state of affairs retarded the political and national maturity of the country, it produced, on the other hand, a great and rich variety of cultural life. Weimar, where Goethe and his friends, toward the end of the eighteenth century, fostered the most brilliant period in German letters, was the capital of a small dukedom of not even a hundred thousand souls, itself having six thousand inhabitants.

Eine fürstliche Liebesheirat

Der regierende+ Herr in einem kleinen norddeutschen Fürstentum zu Anfang des achtzehnten Jahrhunderts war ein junger Mann, welcher durch den plötzlichen Tod seines Vaters eben aus Paris zurückgerufen war; er hatte sich kaum sechs Wochen dort aufgehalten.+

---

regie'ren to reign

sich auf=halten, ie, a to stay

Der alte Herr pflegte+ abends, wenn das Wetter danach war, mit einem Krug+ Bier neben sich, im Tore seines Schlosses zu sitzen und mit den Untertanen+ zu plaudern.+ Im größten Dorf des Fürstentums, das nur zwei Stunden von der Hauptstadt entfernt lag, war ein Pastor bestellt,+ auf dessen Rat er große Stücke hielt,+ denn der Mann war in jungen Jahren als Regimentsprediger+ weit in der Welt herumgekommen und hatte Einsichten.+ Der fuhr an einem Tage auf dem Heuwagen+ des Schulzen+ in die Hauptstadt, erledigte+ seine Besorgungen,+ und ging dann gegen Abend zu dem Tor, unter welchem der Fürst saß. Der Fürst lud ihn ein, auf der Bank neben ihm Platz zu nehmen, ließ ihm auch einen Krug Bier kommen und begann ein Gespräch über die Ausbildung+ des Erbfolgers.+

Was der Pastor riet, das stimmte+ mit den Gedanken des alten Fürsten überein. Der junge Herr hatte einen Hofmeister+ gehabt, indessen der Pastor war der Ansicht,+ daß er ja wohl nun seinen Namen leidlich+ schreiben konnte, aber viel mehr war aus dem Unterricht auch nicht herausgekommen. Dafür konnte er eine Fuhre+ Mist+ laden+ wie der beste Knecht,+ ritt mit Verstand seine beiden Pferde, war in der Brauerei+ erfahren,+ war ein weidgerechter+ Jäger, wenn er auch Nichts von den neumodischen+ Feinheiten+ bei der Jagd wußte, und kurz, man konnte wohl schon jetzt sehen, daß er einmal einen tüchtigen

---

pflegen to be accustomed to
der **Krug, ⸗e** mug, tankard
der **Untertan, –en** subject
plaudern to chat
bestellt appointed, in office
halten: große Stücke ∼ auf to have a high opinion of
der **Regiments'prediger, –** army chaplain
Einsichten *pl.* original views
Heuwagen: das Heu hay
der **Schulze, –n** mayor (of a village)
erledigen to take care of
die **Besorgung, –en** errand
die **Ausbildung** education
der **Erbfolger, –** heir (to a throne)
überein'⸗stimmen to accord, agree
der **Hofmeister, –** private tutor
die **Ansicht, –en** opinion
leidlich tolerable
die **Fuhre, –n** cart load
der **Mist** manure
laden, u, a to load
der **Knecht, –e** farm hand
die **Brauerei'** brewing
erfahren experienced
weidgerecht accomplished (said of a hunter)
neumodisch newfangled
die **Feinheit, –en** refinement

Familienvater und Herrscher abgeben+ werde, der das Seinige zusammenhielt und seinen Untertanen+ nichts Böses zufügte.+

Das wäre ja nun an sich+ ganz gut gewesen. Aber der Pastor sah weiter, der Fürst auch. Die neue Zeit machte ihre Anforderungen+
5 geltend.+ „Pastor", sagte der Fürst, „wozu sollen wir anders werden? Ich habe zu leben, meine Untertanen auch. In meinem Lande wird der reine Glaube gepredigt.+ Mord, Totschlag, Raub, Diebstahl— gibt es nicht bei mir. Was fehlt uns denn? Ich habe auch nicht mehr gelernt in meiner Jugend wie mein Junge. Na,+ ich will mich nicht
10 rühmen,+ aber die groben+ Laster+ habe ich nicht. Die feinen—, wir sind alle sündige Menschen, ich mache keine Ausnahme." Hier schwieg der Fürst und tat einen tiefen Schluck.+ Dann fuhr er fort. „Wozu sollen wir anders werden? Pastor, ich will es Ihm+ sagen: der Kaiser tut seine Pflicht nicht. Ich bin Fürst. Die Untertanen müssen
15 mir gehorchen.+ Ich will ihm auch gehorchen. Er soll mir nur vernünftige+ Befehle zukommen lassen.+ Aber da liegt+ es. Pastor, die Fürsten müssen heutzutage für sich selber sorgen, sie haben keinen Kaiser mehr, der für sie sorgt."

Nun entwickelte der Fürst dem Pastor, was er Alles überblicken
20 solle, wie die großen Fürsten sich breit+ machten, wie die kleinen sich drücken+ mußten, wie man hier hinhorchen+ mußte, und da Versprechungen geben, und hier etwas erlauben und dort etwas verbieten, und wie man seinen Einblick in die große Politik haben mußte. Aber wo

---

ab=geben, a, e to make
der **Untertan, –en** subject
zu=fügen to do
an sich in itself, taken by itself
die **Anforderung, –en** demand, claim
geltend machen to assert
predigen to preach
na well
sich rühmen to boast
grob gross, serious
das **Laster, –** vice
der **Schluck**: einen ∾ tun to take a gulp
Ihm. In the eighteenth century, the third person singular (Er, capitalized) was used as one form of polite address, as a rule to persons of a lower social rank
gehorchen to obey
vernünftig sensible
lassen: zukommen ∾ to let have, send
liegen: da liegt es there's where the difficulty lies
breit: sich ∾ machen to claim much space and importance for oneself
sich drücken to restrict oneself
hin=horchen to listen (submissively)

gewann man den? Zu Hause gewann man ihn nicht. Nach Paris mußte man gehen.

Der gute Fürst war nur einmal außer Landes gegangen, als er seinen Nachbarn besucht hatte, um sich mit seiner Base+ trauen zu lassen. Er hatte vom französischen Hof eine Vorstellung, daß es da ähnlich zugehe+ wie bei ihm, nur daß alle Verhältnisse+ viel größer seien; und da mußte denn freilich der junge Thronfolger manches sehen und lernen können.

Der Pastor wußte ja nichts von den Schwierigkeiten des Fürsten, aber er sagte sich, daß die Zeiten überhaupt anders geworden waren, daß höhere Ansprüche+ an den Menschen gestellt wurden, und daß ein Aufenthalt+ in Paris für den jungen Herrn schon aus allgemeinen Gründen notwendig war.

Also, es wurde damals abgemacht,+ daß der junge Herr nach Paris reiste und der Pastor ihn begleitete, weil er etwas Französisch verstand, und auch, um ein Auge auf den jungen Herrn zu haben.

Was die Beiden in Paris getan haben, das ist nie so recht bekannt geworden. Wahrscheinlich ist es ihnen selber auch nicht ganz klar gewesen, denn wenn der junge Fürst nachher von seiner Reise erzählte, dann war immer nur vom Louvre+ die Rede, das so lang war wie die Hauptstraße zu Hause, vom Bäcker Schmidt an bis zum Schloß, von zwei großen Figuren aus Bronze, die zweimalhunderttausend Franken+ gekostet hatten, von der Oper, in der ein Kronleuchter+ war von drei Mann Höhe und einem Umfang,+ wie der große Saal+ im Schloß, und von den Wasserträgern, die einen Sou+ für ein Glas abgestandenes,+ pattiges+ Wasser verlangten. Der Aufenthalt+ war aber auch,

---

die **Base, –n** female cousin
zu=gehen: daß . . . zugehe that things were done there in a similar way
Verhältnisse *pl.* alle ∼ everything
der **Anspruch:** Ansprüche stellen an to make claims on a person's capacity
der **Aufenthalt** stay
ab=machen to agree upon, decide
das **Louvre.** French royal palace
der **Frank, –en** French monetary unit
der **Kronleuchter, –** chandelier
der **Umfang** size, width
der **Saal,** *pl.* **Säle** hall
der **Sou, –s** five (French) cents
abgestanden stale
pattig (*dialect*) tasteless (probable meaning; the word cannot be traced in any dictionary of German dialects)

wie wir wissen, durch den plötzlichen Tod des alten Herrn unterbrochen,+ und vielleicht hätten die Beiden mehr von der Reise gehabt, wenn sie länger hätten bleiben können.

Nachdem der junge Fürst aber nun die Regierung+ einige Monate geführt, machte sich doch eine Nachwirkung des Pariser Aufenthaltes bemerkbar. Er kam nämlich auf den Gedanken, sich eine Geliebte+ anzuschaffen.+

Bäcker Schmidt hatte eine einzige Tochter, die ein hübsches, appetitliches+ Mädchen war, mit blauen Augen, roten Backen und blonden Zöpfen.+ Die Alten lebten in behaglichen+ Verhältnissen+ und konnten es sich wohl gönnen,+ ihrem Kind ab und zu+ eine Freude zu machen, und so ging denn Klärchen+, so hieß das Mädchen, immer auf das Niedlichste+ und Zierlichste+ angezogen. Der junge Fürst war ihr schon oft begegnet, hatte sie freundlich angeschaut und ihren tiefen Knicks+ höflich erwidert; endlich faßte er sich ein Herz,+ und als er eines Mittags auf der heißen und ausgestorbenen+ Straße an ihr vorbei ging, da flüsterte+ er ihr zu: „Heute abend um neun komme ich, Klärchen." Dann ging er von der Erstarrten+ schnell weiter.

Klärchen war nicht in Paris gewesen und konnte deshalb nichts von den Absichten des Fürsten ahnen.+ Sie verstand also, daß der Fürst ihre Eltern besuchen wollte. Das war aber eine ganz unerhörte Ehre, denn es geschah ja wohl, daß der Fürst sich bei adligen+ Untertanen zu Gaste lud,+ aber daß er in einem Bürgerhaus verkehrte,+

---

unterbre'chen, a, o to interrupt
die **Regie'rung:** ∾ führen to reign
die **Geliebte, –n** mistress
sich an=schaffen to provide oneself with
appetit'lich neat, attractive
der **Zopf, ⸗e** braid of hair
behaglich comfortable, prosperous
die **Verhältnisse** circumstances
sich (etwas) gönnen to permit oneself (something)
ab und zu now and then
Klärchen. From Klara
niedlich pretty
zierlich graceful
der **Knicks, –e** curtsy
das **Herz:** sich ein ∾ fassen to take courage
ausgestorben deserted
zu=flüstern to whisper to
die **Erstarrte: erstarrt** benumbed
ahnen to suspect
adlig of nobility
laden, u, a to invite
verkehren to visit

Photo Marburg

Fürstliche Residenz des achtzehnten Jahrhunderts:
Schloß Bruchsal in Baden (1720–1760)

das war noch nie geschehen. Sie lief so schnell sie konnte nach Hause, um ihren Eltern Mitteilung+ zu machen.

Die Mutter war so erschrocken, daß sie sich auf einen Stuhl setzen mußte. Der Vater aber sagte: „Das weiß Jeder, daß ich nicht nach Ehren
5 begierig+ bin, die mir nicht zustehen.+ Aber wenn mich mein gnädiger+ Herr besuchen will, so soll er sehen, daß auch der Bürger seinen Fürsten empfangen kann.“ Und nun entwarf+ er mit kurzem Entschluß einen Speisezettel,+ indem er berechnete, was in der Schnelligkeit zu beschaffen+ war. Der Fleischer hatte gestern ein Schwein geschlachtet;
10 die eine Hälfte hing noch unzerteilt. So sollte denn das Hauptgericht+ der Schweinebraten werden. Der Meister+ schärfte+ der Frau ein, daß die Schwarte+ auch geschmackvoll+ eingekerbt+ und daß sie reichlich mit kaltem Wasser begossen werde beim Braten, denn die knusprige+ Schwarte ist die Hauptsache. Um den Rotkohl+ im Gar-
15 ten war es ja eigentlich+ schade+, die Köpfe waren noch klein, aber zum Schweinebraten gehört Rotkohl. Vorher Karpfen+ in Bier. Der Lehrjunge+ wurde schnell zum Bürgermeister geschickt, welcher den Feuerteich+ gepachtet+ hatte, in dem es Karpfen gab. Eine Suppe: der Fürst, die Eltern, Klärchen, also vier Personen; vier Pfund Rind-
20 fleisch,+ das gab eine gute Fleischbrühe.+ Die Sandtorte+ buk der Meister selber; er machte einen Zuckerguß+ darüber, mit einem Herzen, in welchem die Inschrift war „Hoch lebe+ unser geliebter Fürst.“ Und so trieb er denn gleich Frau, Tochter, Lehrjungen+ und Gesellen+ an, die Vorbereitungen für das Festmahl zu beginnen.

---

die **Mitteilung:** jemandem ~ machen to inform someone—**begierig** eager
zu=stehen to be for, belong
gnädig gracious—**entwerfen, a, o** to plan
der **Speisezettel, –** menu
beschaffen to procure
das **Hauptgericht, –e** main course
der **Meister, –** master (baker)
ein=schärfen to urge on the mind
die **Schwarte, –n** skin, rind
geschmackvoll tasteful
ein=kerben to cut into, notch
knusprig crisp
der **Rotkohl** red cabbage
eigentlich really
schade: es ist ~ um it's too bad about
der **Karpfen, –** carp
der **Lehrjunge, –n** apprentice
der **Feuerteich, –e** pond serving as reservoir in case of fire
pachten rent—das **Rindfleisch** beef
die **Fleischbrühe** broth
die **Sandtorte.** A type of fine white cake
der **Zuckerguß** icing
leben: hoch lebe long live!
der **Geselle, –n** journeyman

Wie der junge Herr auf den französischen Begriff+ einer fürstlichen Geliebten+ gekommen war, ist nicht ganz klar; seine Kenntnisse müssen ja wohl sehr mangelhaft+ gewesen sein, denn sonst hätte er wissen müssen, daß nach der französischen Sitte+ nur der Adel berechtigt+ ist, die Geliebte zu stellen.+ Auch die Einleitung+ des Verhältnisses+ war ja nicht nach französischer Sitte. Am Hof war ein junger Bursche, mit dem er als Kind gespielt hatte, und der nun Holz hackte,+ die Öfen heizte und ähnliche Arbeiten besorgte. Er duzte+ sich noch mit ihm, wenn er mit ihm allein war, denn vor den Leuten ging das nicht, des Respekts wegen; den hatte er gefragt, wie man wohl so eine Liebschaft+ anfangen müsse; und da dem jungen Mann ebensowenig klar war wie ihm selber, daß auch Liebeserklärungen nach den Standesunterschieden+ anders ausfallen,+ so hatte ihm der treuherzig+ beschrieben, wie er selber in einem solchen Fall vorgehen würde. Die Beiden nahmen an, daß das schöne Klärchen um neun an ihrem Fenster sein werde; es ging+ auf den Garten hinaus, das Fenster, das wußte der Fürst; und daß eine zärtliche Zwiesprache+ erfolgen werde. Man wundere sich nicht über die Zeit; neun Uhr erscheint uns heute reichlich früh für eine solche Begebenheit;+ aber unsere ehrlichen Altvorderen+ gingen früher zu Bett als wir entarteten+ Nachkommen,+ und man konnte annehmen, daß um neun schon die ganze Hauptstadt in den Federn+ lag.

Also während es langsam vom Turm mit dröhnenden+ Schlägen die verabredete+ Zeit schlug, ging der Fürst allein die noch nicht allzu

---

der **Begriff, –e** concept, idea
die **Geliebte** mistress
mangelhaft deficient
die **Sitte, –n** custom
berechtigt entitled
stellen to furnish
die **Einleitung** preliminaries
das **Verhältnis** love affair
hacken chop
sich duzen. Said of persons who use the familiar du form in addressing each other
die **Liebschaft, –en** love affair, intrigue
der **Standesunterschied, –e** difference of rank
aus=fallen, ie, a to turn out
treuherzig ingenuous, naive
hinaus'=gehen auf to face
die **Zwiesprache** dialogue
die **Begebenheit, –en** event
der **Altvordere, –n** ancestor
entarten to degenerate
der **Nachkomme, –n** descendant
Federn *pl.* feathers (*i.e.* feather bed)
dröhnen to boom
verabreden to agree upon

dunkle Hauptstraße hinunter. An der Ecke, welche eben durch Bäcker Schmidts Haus gebildet wurde, dachte er umzubiegen; hinter den Häusern lagen gleich die Gärten, und der Schmidtsche+ Garten war somit+ der äußerste,+ in den er durch Übersteigen des niedrigen
5 Zaunes+ leicht gelangen+ konnte.

Aber als er vor das Schmidtsche Haus kam, da sah er beide Türflügel+ weit geöffnet, den Flur+ hell erleuchtet; eine Girlande hing um die Türöffnung, aus deren Mitte oben, schön schwarz und rot geschrieben, ein freundliches „Willkommen" niedergrüßte; im Flur standen der
10 alte Schmidt mit seiner Frau, beide im Abendmahlsgewand,+ Klärchen im weißen Kleide an ihrer Seite, hinter ihnen die Gesellen+ und der Lehrjunge in ihren guten Anzügen; als der Fürst in den Lichtschein+ der Tür getreten war, da hob der Bäckermeister seine Hand, und Alle riefen einstimmig: „Hoch lebe+ unser geliebter Fürst."

15 Nun wurden auch die Fenster in den andern Häusern der Straße geöffnet, die Leute zeigten sich, die bis dahin+ aus Respekt nur verborgen hinter den Scheiben+ gelauscht hatten, und weil Alle ihren Landesherren liebten und sich über die Ehre freuten, welche dem Bäckermeister zuteil wurde,+ so stimmten+ sie ein und riefen mit: „Hoch lebe unser
20 geliebter Fürst."

Man kann sich vorstellen, daß der junge Fürst nicht recht begriff, was diese allgemeine Rührung+ und festliche Aufnahme+ bedeutete, denn es war doch nicht anzunehmen, daß die Anbahnung+ eines Liebesverhältnisses+ so gefeiert werden sollte, wie etwa eine Hochzeit. Und
25 da er unklar über die Lage war und die Andern ganz klar zu sein glaubten, so ergab+ es sich, daß er alles über sich ergehen+ ließ, den Empfang

---

Schmidtsche of the Schmidts
somit consequently—**äußerst** outermost
der **Zaun, ⸗e** fence
gelangen to arrive, get to
der **Türflügel, –** wing of a double door
der **Flur, –e** hall, vestibule
das **Abendmahlsgewand, ⸗er** festive garment worn for Holy Communion
der **Geselle, –n** journeyman
der **Lichtschein** gleam, radius of light
Hoch lebe long live!
bis dahin up to that time
die **Scheibe, –n** window pane
zuteil' werden to fall to a person's share
ein=stimmen to join in
die **Rührung** emotion
die **Aufnahme** reception
die **Anbahnung** initiation
das **Liebesverhältnis** love intrigue
sich ergeben, a, e to result
ergehen: über sich ∾ lassen to endure patiently

und die Händedrücke, das Abnehmen von Mantel und Hut, und das Führen in das Zimmer, wo an der Tafel+ ein erhöhter Sitz für ihn bereitet war; denn der Meister hatte ihm den Ohrenstuhl+ des Großvaters hingestellt und Kissen+ in den hineingelegt, so daß er weicher und gleichzeitig ansehnlicher+ zu sitzen kam wie die Andern. 5

Und nun setzten sich auch der Meister, die Meisterin und Klärchen, und die Ordnung an dem viereckigen Tisch war so, daß Meister und Meisterin an den beiden Seiten saßen und Klärchen dem Fürsten gegenüber.

Das weibliche Geschlecht+ hat bekanntlich ein sehr empfindliches 10 Gefühl, wenn von seiten+ des männlichen eine Zuneigung+ oder ein Begehren vorhanden ist.+ Klärchen war ein kluges Kind und wußte ganz genau, weshalb+ der Fürst gekommen war, nämlich nicht des Vaters wegen, wie der meinte, auch nicht wegen des berühmten guten Essens der Mutter, wie die glaubte, sondern ihretwegen. Die Ge- 15 mütsarten+ sind ja verschieden. Manches Mädchen wäre da nun bestürzt+ gewesen, hätte dagesessen und nichts reden können; Klärchen aber war ganz keck+ und unverfroren+ und regte+ ihr Schnäbelchen und schwatzte niedlich+ von allerhand+ Dingen, von denen sie dachte, daß sie dem Herrn Spaß+ machen könnten. 20

Ein Dienstmädchen war nicht im Hause, denn die beiden Frauen versahen+ das ganze Wesen.+ Da aber Frau und Tochter des Beehrten+ mit am Tisch sitzen und den hohen Herrn unterhalten+ mußten und demnach nicht in der Küche wirken konnten, so war eine Nachbarin gebeten, die Speisen aufzutragen.+ Diese erschien nun in der Tür, 25

---

die **Tafel, -n** dinner table
der **Ohrenstuhl, ⸗e** wing chair
das **Kissen, -** cushion
ansehnlich respectable
das **Geschlecht, -er** sex
von seiten on the part of
die **Zuneigung** inclination, affection
vorhan'den sein to exist
weshalb why
die **Gemütsart, -en** character, temperament
bestürzt dismayed
keck bold—**unverfroren** unabashed
regen: regte ihr Schnäbelchen kept her tongue (*literally*: little beak) wagging
niedlich pretty, cute
allerhand all kinds of
der **Spaß:** ∼ machen to amuse
versehen, a, e to look after
das **Wesen** = **Hauswesen** household
der **Beehrte** honored person
unterhal'ten, ie, a to entertain (with conversation)
auf=tragen, u, a to serve

rotbäckig und strahlend+ vor Sauberkeit,+ Gesundheit und Stolz, im krachenden+ schwarzseidenen+ Kleid, welches sich über ihrem mütterlichen Busen stattlich+ wölbte,+ und trug auf einem Speisenbrett+ vor sich die Teller mit der Suppe; mit einem freundlichen „Wohl be-
5 komm's"+ und einem tiefen Knicks+ setzte sie dem Fürsten seinen Teller vor, dann dem Hausherrn, dann den beiden Frauen; und nun begann das Löffeln, und der Fürst pries die kräftige Fleischbrühe,+ der Meister erzählte, daß sie von vier Pfund Rindfleisch+ ohne Knochen gemacht war, denn für das Ausbrühen+ von Knochen war er nicht, und die
10 Meisterin erzählte, daß sie nur eine Kleinigkeit Muskatnuß+ auf die Fleischbrühe rieb,+ nur eine Kleinigkeit, daß man es kaum sah, aber die gab eben der Suppe ihren Geschmack.

Nun, wir wollen nicht das ganze Festessen beschreiben, den Fisch in seiner braunen Tunke,+ den mächtigen Schweinebraten mit rauten-
15 förmig+ eingekerbter+ Schwarte,+ und für die beiden Herrn das schäumende+ Bier in stattlichen bunten+ Krügen;+ auf einem war ein Jäger mit seinem Gewehr+ abgemalt,+ auf dem andern ein springendes weißes Pferd. Wir wollen nur sagen, daß es dem Fürsten sehr gut schmeckte, und daß Frau Schmidt nötigte,+ und daß er sich vom Kar-
20 pfen+ zweimal nahm und vom Braten dreimal, und daß der Meister seine Philosophie vorbrachte, nach welcher ein Mensch mit einem guten Charakter auch ordentlich+ essen wollte, und aus den Leuten, die immer

---

strahlen to beam
die **Sauberkeit** cleanliness
krachen to rustle (*literally*: "crackle")
seiden silken
stattlich stately, portly
wölben to arch
das **Speisenbrett, –er** tray
Wohl bekomm's I hope you enjoy your meal
der **Knicks, –e** curtsy
die **Fleischbrühe** broth
das **Rindfleisch** beef
aus=brühen to extract juices by boiling, as in making broth from a piece of meat
die **Muskat'nuß** nutmeg
reiben, ie, ie to grate
die **Tunke, –n** sauce
rautenförmig in the shape of a diamond
ein=kerben to cut into, notch
die **Schwarte, –n** skin, rind
schäumen to foam
bunt many-colored
der **Krug, ⸗e** mug, tankard
das **Gewehr, –e** gun
ab=malen to paint, portray
nötigen to urge (that is, a guest to help himself)
der **Karpfen, –** carp
ordentlich heartily

am Essen herumstochern,+ aus denen machte+ er sich nichts, denn auf die ist kein Verlaß;+ und daß der Fürst aus Paris erzählte, wie es da herging,+ und daß der König empfing, wenn er—mit Verlaub+ zu melden+—auf dem Nachtstuhl saß und die Königin, wenn sie im Bett lag, wo+ denn die Meisterin sagte: „Pfui,+ schämen sich die Leute denn gar nicht", auch der Meister seine Mißbilligung+ ausdrückte, und das gute Klärchen teilnehmend+ fragte, ob die Franzosen überhaupt Christenmenschen seien, das arme blinde Volk. Aber da erzählte der Fürst weiter, in jedem Haus in Paris gab es Wanzen,+ und da wechselten die Leute nicht etwa jeden Sonntag ihr Hemd, nein, schmutzig+ war Alles, daß es einem grauste+ etwas zu essen, und ein richtiges Schweinegut+ war ihm in der ganzen Zeit nicht vorgesetzt,+ das kannten sie gar nicht. Nur der Wein war gut, sehr gut, und billig, er war billiger wie bei uns das Bier. Das war aber auch das Einzige, der Wein, sonst zog ihn nichts weiter nach Paris.

Kurz und gut, der Abend war sehr gelungen,+ man hatte gut gegessen und hatte sich gut unterhalten+ und hatte sich allseitig+ verstanden.

Man konnte es ja wohl nicht eigentlich Liebe nennen, was den Fürsten bewogen+ hatte, mit Klärchen zu sprechen. Aber als er nun den Abend bei den Eltern gewesen, und sie hatte ihm so freundlich gegenübergesessen und hatte so verständige und liebe Reden geführt, da war sein Gefühl viel wärmer geworden, und ohne daß er es wußte, hatten auch die treuherzigen+ Eltern viel dazu beigetragen,+ in ihm eine

---

herum=stochern to pick at
machen: sich etwas ∾ **aus** to care for
der **Verlaß:** auf . . . Verlaß they cannot be relied upon
her=gehen: wie . . . herging the sort of thing that went on there
der **Verlaub:** mit ∾ with (the listener's) permission
melden to relate
wo denn at which point
pfui faugh, fie
die **Mißbilligung** disapproval
teilnehmend sympathetic
die **Wanze, -n** bed bug
schmutzig filthy
grausen: es graust mir I have a horror
das **Schweinegut** (*dialect*). Any food consisting of pork meat and fat
vor=setzen to serve
gelungen successful
sich unterhal'ten ie, a to converse with one another
allseitig mutually
bewegen, o, o to induce
treuherzig ingenuous, well-meaning
bei=tragen, u, a to contribute

Stimmung+ von Ruhe und Frieden zu erwecken und eine Sehnsucht+ nach gleicher Behaglichkeit,+ Ordnung und gutem Gewissen.+

Der Gedanke an eine Liebschaft+ war ja ohnehin+ ein fremdes Gewächs in seinem Geist gewesen, und wenn er ihm jetzt noch nachge-
5 hangen,+ dann hätte er sich ja vor sich selber schämen müssen, denn in Sachen+ der Ehre verstand der Meister keinen Spaß,+ das hatte er wohl gemerkt, und wie hätte er dann wohl Klärchen in die Augen sehen sollen, wenn er sich hätte sagen müssen, daß er an ihrem Unglück schuld sei? Aber es kam ihm ein anderer Gedanke: nämlich Klärchen zu
10 heiraten.

Wir wollen nicht die Widerstände schildern,+ welche dieser Plan fand, bei den Untertanen sowohl+ wie bei den benachbarten Fürsten; ihre Darstellung+ gehört nicht mehr zur Aufgabe dieser Erzählung; wir wollen nur noch mitteilen,+ daß die Widerstände durch treues Aus-
15 harren+ der beiden Liebenden überwunden+ wurden, daß eine fröhliche Heirat stattfand, daß aus der Ehe ein Dutzend Kinder entsproßten,+ und daß manche fürstliche Familie in Europa heute in ihrem Blut auch einige Tropfen von dem Blute des Bäckermeisters Schmidt und seiner braven Ehefrau hat.

CLEMENS BRENTANO

Clemens Brentano (1778–1842) is one of the great romantic poets of Germany. Animated by the same spirit that prompted the Grimm brothers to take down the fairy tales, Brentano and his friend Achim von Arnim gathered a rich collection of German folk songs. What

---

die **Stimmung, –en** mood
die **Sehnsucht** longing
die **Behaglichkeit** comfort
das **Gewissen** conscience
die **Liebschaft, –en** love intrigue
ohnehin anyhow
nach=hängen, i, a to harbor (in one's mind)
die **Sache**: in ∼n in matters
der **Spaß**: keinen ∼ verstehen to be uncompromising
schildern to describe
sowohl' wie as well as
die **Darstellung** narration
mit=teilen to tell
das **Ausharren** perseverance
überwin'den, a, u to overcome
entsprießen, o, o to spring from, be born

led him to do this was the conviction that in the utterances of the common people there can be found a store of beautiful poetry united with deep wisdom. In the *Geschichte vom braven Kasperl und dem schönen Annerl,* one of the masterworks of German prose, Brentano lets this conviction take shape in the figure of the old woman. She represents the wise spirit of the people. The tragic events she tells of and the expressions she uses (for example, *herztausender Schatz,* "darling of my heart") are all drawn by the author from folk-song material. What makes her especially admirable for the author is the way she reacts to her experiences, however terrible they are. She remains unperturbed. She has an unshaken security, which her faith in the Christian religion gives her. From the midst of the modern confusion of spirit, the romantic poets looked back longingly to a state of mind that was wholesomely and securely built on a religious trust. The common people presented this ideal to them. The members of the higher classes in the story—the author himself, the duke, and the lieutenant—are confused, shaken, and brought on the way to conversion by their contact with the simple mind of the people. Only through that contact do they understand the true implication of the events. For everything that happens in this story is an allegory of what can happen to each of us: we are beset by the same temptations, we exalt our own honor, and the day of judgment awaits us. Thus the whole story has a religious, symbolical meaning, besides the beauty of its objective narrative. As night proceeds toward morning, man is hoping in the night of life for the light of God. The old woman's recurring song, a true folk song, about the day of resurrection reiterates this theme. And the poem that is sung toward the end of the story stresses the hopeful note that there will certainly be justice for man's misdeeds on earth, but once those are atoned for, Love and Grace will come to his rescue.

Geschichte vom braven Kasperl und dem schönen Annerl

Es war Sommersfrühe.+ Die Nachtigallen sangen erst seit einigen Tagen durch die Straßen und verstummten heut' in einer kühlen Nacht, welche von fernen Gewittern zu uns herwehte; der Nachtwächter rief

---

die **Sommersfrühe** early summer

die elfte Stunde an[+], da sah ich, nach Hause gehend, vor der Tür eines großen Gebäudes einen Trupp[+] von allerlei Gesellen, die vom Biere kamen, um jemand, der auf den Türstufen saß, versammelt. Ihr Anteil[+] schien mir so lebhaft, daß ich irgendein Unglück besorgte und mich näherte.

Eine alte Bäuerin saß auf der Treppe, und so lebhaft die Gesellen sich um sie bekümmerten,[+] so wenig ließ sie sich von den neugierigen Fragen und gutmütigen Vorschlägen derselben stören. Es hatte etwas sehr Befremdendes,[+] ja schier[+] Großes, wie die gute alte Frau so sehr wußte, was sie wollte, daß sie, als sei sie ganz allein in ihrem Kämmerlein, mitten unter den Leuten es sich unter freiem Himmel zur Nachtruhe bequem machte. Sie nahm ihre Schürze[+] als ein Mäntelchen um, zog ihren großen schwarzen, wachsleinenen[+] Hut tiefer in die Augen, legte sich ihr Bündel unter den Kopf zurecht und gab auf keine Frage Antwort.

„Was fehlt dieser alten Frau?" fragte ich einen der Anwesenden. Da kamen Antworten von allen Seiten: „Sie kommt sechs Meilen[+] Weges vom Lande, sie kann nicht weiter, sie weiß nicht Bescheid[+] in der Stadt, sie hat Befreundete[+] am andern Ende der Stadt und kann nicht hinfinden."—„Ich wollte sie führen", sagte einer, „aber es ist ein weiter Weg, und ich habe meinen Hausschlüssel nicht bei mir. Auch würde sie das Haus nicht kennen, wo sie hin will."—„Aber hier kann die Frau nicht liegen bleiben", sagte ein Neuhinzugetretener. „Sie will aber platterdings",[+] antwortete der erste, „ich habe ihr längst gesagt, ich wolle sie nach Haus bringen, doch sie redet ganz verwirrt, ja sie muß wohl betrunken[+] sein."—„Ich glaube, sie ist blödsinnig.[+] Aber hier kann sie doch in keinem Falle bleiben", wiederholte jener, „die Nacht ist kühl und lang."

---

an=rufen = aus=rufen
der **Trupp, –s** group
der **Anteil** sympathy
sich bekümmern (um) to concern oneself
befremdend: etwas Befremdendes haben to be *or* seem odd
schier almost—die **Schürze, –n** apron
wachsleinen of oilcloth
die **Meile, –n.** A German (metrical) mile is about 4½ English miles.
Bescheid: ∼ wissen to know one's way
der **Befreundete = der Freund**
platterdings absolutely
blödsinnig feeble-minded

Während allem diesem Gerede+ war die Alte, gerade als ob sie taub und blind sei, ganz ungestört mit ihrer Zubereitung fertig geworden, und da der letzte abermals sagte: „Hier kann sie doch nicht bleiben", erwiderte sie, mit einer wunderlich tiefen und ernsten Stimme:

„Warum soll ich nicht hier bleiben? Ist dies nicht ein herzogliches Haus? Ich bin achtundachtzig Jahre alt, und der Herzog wird mich gewiß nicht von seiner Schwelle treiben. Drei Söhne sind in seinem Dienst gestorben, und mein einziger Enkel hat seinen Abschied+ genommen—Gott verzeiht es ihm gewiß, und ich will nicht sterben, bis er in seinem ehrlichen Grab liegt."

„Achtundachtzig Jahre und sechs Meilen gelaufen!" sagten die Umstehenden.+ „Sie ist müd' und kindisch, in solchem Alter wird der Mensch schwach."

„Mutter, Sie kann+ aber den Schnupfen+ kriegen und sehr krank werden hier, und Langeweile wird Sie auch haben", sprach nun einer der Gesellen und beugte sich näher zu ihr.

Da sprach die Alte wieder mit ihrer tiefen Stimme, halb bittend, halb befehlend:

„O laßt mir meine Ruhe und seid nicht unvernünftig! ich brauch' keinen Schnupfen+, ich brauche keine Langeweile; es ist ja schon spät an der Zeit, achtundachtzig bin ich alt, der Morgen wird bald anbrechen, da geh ich zu meinen Befreundeten. Wenn ein Mensch fromm ist und hat Schicksale+ und kann beten, so kann er die paar armen Stunden auch noch wohl hinbringen."+

Die Leute hatten sich nach und nach verloren,+ und die letzten, welche

---

das Gerede talk

der Abschied: seinen ~ nehmen to take leave *or* to resign one's commission

die Umstehenden *pl.* bystanders

Sie kann . . . you can . . . At the time of this story (*c.* 1800), the third pers. sing. (capitalized, Er or Sie) and the second pers. pl. (capitalized, Ihr, addressed to a single individual) were used in speaking to a subordinate or an individual of low social rank. Still earlier, however, these forms were used in polite address, and it is in this way that the old woman (on the next page) uses Er thus showing her age and outmoded manner of speech. Neither is in general use today.

der Schnupfen cold: ~ kriegen to catch cold

Schicksale *pl.* sorrowful experiences

hin=bringen to pass (time)

sich verlieren to go away, disappear

noch da standen, eilten auch hinweg, weil der Nachtwächter durch die Straße kam und sie sich von ihm ihre Wohnungen wollten öffnen lassen. So war ich allein noch gegenwärtig. Die Straße ward ruhiger. Ich wandelte+ nachdenkend unter den Bäumen des vor mir lie-
5 genden freien Platzes auf und nieder; das Wesen der Bäuerin, ihr bestimmter, ernster Ton, ihre Sicherheit im Leben, das sie achtundachtzigmal mit seinen Jahreszeiten hatte zurückkehren sehen, und das ihr nur wie ein Vorsaal im Bethause erschien, hatten mich mannigfach erschüttert. „Was sind alle Leiden, alle Begierden+ meiner Brust?
10 Die Sterne gehen ewig unbekümmert+ ihren Weg, wozu suche ich Erquickung und Labung,+ und von wem suche ich sie und für wen? Alles, was ich hier suche und liebe und erringe, wird es mich je dahin bringen, so ruhig wie diese gute, fromme Seele die Nacht auf der Schwelle des Hauses zubringen zu können, bis der Morgen erscheint, und werde ich
15 dann den Freund finden wie sie? Ach, ich werde die Stadt gar nicht erreichen, ich werde wegemüde schon in dem Sande vor dem Tore umsinken+ und vielleicht gar in die Hände der Räuber fallen." So sprach ich zu mir selbst, und als ich durch den Lindengang mich der Alten wieder näherte, hörte ich sie halblaut mit gesenktem Kopfe vor sich hin
20 beten. Ich war wunderbar gerührt und trat zu ihr hin und sprach: „Mit Gott,+ fromme Mutter, bete Sie auch ein wenig für mich!" bei welchen Worten ich ihr einen Taler in die Schürze+ warf.

Die Alte sagte hierauf ganz ruhig: „Hab tausend Dank, mein lieber Herr, daß du mein Gebet erhört."

25 Ich glaubte, sie spreche mit mir, und sagte: „Mutter, habt Ihr mich denn um etwas gebeten? Ich wüßte nicht."

Da fuhr+ die Alte überrascht auf und sprach: „Lieber Herr, gehe Er doch nach Haus, und bete Er fein und lege Er sich schlafen! Was zieht Er so spät noch auf der Gasse herum? Das ist jungen Gesellen
30 gar nichts nütze+, denn der Feind geht um und suchet, wo er sich einen

---

wandeln to walk
die **Begierde, -n** desire
unbekümmert unconcerned
die **Labung** comfort
um=sinken to collapse
Gott: mit ~ God bless you
die **Schürze, -n** apron—**auf=fahren** to start up—**nichts nütze** of no use

erfange.+ Es ist mancher durch solch Nachtlaufen verdorben. Wen sucht Er? Den Herrn? Der ist in des Menschen Herz, so+ er züchtiglich+ lebt, und nicht auf der Gasse! Sucht Er aber den Feind, so+ hat Er ihn schon; gehe Er hübsch nach Haus und bete Er, daß Er ihn loswerde! Gute Nacht!"

Nach diesen Worten wendete sie sich ganz ruhig nach der andern Seite und steckte den Taler in ihren Reisesack. Alles, was die Alte tat, machte einen eigentümlichen+ ernsten Eindruck auf mich, und ich sprach zu ihr: „Liebe Mutter, Ihr habt wohl recht, aber Ihr selbst seid es, was mich hier hält. Ich hörte Euch beten und wollte Euch ansprechen,+ meiner dabei zu gedenken."

„Das ist schon geschehen", sagte sie. „Als ich Ihn so durch den Lindengang wandeln+ sah, bat ich Gott, er möge Euch gute Gedanken geben. Nun habe Er sie, und gehe Er fein schlafen!"

Ich aber setzte mich zu ihr nieder auf die Treppe und ergriff ihre dürre+ Hand und sagte: „Lasset mich hier bei Euch sitzen die Nacht hindurch und erzählet mir, woher Ihr seid und was Ihr hier in der Stadt sucht; Ihr habt hier keine Hülfe+, in Eurem Alter ist man Gott näher als den Menschen; die Welt hat sich verändert, seit Ihr jung wart."—

„Daß ich nicht wüßte", erwiderte die Alte, „ich hab's mein Lebetag+ ganz einerlei gefunden. Er ist noch zu jung, da verwundert man sich über alles: mir ist alles schon so oft wieder vorgekommen, daß ich es nur noch mit Freuden ansehe, weil es Gott so treulich+ damit meinet. Aber man soll keinen guten Willen von sich weisen, wenn er einem auch grade nicht not+ tut, sonst möchte der liebe Freund ausbleiben, wenn er ein andermal gar willkommen wäre; bleibe Er drum immer+ sitzen und sehe Er, was Er mir helfen kann. Ich will Ihm erzählen, was mich in die Stadt den weiten Weg hertreibt. Ich hätt' es nicht gedacht,

---

erfangen = fangen
(so er züchtiglich . . .) so = wenn
züchtiglich virtuous
(so hat Er . . .) so = dann
eigentümlich peculiar
an=sprechen to ask
wandeln to walk (about)
dürr withered—die **Hülfe = Hilfe**
Lebetag: mein ~ in all my life
treulich = treu
einem not tun to be needed by a person
immer. *Translate* just

wieder hierher zu kommen. Es sind siebenzig Jahre, daß ich hier in dem Hause als Magd gedient habe, auf dessen Schwelle ich sitze, seitdem war ich nicht mehr in der Stadt; was die Zeit herumgeht!+ Es ist, als wenn man eine Hand umwendet. Wie oft habe ich hier am
5 Abend gesessen vor siebzig Jahren und habe auf meinen Schatz gewartet, der bei der Garde+ stand! Hier haben wir uns auch versprochen.+ Wenn er hier—aber still, da kömmt+ die Runde+ vorbei."

Da hob sie an,+ mit gemäßigter+ Stimme, wie etwa junge Mägde und Diener in schönen Mondnächten, vor der Tür zu singen, und ich
10 hörte mit innigem Vergnügen folgendes schöne alte Lied von ihr:

„Wann+ der Jüngste Tag+ wird werden,
Dann fallen die Sternelein auf die Erden.
Ihr Toten, ihr Toten sollt auferstehn,+
Ihr sollt vor das Jüngste Gerichte gehn;
15 Ihr sollt treten auf die Spitzen,+
Da+ die lieben Engelein sitzen.
Da kam der liebe Gott gezogen
Mit einem schönen Regenbogen.
Da kamen die falschen Juden gegangen,
20 Die führten einst unsern Herrn Christum gefangen.
Die hohen Bäum' erleuchten+ sehr,
Die harten Stein' zerknirschten+ sehr.
Wer dies Gebetlein beten kann,
Der bet's des Tages nur einmal:
25 Die Seele wird vor Gott bestehn,+
Wann wir werden zum Himmel eingehn!
Amen."

Als die Runde uns näher kam, wurde die gute Alte gerührt. „Ach", sagte sie, „es ist heute der sechzehnte Mai, es ist doch alles einer=

---

herum=gehen to pass
die **Garde:** bei der ~ stehen to serve in the guards
sich versprechen to become engaged
kömmt = kommt
die **Runde** guard going the rounds
an=heben to begin
gemäßigt subdued
wann = wenn
Tag: der Jüngste ~ Last Judgment
auferstehen to rise from the dead
die **Spitze, -n** height
da = wo
erleuchten = leuchteten
zerknirschen to be crunched
bestehen to stand the test

lei, grade wie damals, nur haben sie andere Mützen auf und keine Zöpfe+ mehr. Tut nichts, wenn's Herz nur gut ist!"

Der Offizier der Runde blieb bei uns stehen und wollte eben fragen, was wir hier so spät zu schaffen hätten, als ich den Fähndrich+ Graf Grossinger, einen Bekannten, in ihm erkannte. Ich sagte ihm kurz den ganzen Handel+, und er sagte mit einer Art von Erschütterung: „Hier haben Sie einen Taler für die Alte und eine Rose"—die er in der Hand trug— „so alte Bauersleute haben Freude an Blumen. Bitten Sie die Alte, Ihnen morgen das Lied in die Feder zu sagen, und bringen Sie mir es. Ich habe lange nach dem Lied getrachtet,+ aber es+ nie ganz habhaft werden+ können." Hiermit schieden wir, denn der Posten der nah gelegenen Hauptwache, bis zu welcher ich ihn über den Platz begleitet hatte, rief: „Wer da?" Er sagte mir noch, daß er die Wache am Schlosse habe, ich solle ihn dort besuchen. Ich ging zu der Alten zurück und gab ihr die Rose und den Taler.

Die Rose ergriff sie mit einer rührenden Heftigkeit und befestigte sie sich auf ihren Hut, indem sie mit einer etwas feineren Stimme und fast weinend die Worte sprach:

„Rosen, die Blumen, auf meinem Hut,
Hätt' ich viel Geld, das wäre gut,
Rosen und mein Liebchen."

Ich sagte zu ihr: „Ei, Mütterchen, Ihr seid ja ganz munter geworden", und sie erwiderte:

„Munter, munter,
Immer bunter,
Immer runder.
Oben stund+ er,
Nun bergunter,+
's ist kein Wunder!

---

der Zopf, ⸗e braid
der Fähndrich second lieutenant (lowest commissioned officer, originally standard-bearer)
der Handel affair
trachten nach to strive to obtain
es = seiner of it
habhaft werden to get hold of
stund = stand
bergun'ter downhill

Schau' Er, lieber Mensch, ist es nicht gut, daß ich hier sitzengeblieben? Es ist alles einerlei, glaub' Er mir. Heut sind es siebenzig Jahre, da saß ich hier vor der Türe; ich war eine flinke Magd und sang gern alle Lieder. Da sang ich auch das Lied vom Jüngsten Gericht[+] wie heute, da die Runde vorbeiging, und da warf mir ein Grenadier im Vorübergehn eine Rose in den Schoß—die Blätter hab ich noch in meiner Bibel liegen—: das war meine erste Bekanntschaft mit meinem seligen Mann. Am andern Morgen hatte ich die Rose vorgesteckt[+] in der Kirche, und da fand er mich, und es ward bald richtig. Drum hat es mich gar sehr gefreut, daß mir heut' wieder eine Rose ward[+]. Es ist ein Zeichen, daß ich zu ihm kommen soll, und darauf freu' ich mich herzlich. Vier Söhne und eine Tochter sind mir gestorben, vorgestern hat mein Enkel seinen Abschied genommen—Gott helfe ihm und erbarme[+] sich seiner!—und morgen verläßt mich eine andre gute Seele. Aber was sag ich: morgen? ist es nicht schon Mitternacht vorbei?"

„Es ist zwölfe vorüber", erwiderte ich, verwundert über ihre Rede.

„Gott gebe ihr Trost und Ruhe die vier Stündlein, die sie noch hat!" sagte die Alte und ward still, indem sie die Hände faltete. Ich konnte nicht sprechen, so erschütterten mich ihre Worte und ihr ganzes Wesen. Da sie aber ganz stille blieb und der Taler des Offiziers noch in ihrer Schürze lag, sagte ich zu ihr: „Mutter, steckt den Taler zu Euch, Ihr könntet ihn verlieren."

„Den wollen wir nicht weglegen, den wollen wir meiner Befreundeten schenken in ihrer letzten Not!" erwiderte sie. „Den ersten Taler nehm' ich morgen wieder mit nach Haus, der gehört meinem Enkel, der soll ihn genießen. Ja seht, es ist immer ein herrlicher Junge gewesen und hielt[+] etwas auf seinen Leib und auf seine Seele—ach Gott, auf seine Seele!—Ich habe gebetet den ganzen Weg, es ist nicht möglich, der liebe Herr läßt ihn gewiß nicht verderben. Unter allen Burschen war er immer der reinlichste und fleißigste in der Schule, aber auf die Ehre war[+] er vor allem ganz erstaunlich. Sein Leutnant hat auch immer

---

Gericht: das Jüngste ~ Last Judgment
vor=stecken to wear as a corsage
werden: mir wird I chance upon
sich erbarmen to have mercy
halten: etwas ~ auf to make much of
sein: auf etwas ~ to watch over

Ewing Galloway

Pavillon des sogenannten Zwingers in Dresden (1711–1722) im Stil des Barock: Im Zwinger wurden Festspiele aufgeführt, denen die Hofgesellschaft von den Pavillons aus zusah

gesprochen: ‚Wenn meine Schwadron+ Ehre im Leibe hat, so sitzt sie bei dem Finkel+ im Quartier.‘+ Er war unter den Ulanen.+ Als er zum erstenmal aus Frankreich zurückkam, erzählte er allerlei schöne Geschichten, aber immer war von der Ehre dabei die Rede. Sein
5 Vater und sein Stiefbruder+ waren bei dem Landsturm+ und kamen oft mit ihm wegen der Ehre in Streit, denn was er zuviel hatte, hatten sie nicht genug. Gott verzeih' mir meine schwere Sünde, ich will nicht schlecht von ihnen reden, jeder hat sein Bündel zu tragen: aber meine selige Tochter, seine Mutter, hat sich zu Tode gearbeitet bei dem
10 Faulpelz,+ sie konnte nicht erschwingen,+ seine Schulden zu tilgen. Der Ulan+ erzählte von den Franzosen, und als der Vater und Stief-bruder sie ganz schlecht+ machen wollten, sagte der Ulan: ‚Vater, das versteht Ihr nicht, sie haben doch viel Ehre im Leibe!‘ Da ward der Stiefbruder tückisch+ und sagte: ‚Wie kannst du deinem Vater so viel
15 von Ehre vorschwatzen? War er doch Unteroffizier+ im N . . . schen+ Regiment und muß es besser als du verstehn, der nur Gemeiner+ ist!‘ —‚Ja‘ sagte da der alte Finkel, der nun auch rebellisch ward, ‚das war ich und habe manchen vorlauten+ Burschen fünfundzwanzig aufge-zählt;+ hätte ich nur Franzosen in der Kompanie gehabt, die sollten
20 sie noch besser gefühlt haben, mit ihrer Ehre!‘ Die Rede tat dem Ula-nen gar weh, und er sagte: ‚Ich will ein Stückchen von einem franzö-sischen Unteroffizier erzählen, das gefällt mir besser. Unterm vorigen König sollten auf einmal die Prügel+ bei der französischen Armee ein-geführt werden. Der Befehl des Kriegsministers wurde zu Straß-
25 burg bei einer großen Parade bekanntgemacht, und die Truppen hörten

---

die **Schwadron'**, **–en** squadron
Finkel. The grandson's name
das **Quartier'**, **–e** quarters
der **Ulan'**, **–en** lancer
Stief- step-
der **Landsturm.** Last reserves (comprising all men capable of bearing arms who are not included in other reserve formations)
der **Faulpelz**, **–e** lazybones
erschwingen, a, u (to be able) to afford
schlecht: einen ~ machen to slander, defame
tückisch (*dialect*) angry
der **Unteroffizier'**, **–e** noncommissioned officer
N . . . schen. Regiments often were called after their commanders.
der **Gemeine**, **–n** private
vorlaut saucy, forward
auf-zählen to administer (whipping)
die **Prügel** *pl.* whipping

in Reih und Glied+ die Bekanntmachung mit stillem Grimm an. Da aber noch am Schluß der Parade ein Gemeiner einen Exzeß+ machte, wurde sein Unteroffizier vorkommandiert,+ ihm zwölf Hiebe zu geben. Es wurde ihm mit Strenge befohlen, und er mußte es tun. Als er aber fertig war, nahm er das Gewehr des Mannes, den er geschlagen 5
hatte, stellte es vor sich an die Erde und drückte mit dem Fuße los, daß ihm die Kugel durch den Kopf fuhr und er tot niedersank. Das wurde an den König berichtet, und der Befehl, Prügel zu geben, ward gleich zurückgenommen. Seht, Vater, das war ein Kerl, der Ehre im Leib hatte!'—,Ein Narr war es!' sprach der Bruder.—,Freß' deine Ehre, 10
wenn du Hunger hast!' brummte+ der Vater. Da nahm mein Enkel seinen Säbel+ und ging aus dem Haus und kam zu mir in mein Häuschen, und erzählte mir alles und weinte die bittern Tränen. Ich konnte ihm nicht helfen. Die Geschichte, die er mir auch erzählte, konnte ich zwar nicht ganz verwerfen, aber ich sagte ihm doch immer zu- 15
letzt: ,Gib Gott allein die Ehre!' Ich gab ihm noch den Segen, denn sein Urlaub+ war am andern Tag aus, und er wollte noch eine Meile umreiten+ nach dem Orte, wo ein Patchen+ von mir auf dem Edelhof+ diente, auf die er gar viel hielt, er wollte einmal mit ihr hausen.+—Sie werden auch wohl bald zusammenkommen, wenn Gott mein Gebet 20
erhört. Er hat seinen Abschied schon genommen, mein Patchen wird ihn heut' erhalten, und die Aussteuer+ hab ich auch schon beisammen, es soll auf der Hochzeit weiter niemand sein als ich." Da ward die Alte wieder still und schien zu beten. Ich war in allerlei Gedanken über die Ehre, und ob ein Christ den Tod des Unteroffiziers schön fin- 25
den dürfe. Ich wollte, es sagte mir einmal einer etwas Hinreichendes darüber.

Als der Wächter ein Uhr anrief,+ sagte die Alte: „Nun habe ich

---

in Reih und Glied in ranks
der Exzeß': einen ~ machen to commit an offense
vor=kommandieren to order to the front
brummen to snarl, growl
der Säbel, – sabre
der Urlaub furlough
um=reiten to make a detour in riding
das Patchen, – godchild
der Edelhof, ⸗e manor
hausen to set up housekeeping (that is, after marriage)
die Aussteuer dowry, trousseau
anrufen = ausrufen

noch zwei Stunden. Ei, ist Er noch da, warum geht Er nicht schlafen? Er wird morgen nicht arbeiten können und mit seinem Meister Händel+ kriegen; von welchem Handwerk ist Er denn, mein guter Mensch?"

5 Da wußte ich nicht recht, wie ich es ihr deutlich machen sollte, daß ich ein Schriftsteller sei. ‚Ich bin ein Gestudierter',+ durfte ich nicht sagen, ohne zu lügen. Es ist wunderbar, daß ein Deutscher immer sich ein wenig schämt, zu sagen, er sei ein Schriftsteller; zu Leuten aus den untern Ständen+ sagt man es am ungernsten, weil diesen gar leicht 10 die Schriftgelehrten+ und Pharisäer aus der Bibel dabei einfallen. Der Name Schriftsteller ist nicht so eingebürgert+ bei uns, wie das Homme de lettres+ bei den Franzosen, welche überhaupt als Schriftsteller zünftig+ sind und in ihren Arbeiten mehr hergebrachtes+ Gesetz haben, ja, bei denen man auch fragt: „Où avez-vous fait votre philo-15 sophie? wo haben Sie Ihre Philosophie gemacht?" Wie+ denn ein Franzose selbst viel mehr von einem gemachten+ Manne hat. Doch diese nicht deutsche Sitte ist es nicht allein, welche das Wort Schriftsteller so schwer auf der Zunge macht, wenn man am Tore um seinen Charakter+ gefragt wird, sondern eine gewisse innere Scham hält uns 20 zurück, ein Gefühl, welches jeden befällt,+ der mit freien und geistigen Gütern, mit unmittelbaren Geschenken des Himmels Handel treibt. Gelehrte brauchen sich weniger zu schämen als Dichter, denn sie haben gewöhnlich Lehrgeld gegeben, sind meist in Ämtern des Staats, spalten an groben Klötzen+ oder arbeiten in Schachten,+ wo viel wilde Wasser 25 auszupumpen sind. Aber ein sogenannter Dichter ist am übelsten+ daran, weil er meistens aus dem Schulgarten nach dem Parnaß ent-

---

Händel *pl*: ~ kriegen to get into trouble
der **Gestudier'te** = der **Studierte** a person having a university education
der **Stand, ⸗e** class
der **Schriftgelehrte, –n** scribe
eingebürgert well established
homme de lettres (*French*) writer
zünftig professional
hergebracht traditional
wie denn just as
gemacht. Conveys the meaning of *unnatural, affected*, but may also be used in the sense of *successful.*
der **Charak'ter.** Here: occupation
befallen to affect
der **Klotz, ⸗e** block
der **Schacht, ⸗e** pit, trench
übel: ~ daran' sein to be badly off

laufen, und es ist auch wirklich ein verdächtiges Ding um einen Dichter von Profession, der es nicht nur nebenher+ ist. Man kann sehr leicht zu ihm sagen: „Mein Herr, ein jeder Mensch hat, wie Hirn, Herz, Magen, Milz,+ Leber+ und dergleichen, auch eine Poesie im Leibe; wer aber eines dieser Glieder überfüttert, verfüttert+ oder mästet+ und es über alle andre hinüber treibt, ja es gar zum Erwerbzweig+ macht, der muß sich schämen vor seinem ganzen übrigen Menschen." Einer, der von der Poesie lebt, hat das Gleichgewicht verloren, und eine übergroße Gänseleber, sie mag noch so gut schmecken, setzt doch immer eine kranke Gans voraus. Alle Menschen, welche ihr Brot nicht im Schweiß ihres Angesichts verdienen, müssen sich einigermaßen+ schämen; und das fühlt einer, der noch nicht ganz in der Tinte+ war, wenn er sagen soll, er sei ein Schriftsteller. So dachte ich allerlei und besann mich, was ich der Alten sagen sollte, welche, über mein Zögern verwundert, mich anschaute und sprach:

„Welch ein Handwerk Er treibt, frage ich; warum will Er mir's nicht sagen? Treibt Er kein ehrlich Handwerk, so greif' Er's noch an, es hat einen goldnen Boden.+ Er ist doch nicht etwa gar ein Henker oder Spion,+ der mich ausholen+ will? Meinethalben+ sei Er, wer Er will, sag Er's, wer Er ist! Wenn Er bei Tage so hier säße, würde ich glauben, Er sei ein Lehnerich,+ so ein Tagedieb,+ der sich an die Häuser lehnt, damit er nicht umfällt vor Faulheit."

Da fiel mir ein Wort ein, das mir vielleicht eine Brücke zu ihrem Verständnis schlagen+ könnte: „Liebe Mutter", sagte ich, „ich bin ein Schreiber".—„Nun", sagte sie, „das hätte Er gleich sagen sollen. Er ist also ein Mann von der Feder, dazu gehören feine Köpfe und schnelle

---

nebenher on the side
die **Milz** spleen
die **Leber** liver
verfüttern to feed wrongly
mästen to fatten
der **Erwerbzweig, –e** gainful occupation
einigerma'ßen considerably
die **Tinte** ink: in der ~ in the soup
der **Boden:** Handwerk hat goldenen ~. German proverb (cf. English "A handful of trade is a handful of gold")
der **Spion', –e** spy
aus=holen to pump (for information)
meinethalben as far as I am concerned
der **Lehnerich** "leaner-on" (that is, one who needs support)
der **Tagedieb, –e** sluggard
schlagen: eine Brücke ~ to build a bridge

Finger und ein gutes Herz, sonst wird einem drauf geklopft. Ein Schreiber ist Er? Kann Er mir dann wohl eine Bittschrift+ aufsetzen+ an den Herzog, die aber gewiß erhört wird und nicht bei den vielen andern liegen bleibt?"

„Eine Bittschrift, liebe Mutter", sprach ich, „kann ich Ihr wohl aufsetzen, und ich will mir alle Mühe geben, daß sie recht eindringlich+ abgefaßt+ sein soll."

„Nun, das ist brav von Ihm", erwiderte sie; „Gott lohn' es Ihm und lasse Ihn älter werden als mich und gebe Ihm auch in Seinem Alter einen so geruhigen+ Mut und eine so schöne Nacht mit Rosen und Talern wie mir und auch einen Freund, der Ihm eine Bittschrift macht, wenn es Ihm not tut.+ Aber jetzt gehe Er nach Haus, lieber Freund, und kaufe Er sich einen Bogen Papier und schreibe Er die Bittschrift; ich will hier auf Ihn warten. Noch eine Stunde, dann gehe ich zu meiner Pate,+ Er kann mitgehen; sie wird sich auch freuen an der Bittschrift. Sie hat gewiß ein gut Herz, aber Gottes Gerichte+ sind wunderbar."

Nach diesen Worten ward die Alte wieder still, senkte den Kopf und schien zu beten. Der Taler lag noch auf ihrem Schoß. Sie weinte. „Liebe Mutter, was fehlt Euch, was tut Euch so weh? Ihr weinet?" sprach ich.

„Nun, warum soll ich denn nicht weinen? Ich weine auf+ den Taler, ich weine auf die Bittschrift, auf alles weine ich. Aber es hilft nichts, es ist doch alles viel, viel besser auf Erden, als wir Menschen es verdienen, und gallenbittre Tränen sind noch viel zu süße.+ Sehe Er nur einmal das goldne Kamel da drüben, an der Apotheke. Wie doch Gott alles so herrlich und wunderbar geschaffen hat, aber der Mensch erkennt es nicht! Und ein solch Kamel geht eher durch ein Nadelöhr,+ als ein Reicher in das Himmelreich.—Aber was sitzt Er denn immer da?

---

die **Bittschrift, –en** petition
auf=setzen to draft
eindringlich forcible
ab=fassen to compose
geruhig = ruhig
not tun: wenn . . . tut when you need it
die **Pate, –n** godchild
die **Gerichte** *pl.* Translate: ways
auf = über
süße = süß (the first form is common in folk songs)
das **Nadelöhr** eye of a needle

Gehe Er, den Bogen Papier zu kaufen, und bringe Er mir die Bittschrift."

„Liebe Mutter", sagte ich, „wie kann ich Euch die Bittschrift machen, wenn Ihr mir nicht sagt, was ich hineinschreiben soll?"

„Das muß ich Ihm sagen?" erwiderte sie, „dann ist es freilich keine Kunst, und wundre ich mich nicht mehr, daß Er sich einen Schreiber zu nennen schämte, wenn man Ihm alles sagen soll. Nun, ich will mein mögliches+ tun. Setz' Er in die Bittschrift, daß zwei Liebende beieinander ruhen sollen und daß sie einen nicht auf die Anatomie+ bringen sollen, damit man seine Glieder beisammen hat, wenn es heißt: ‚Ihr Toten, ihr Toten sollt auferstehn,+ ihr sollt vor das Jüngste Gerichte+ gehn!'" Da fing sie wieder bitterlich an zu weinen.

Ich ahnete, ein schweres Leid müsse auf ihr lasten, aber sie fühle bei der Bürde ihrer Jahre nur in einzelnen Momenten sich schmerzlich gerührt. Sie weinte, ohne zu klagen, ihre Worte waren immer gleich ruhig und kalt. Ich bat sie nochmals,+ mir die ganze Veranlassung zu ihrer Reise in die Stadt zu erzählen, und sie sprach: „Mein Enkel, der Ulan, von dem ich Ihm erzählte, hatte doch mein Patchen sehr lieb, wie ich Ihm vorher sagte, und sprach der schönen Annerl,+ wie die Leute sie ihres glatten Spiegels+ wegen nannten, immer von der Ehre vor+ und sagte ihr immer, sie solle auf ihre Ehre halten+ und auch auf seine Ehre. Da kriegte dann das Mädchen etwas ganz Apartes+ in ihr Gesicht und ihre Kleidung von der Ehre; sie war feiner und manierlicher+ als alle anderen Dirnen.+ Alles saß+ ihr knapper am Leibe, und wenn sie ein Bursche einmal ein wenig derb+ beim Tanze anfaßte oder sie etwa höher als den Steg+ der Baßgeige+ schwang, so konnte sie bitterlich darüber bei mir weinen und sprach dabei immer, es sei wider ihre Ehre. Ach, das Annerl ist ein eignes Mädchen immer gewesen.

---

mein mögliches as much as I can
die **Anatomie'** morgue, dissecting room
auferstehen to rise from the dead
nochmals = noch einmal
Annerl. Diminutive of Anna
der **Spiegel:** glatter ~ good looks
vor=sprechen to talk about
halten auf to watch over
apart' out of the ordinary
manier'lich mannerly
die **Dirne, –n** lass—**sitzen** Here: to fit
derb rough, uncouth
der **Steg, –e** bridge
die **Baßgeige, –n** double-bass

Manchmal, wenn kein Mensch es sich versah,+ fuhr+ sie mit beiden Händen nach ihrer Schürze und riß sie sich vom Leibe, als ob Feuer drin sei, und dann fing sie gleich entsetzlich an zu weinen; aber das hat seine Ursache: es hat sie mit Zähnen hingerissen, der Feind ruht nicht. Wäre+ das Kind nur nicht stets so hinter der Ehre her gewesen und hätte sich lieber an unsren lieben Gott gehalten, hätte ihn nie von sich gelassen, in aller Not, und hätte seinetwillen+ Schande und Verachtung ertragen statt ihrer Menschenehre! Der Herr hätte sich gewiß erbarmt+ und wird es auch noch. Ach, sie kommen gewiß zusammen, Gottes Wille geschehe!

„Der Ulan stand+ wieder in Frankreich, er hatte lange nicht geschrieben, und wir glaubten ihn fast tot und weinten oft um ihn. Er war aber im Hospital an einer schweren Blessur+ krank gelegen, und als er wieder zu seinen Kameraden kam und zum Unteroffizier ernannt wurde, fiel ihm ein, daß ihm vor zwei Jahren sein Stiefbruder so übers Maul+ gefahren, er sei nur Gemeiner+ und der Vater Korporal, und dann die Geschichte von dem französischen Unteroffizier, und wie er seinem Annerl von der Ehre so viel geredet, als er Abschied genommen. Da verlor er seine Ruhe und kriegte das Heimweh und sagte zu seinem Rittmeister,+ der ihn um sein Leid fragte: ‚Ach, Herr Rittmeister, es ist, als ob es mich mit den Zähnen nach Hause zöge.' Da ließen sie ihn heimreiten mit seinem Pferd, denn alle seine Offiziere trauten ihm. Er kriegte auf drei Monate Urlaub+ und sollte mit der Remonte+ wieder zurückkommen. Er eilte, so sehr er konnte, ohne seinem Pferde wehe zu tun, welches er besser pflegte als jemals,+ weil es ihm war anvertraut worden. An einem Tage trieb es ihn ganz entsetzlich, nach Hause zu eilen. Es war der Tag vor dem Sterbetag seiner Mutter,

---

sich versehen to expect
fahren, nach to clutch
sein: hinter etwas her ~ to be after something
seinetwillen for His sake
sich erbar'men to have mercy
stehen. Translate here: to be garrisoned
die **Blessur'** = die **Wunde**
das **Maul:** übers ~ fahren to cut a person short (rudely)
der **Gemeine, -n** private
der **Rittmeister, -** captain (of cavalry)
der **Urlaub** furlough
die **Remon'te** supply of young horses for the cavalry
jemals ever

und es war ihm immer, als laufe sie vor seinem Pferde her und riefe: ‚Kasper, tue mir eine Ehre an!' Ach, ich saß an diesem Tage auf ihrem Grabe ganz allein und dachte auch: wenn Kasper doch bei mir wäre! Ich hatte Blümelein+ Vergißnichtmein+ in einen Kranz gebunden und an das eingesunkene Kreuz gehängt und maß mir den Platz umher aus 5
und dachte: Hier will ich liegen, und da soll Kasper liegen, wenn ihm Gott sein Grab in der Heimat schenkt, daß wir fein beisammen sind, wenn's heißt: ‚Ihr Toten, ihr Toten sollt auferstehn, ihr sollt zum Jüngsten Gerichte gehn!' Aber Kasper kam nicht, ich wußte auch nicht, daß er so nahe war und wohl hätte kommen können. Es trieb ihn auch 10
gar sehr, zu eilen, denn er hatte wohl oft an diesen Tag in Frankreich gedacht und hatte einen kleinen Kranz von schönen Goldblumen+ von daher mitgebracht, um das Grab seiner Mutter zu schmücken, und auch einen Kranz für Annerl, den sollte sie sich bis zu ihrem Ehrentage bewahren." 15

Hier ward die Alte still und schüttelte mit dem Kopf; als ich aber die letzten Worte wiederholte: „Den sollte sie sich bis zu ihrem Ehrentage bewahren", fuhr sie fort: „Wer weiß, ob ich es nicht erflehen kann, ach, wenn ich den Herzog nur wecken dürfte!"—„Wozu?" fragte ich, „welch Anliegen+ habt Ihr denn, Mutter?" Da sagte sie ernst: „Oh, 20
was läge+ am ganzen Leben, wenn's kein End' nähme! Was läge am Leben, wenn es nicht ewig wäre!" und fuhr dann in ihrer Erzählung fort:

„Kasper wäre noch recht gut zu Mittag in unserm Dorfe angekommen, aber morgens hatte ihm sein Wirt im Stalle gezeigt, das sein 25
Pferd gedrückt+ sei, und dabei gesagt: ‚Mein Freund, das macht dem Reiter keine Ehre.' Das Wort hatte Kasper tief empfunden; er legte deswegen den Sattel hohl und leicht auf, tat alles, ihm die Wunde zu heilen, und setzte seine Reise, das Pferd am Zügel führend, zu Fuße fort. So kam er am späten Abend bis an eine Mühle, eine Meile von 30

---

das **Blümelein.** Diminutive of Blume
das **Vergißnichtmein.** Folksong form for Vergißmeinnicht, forget-me-not
die **Goldblume, –n** marigold
das **Anliegen, –** request
liegen: was . . . Leben? what would all of life matter?
gedrückt galled

unserm Dorf, und weil er den Müller als einen alten Freund seines Vaters kannte, sprach[+] er bei ihm ein und wurde wie ein recht lieber Gast aus der Fremde empfangen. Kasper zog sein Pferd in den Stall, legte den Sattel und sein Felleisen[+] in einen Winkel und ging nun zu dem Müller in die Stube. Da fragte er dann nach den Seinigen und hörte, daß ich alte Großmutter noch lebe und daß sein Vater und sein Stiefbruder gesund seien und daß es recht gut mit ihnen gehe; sie wären erst gestern mit Getreide auf der Mühle gewesen, sein Vater habe sich auf den Roß- und Ochsenhandel gelegt[+] und gedeihe dabei recht gut, auch halte er jetzt etwas auf seine Ehre und gehe nicht mehr so zerrissen[+] umher. Darüber war der gute Kasper nun herzlich froh, und da er nach der schönen Annerl fragte, sagte ihm der Müller, er kenne sie nicht, aber wenn es die sei, die auf dem Rosenhof[+] gedient habe, die hätte sich, wie er gehört, in der Hauptstadt vermietet,[+] weil sie da eher etwas lernen könne und mehr Ehre dabei sei; so habe er vor einem Jahre von dem Knecht auf dem Rosenhof gehört. Das freute den Kasper auch; wenn[+] es ihm gleich leid tat, daß er sie nicht gleich sehen sollte, so hoffte er sie doch in der Hauptstadt bald recht fein und schmuck[+] zu finden, daß es ihm, als einem Unteroffizier, auch eine rechte Ehre sei, mit ihr am Sonntag spazieren zu gehn. Nun erzählte er dem Müller noch mancherlei aus Frankreich; sie aßen und tranken miteinander, er half ihm Korn aufschütten,[+] und dann brachte ihn der Müller in die Oberstube zu Bett und legte sich selbst unten auf einigen Säcken zur Ruhe. Das Geklapper[+] der Mühle und die Sehnsucht nach der Heimat ließen den guten Kasper, wenn er gleich sehr müde war, nicht fest einschlafen. Er war sehr unruhig und dachte an seine selige Mutter und an das schöne Annerl und an die Ehre, die ihm bevorstehe, wenn er als Unteroffizier vor die Seinigen treten würde. So entschlummerte

---

ein-sprechen: bei einem ~ to call on
das **Felleisen,** – leather knapsack
legen: sich auf etwas ~ to devote oneself to a thing
zerrissen with torn clothes, shabby
der **Rosenhof.** Name of a farm
sich vermieten to hire oneself out
wenn . . . gleich = obgleich
schmuck pretty
auf-schütten to pour on (that is, corn in the mill-hopper)
das **Geklapper** clatter

er endlich leis' und wurde von ängstlichen Träumen oft aufgeschreckt. Es war ihm mehrmals, als trete seine selige Mutter zu ihm und bäte ihn händeringend um Hülfe; dann war es ihm, als sei er gestorben und würde begraben, gehe aber selbst zu Fuße als Toter mit zu Grabe, und schön+ Annerl gehe ihm zur Seite; er weinte heftig, daß ihn seine Kameraden nicht begleiteten, und da er auf den Kirchhof komme, sei sein Grab neben dem seiner Mutter; und Annerls Grab sei auch dabei, und er gebe Annerl das Kränzlein, das er ihr mitgebracht, und hänge das der Mutter an ihr Grab, und dann habe er sich umgeschaut und niemand mehr gesehen als mich und die Annerl; die habe einer an der Schürze ins Grab gerissen, und er sei dann auch ins Grab gestiegen und habe gesagt: ‚Ist denn niemand hier, der mir die letzte Ehre antut und mir ins Grab schießen+ will als einem braven Soldaten?' und da habe er sein Pistol gezogen und sich selbst ins Grab geschossen. Über dem Schuß wachte er mit großem Schrecken auf, denn es war ihm, als klirrten+ die Fenster davon. Er sah um sich in der Stube, da hörte er noch einen Schuß fallen+ und hörte Getöse+ in der Mühle und Geschrei durch das Geklapper.+ Er sprang aus dem Bett und griff nach seinem Säbel; in dem Augenblick ging seine Türe auf, und er sah beim Vollmondschein zwei Männer mit berußten+ Gesichtern mit Knitteln+ auf sich zustürzen. Aber er setzte sich zur Wehre+ und hieb den einen über den Arm, und so entflohen beide, indem sie die Tür, welche nach außen aufging und einen Riegel+ draußen hatte, hinter sich verriegelten. Kasper versuchte umsonst, ihnen nachzukommen, endlich gelang es ihm, eine Tafel+ in der Tür einzutreten.+ Er eilte durch das Loch die Treppe hinunter und hörte das Wehgeschrei des Müllers, den er geknebelt+ zwischen den Kornsäcken liegend fand. Kasper band

---

schön. Instead of das schöne Annerl. The uninflected adjective in the text echoes a form found in folk songs
schießen: ins Grab ∾ to fire a salute
klirren to rattle, clink
fallen to be fired
das **Getöse** uproar
das **Geklapper** clatter
berußen to blacken with soot
der **Knittel, –** club
die **Wehre:** sich zur ∾ setzen to defend oneself
der **Riegel, –** bolt
die **Tafel, –n** panel
ein=treten to kick in
knebeln to bind, gag

ihn los und eilte dann gleich in den Stall, nach seinem Pferde und Felleisen,+ aber beides war geraubt. Mit großem Jammer eilte er in die Mühle zurück und klagte dem Müller sein Unglück, daß ihm all sein Hab und Gut+ und das ihm anvertraute Pferd gestohlen sei, über
5 welches letztere er sich gar nicht zufrieden+ geben konnte. Der Müller aber stand mit einem vollen Geldsack vor ihm, er hatte ihn in der Oberstube aus dem Schranke geholt und sagte zu dem Ulan: ‚Lieber Kasper, sei Er zufrieden, ich verdanke Ihm die Rettung meines Vermögens; auf diesen Sack, der oben in Seiner Stube lag, hatten es die
10 Räuber gemünzt,+ und Seiner Verteidigung danke ich alles, mir ist nichts gestohlen. Die Sein Pferd und Sein Felleisen im Stall fanden, müssen ausgestellte+ Diebeswachen gewesen sein; sie zeigten durch die Schüsse an, daß Gefahr da sei, weil sie wahrscheinlich am Sattelzeug+ erkannten, daß ein Kavallerist im Hause herberge.+ Nun
15 soll Er meinethalben+ keine Not haben, ich will mir alle Mühe geben und kein Geld sparen, Ihm Seinen Gaul+ wiederzufinden, und finde ich ihn nicht, so will ich Ihm einen kaufen, so teuer er sein mag.‘ Kasper sagte: ‚Geschenkt nehme ich nichts, das ist gegen meine Ehre; aber wenn Er mir im Notfall siebzig Taler vorschießen+ will, so kriegt
20 Er meine Verschreibung,+ ich schaffe+ sie in zwei Jahren wieder.‘ Hierüber wurden sie einig, und der Ulan trennte sich von ihm, um nach seinem Dorfe zu eilen, wo auch ein Gerichtshalter+ der umliegenden Edelleute wohnt, bei dem er die Sache berichten wollte. Der Müller blieb zurück, um seine Frau und seinen Sohn zu erwarten,
25 welche auf einem Dorfe in der Nähe bei einer Hochzeit waren. Dann wollte er dem Ulanen nachkommen und die Anzeige+ vor Gericht auch machen.

---

das **Felleisen, –** leather knapsack
das **Hab und Gut** possessions
zufrie'den: sich ~ geben to calm oneself
münzen: es ~ auf to aim at
ausgestellt placed (on the look-out)
das **Sattelzeug** saddle and harness
herbergen to lodge
meinethalben for my sake
der **Gaul, ⸗e** horse
vor=schießen to supply in advance, lend
die **Verschreibung, –en** written promise
wieder=schaffen Translate here: to repay
der **Gerichtshalter, –.** A magistrate representing one, or several, feudal lords in the exercise of judicial functions throughout their estates
die **Anzeige:** ~ machen to file a declaration, report

„Er kann sich denken, lieber Herr Schreiber, mit welcher Betrübnis der arme Kasper den Weg nach unserm Dorfe eilte, zu Fuß und arm, wo er hatte stolz einreiten wollen; einundfunfzig Taler, die er erbeutet[+] hatte, sein Patent[+] als Unteroffizier, sein Urlaub[+] und die Kränze auf seiner Mutter Grab und für die schöne Annerl waren ihm gestohlen. Es war ihm ganz verzweifelt zumute,[+] und so kam er um ein Uhr in der Nacht in seiner Heimat an und pochte[+] gleich an der Tür des Gerichtshalters, dessen Haus das erste vor dem Dorfe ist. Er ward eingelassen und machte seine Anzeige und gab alles an, was ihm geraubt worden war. Der Gerichtshalter trug ihm auf, er solle gleich zu seinem Vater gehn, welches der einzige Bauer im Dorfe sei, der Pferde habe, und solle mit diesem und seinem Bruder in der Gegend herumpatrouillieren,[+] ob er vielleicht den Räubern auf die Spur komme; indessen wolle er andre Leute zu Fuß aussenden und den Müller, wenn er komme, um die weiteren Umstände vernehmen.[+] Kasper ging nun von dem Gerichtshalter weg nach dem väterlichen Hause. Da er aber an meiner Hütte vorüber mußte und durch das Fenster hörte, daß ich ein geistliches Lied sang, wie[+] ich denn vor Gedanken an seine selige Mutter nicht schlafen konnte, so pochte[+] er an und sagte: ‚Gelobt sei Jesus Christus! Liebe Großmutter, Kasper ist hier.' Ach! wie fuhren mir die Worte durch Mark[+] und Bein, ich stürzte an das Fenster, öffnete es und küßte und drückte ihn mit unendlichen Tränen. Er erzählte mir sein Unglück mit großer Eile und sagte, welchen Auftrag er an seinen Vater vom Gerichtshalter habe; er müsse drum jetzt gleich hin, um den Dieben nachzusetzen,[+] denn seine Ehre hänge davon ab, daß er sein Pferd wiedererhalte.

„Ich weiß nicht, aber das Wort Ehre fuhr mir recht durch alle Glieder, denn ich wußte schwere Gerichte,[+] die ihm bevorstanden.

---

erbeuten to gain as booty
das Patent', –e promotion
der Urlaub Here: furlough papers
zumu'te: Es . . . zumute He felt great despair
pochen to knock
patrouillie'ren to patrol
vernehmen to question
wie . . . denn as
an=pochen to knock
das Mark: einem durch ∼ und Bein fahren to go right through a person
nach=setzen to pursue
das Gericht, –e trial

,Tue deine Pflicht und gib Gott allein die Ehre!' sagte ich, und er eilte von mir nach Finkels Hof, der am andern Ende des Dorfes liegt. Ich sank, als er fort war, auf die Knie und betete zu Gott, er möge ihn doch in seinen Schutz nehmen, ach! ich betete mit einer Angst wie nie-
5 mals und mußte dabei immer sagen: ,Herr, dein Wille geschehe wie im Himmel, so auf Erden.'

„Der Kasper lief zu seinem Vater mit einer entsetzlichen Angst. Er stieg hinten über den Gartenzaun,+ er hörte die Plumpe+ gehen, er hörte im Stall wiehern,+ das fuhr ihm durch die Seele; er stand still, er
10 sah im Mondschein, daß zwei Männer sich wuschen, es wollte ihm das Herz brechen. Der eine sprach: ,Das verfluchte Zeug geht nicht herunter'; da sagte der andre: ,Komm erst in den Stall, dem Gaul+ den Schwanz+ abzuschlagen und die Mähnen+ zu verschneiden.+ Hast du das Felleisen auch tief genug unterm Mist+ begraben?'—,Ja', sagte
15 der andre. Da gingen sie nach dem Stall, und Kasper, vor Jammer wie ein Rasender,+ sprang hervor und schloß die Stalltür hinter ihnen und schrie: ,Im Namen des Herzogs! Ergebt euch! Wer sich widersetzt,+ den schieße ich nieder!' Ach, da hatte er seinen Vater und seinen Stiefbruder als die Räuber seines Pferdes gefangen. ,Meine Ehre,
20 meine Ehre ist verloren!' schrie er, ,ich bin der Sohn eines ehrlosen Diebes.' Als die beiden im Stall diese Worte hörten, ist ihnen bös zumute+ geworden; sie schrien: ,Kasper, lieber Kasper, um Gottes willen bringe uns nicht ins Elend! Kasper, du sollst ja alles wiederhaben! Um deiner seligen Mutter willen, deren Sterbetag heute ist, erbarme+
25 dich deines Vaters und Bruders!' Kasper aber war wie verzweifelt, er schrie nur immer: ,Meine Ehre, meine Pflicht!' Und da sie nun mit Gewalt die Tür erbrechen wollten und ein Fach+ in der Lehmwand+

Gartenzaun: der **Zaun, ⸗e** fence
die **Plumpe, –n** pump
wiehern to neigh
der **Gaul, ⸗e** horse, nag
der **Schwanz, ⸗e** tail
die **Mähne, –n** mane
verschneiden to cut away; disfigure
der **Mist** dung
der **Rasende** mad man
sich widerset'zen to offer resistance
zumu'te: ist ihnen . . . geworden they felt extremely uneasy
sich erbarmen to have pity
das **Fach** panel. In a building known as a Fachwerkhaus wall panels of dried mud are supported by a structure of wooden beams.
die **Lehmwand** mud wall

Photo Marburg

Fachwerkhäuser: Der Markt in Marburg in früherer Zeit

einstoßen, um zu entkommen, schoß er ein Pistol in die Luft und schrie: ‚Hülfe, Hülfe, Diebe, Hülfe!‘ Die Bauern, von dem Gerichtshalter erweckt, welche schon herannahten, um sich über die verschiedenen Wege zu bereden,+ auf denen sie die Einbrecher+ in die Mühle verfolgen wollten, stürzten auf den Schuß und das Geschrei ins Haus.

„Der alte Finkel flehte immer noch, der Sohn solle ihm die Tür öffnen, der aber sagte: ‚Ich bin ein Soldat und muß der Gerechtigkeit dienen.‘ Da traten der Gerichtshalter und die Bauern heran. Kasper sagte: ‚Um Gottes Barmherzigkeit willen, Herr Gerichtshalter, mein Vater, mein Bruder sind selbst die Diebe, oh, daß ich nie geboren wäre! Hier im Stalle habe ich sie gefangen, mein Felleisen liegt im Miste vergraben!‘ Da sprangen die Bauern in den Stall und banden den alten Finkel und seinen Sohn und schleppten sie in ihre Stube. Kasper aber grub das Felleisen hervor und nahm die zwei Kränze heraus und ging nicht in die Stube, er ging nach dem Kirchhofe+ an das Grab seiner Mutter. Der Tag war angebrochen. Ich war auf der Wiese gewesen und hatte für mich und für Kasper zwei Kränze von Blümelein Vergißnichtmein geflochten; ich dachte: er soll mit mir das Grab seiner Mutter schmücken, wenn er von seinem Ritt zurückkommt. Da hörte ich allerlei ungewohnten Lärm im Dorf, und weil ich das Getümmel+ nicht mag und am liebsten alleine bin, so ging ich ums Dorf herum nach dem Kirchhof. Da fiel+ ein Schuß, ich sah den Dampf in die Höhe steigen, ich eilte auf den Kirchhof. O du lieber Heiland! erbarme dich sein!+ Kasper lag tot auf dem Grabe seiner Mutter. Er hatte sich die Kugel durch das Herz geschossen, auf welches er sich das Kränzlein, das er für Annerl mitgebracht, am Knopfe befestigt hatte; durch diesen Kranz hatte er sich ins Herz geschossen. Den Kranz für die Mutter hatte er schon an das Kreuz befestigt. Ich meinte, die Erde täte+ sich unter mir auf bei dem Anblick, ich stürzte über ihn hin und schrie immer: ‚Kasper, o du unglückseliger+ Mensch, was hast du getan? Ach,

---

sich bereden to deliberate
der Einbrecher, – burglar
der Kirchhof, ¨e cemetery
das Getümmel tumult
fallen to be fired
sein = seiner
auf=tun to open
unglückselig unhappy, unfortunate

wer hat dir denn dein Elend erzählt? Oh, warum habe ich dich von mir gelassen, ehe ich dir alles gesagt! Gott, was wird dein armer Vater, dein Bruder sagen, wenn sie dich so finden!' Ich wußte nicht, daß er sich wegen diesen das Leid angetan; ich glaubte, es habe eine ganz andere Ursache. Da kam es noch ärger. Der Gerichtshalter und die Bauern brachten den alten Finkel und seinen Sohn mit Stricken+ gebunden; der Jammer erstickte mir die Stimme in der Kehle,+ ich konnte kein Wort sprechen. Der Gerichtshalter fragte mich, ob ich meinen Enkel nicht gesehn. Ich zeigte hin, wo er lag. Er trat zu ihm; er glaubte, er weine auf dem Grabe; er schüttelte ihn, da sah er das Blut niederstürzen. ‚Jesus, Marie!' rief er aus, ‚der Kasper hat Hand+ an sich gelegt'. Da sahen die beiden Gefangenen sich schrecklich+ an; man nahm den Leib des Kaspers und trug ihn neben ihnen her nach dem Hause des Gerichtshalters. Es war ein Wehgeschrei im ganzen Dorfe, die Bauernweiber führten mich nach. Ach, das war wohl der schrecklichste Weg in meinem Leben!"

Da ward die Alte wieder still, und ich sagte zu ihr: „Liebe Mutter, Euer Leid ist entsetzlich, aber Gott hat Euch auch recht lieb; die er am härtesten schlägt, sind seine liebsten Kinder. Sagt mir nun, liebe Mutter, was Euch bewogen+ hat, den weiten Weg hieher zu gehen, und um was Ihr die Bittschrift einreichen wollt?"

„Ei, das kann Er sich doch wohl denken", fuhr sie ganz ruhig fort, „um ein ehrliches Grab für Kasper und die schöne Annerl, der ich das Kränzlein zu ihrem Ehrentag mitbringe. Es ist ganz mit Kaspers Blut unterlaufen,+ seh' Er einmal!"

Da zog sie einen kleinen Kranz von Flittergold+ aus ihrem Bündel und zeigte ihn mir. Ich konnte bei dem anbrechenden Tage sehen, daß er vom Pulver geschwärzt und mit Blut besprengt war. Ich war ganz zerrissen von dem Unglück der guten Alten, und die Größe und Festigkeit, womit sie es trug, erfüllte mich mit Verehrung. „Ach,

---

der **Strick, –e** rope
die **Kehle, –n** throat
die **Hand:** ∼ an sich legen to commit suicide
schrecklich horrified
bewegen, o, o to induce
unterlau'fen stained
das **Flittergold** tinsel

liebe Mutter", sagte ich, „wie werdet Ihr der armen Annerl aber ihr Elend beibringen,+ daß sie gleich nicht vor Schrecken tot niedersinkt, und was ist denn das für ein Ehrentag, zu welchem Ihr dem Annerl den traurigen Kranz bringet?"

„Lieber Mensch", sprach sie, „komme Er nur mit, Er kann mich zu ihr begleiten, ich kann+ doch nicht geschwind fort, so werden wir sie gerade zu rechter Zeit noch finden. Ich will Ihm unterwegs noch alles erzählen".

Nun stand sie auf und betete ihren Morgensegen ganz ruhig und brachte ihre Kleider in Ordnung, und ihren Bündel hängte sie dann an meinen Arm. Es war zwei Uhr des Morgens, der Tag graute,+ und wir wandelten durch die stillen Gassen.

„Seh' Er", erzählte die Alte fort, „als der Finkel und sein Sohn eingesperrt+ waren, mußte ich zum Gerichtshalter auf die Gerichtsstube. Der tote Kasper wurde auf einen Tisch gelegt und, mit seinem Ulanenmantel bedeckt, hereingetragen, und nun mußte ich alles dem Gerichtshalter sagen, was ich von ihm wußte, und was er mir heute morgen durch das Fenster gesagt hatte. Das schrieb er alles auf sein Papier nieder, das vor ihm lag. Dann sah er die Schreibtafel+ durch, die sie bei Kasper gefunden; da standen mancherlei Rechnungen drin, einige Geschichten von der Ehre und auch die vom französischen Unteroffizier, und hinter ihr war mit Bleistift etwas geschrieben." Da gab mir die Alte die Brieftasche,+ und ich las folgende letzte Worte des unglücklichen Kaspers: „Auch ich kann meine Schande nicht überleben.+ Mein Vater und mein Bruder sind Diebe, sie haben mich selbst bestohlen; mein Herz brach mir, aber ich mußte sie gefangennehmen und den Gerichten übergeben, denn ich bin ein Soldat meines Fürsten, und meine Ehre erlaubt mir keine Schonung. Ich habe meinen Vater und Bruder der Rache übergeben um der Ehre willen. Ach! bitte doch jedermann für mich, daß man mir hier, wo ich gefallen bin, ein ehrliches Grab neben meiner Mutter vergönne. Das Kränzlein, durch

---

bei=bringen to impart
fort=können: geschwind ∼ to be able to move quickly
grauen to dawn
ein=sperren to lock up
die **Schreibtafel, –n** writing tablet
die **Brieftasche, –n** wallet
überle'ben to outlive

welches ich mich erschossen, soll die Großmutter der schönen Annerl schicken und sie von mir grüßen; ach, sie tut mir leid durch Mark+ und Bein, aber sie soll doch den Sohn eines Diebes nicht heiraten, denn sie hat immer viel auf Ehre gehalten. Liebe schöne Annerl, mögest du nicht so sehr erschrecken über mich, gib dich zufrieden,+ und wenn du mir jemals ein wenig gut warst, so rede nicht schlecht von mir. Ich kann ja nichts für meine Schande!+ Ich hatte mir so viele Mühe gegeben, in Ehren zu bleiben mein Leben lang, ich war schon Unteroffizier und hatte den besten Ruf bei der Schwadron,+ ich wäre gewiß noch einmal Offizier geworden, und, Annerl, dich hätte ich doch nicht verlassen und hätte keine Vornehmere+ gefreit+—aber der Sohn eines Diebes, der seinen Vater aus Ehre selbst fangen und richten lassen muß, kann seine Schande nicht überleben. Annerl, liebes Annerl, nimm doch ja das Kränzlein, ich bin dir immer treu gewesen, so+ Gott mir gnädig sei! Ich gebe dir nun deine Freiheit wieder, aber tue mir die Ehre und heirate nie einen, der schlechter wäre als ich. Und wenn du kannst, so bitte für mich, daß ich ein ehrliches Grab neben meiner Mutter erhalte. Und wenn du hier in unserm Ort sterben solltest, so lasse dich auch bei uns begraben; die gute Großmutter wird auch zu uns kommen, da sind wir alle beisammen. Ich habe funfzig Taler in meinem Felleisen, die sollen auf Interessen+ gelegt werden für Dein erstes Kind. Meine silberne Uhr soll der Herr Pfarrer haben, wenn ich ehrlich begraben werde. Mein Pferd, die Uniform und Waffen gehören dem Herzog, diese meine Brieftasche+ gehört Dein.+ Adies,+ herztausender Schatz,+ adies, liebe Großmutter, betet für mich und lebt+ alle wohl!—Gott erbarme sich meiner—ach, meine Verzweiflung ist groß!"

Ich konnte diese letzten Worte eines gewiß edeln, unglücklichen

---

das **Mark:** durch ~ und Bein through and through, to the quick
zufrie'den: sich ~ geben to resign oneself
die **Schande: Ich kann** etc. I am not to be blamed for my disgrace.
die **Schwadron', -en** squadron
die **Vornehmere** girl of a higher social class
freien to woo
so as truly as I hope that
das **Interesse:** auf ~n legen to invest
die **Brieftasche, -n** wallet
dein = dir
adies' good-bye
der **Schatz:** herztau'sender ~ darling of my heart (again an expression common to folk songs)
lebt wohl! farewell

Menschen nicht ohne bittere Tränen lesen.—„Der Kasper muß ein gar guter Mensch gewesen sein, liebe Mutter", sagte ich zu der Alten, welche nach diesen Worten stehenblieb und meine Hand drückte und mit tief-bewegter Stimme sagte: „Ja, es war der beste Mensch auf der Welt.
5 Aber die letzten Worte von der Verzweiflung hätte er nicht schreiben sollen, die bringen+ ihn um sein ehrliches Grab, die bringen ihn auf die Anatomie.+ Ach, lieber Schreiber, wenn Er hierin nur helfen könnte!"

„Wieso,+ liebe Mutter?" fragte ich, „was können diese letzten Worte
10 dazu beitragen?"+—„Ja gewiß", erwiderte sie, „der Gerichtshalter hat es mir selbst gesagt. Es ist ein Befehl an alle Gerichte ergangen,+ daß nur die Selbstmörder aus Melancholie ehrlich sollen begraben werden, alle aber, die aus Verzweiflung Hand+ an sich gelegt, sollen auf die Anatomie und der Gerichtshalter hat mir gesagt, daß er den Kasper,
15 weil er selbst seine Verzweiflung eingestanden, auf die Anatomie schik-ken müsse."

„Das ist ein wunderlich Gesetz", sagte ich, „denn man könnte wohl bei jedem Selbstmord einen Prozeß+ anstellen, ob er aus Melancholie oder Verzweiflung entstanden, der so lange dauern müßte, daß der
20 Richter und die Advokaten darüber in Melancholie und Verzweiflung fielen und auf die Anatomie kämen. Aber seid nur getröstet, liebe Mut-ter, unser Herzog ist ein so guter Herr: wenn er die ganze Sache hört, wird er dem armen Kasper gewiß sein Plätzchen neben der Mutter vergönnen."

25 „Das gebe Gott!" erwiderte die Alte. „Sehe Er nun, lieber Mensch: als der Gerichtshalter alles zu Papier+ gebracht hatte, gab er mir die Brieftasche und den Kranz für die schöne Annerl, und so bin ich dann gestern hierher gelaufen, damit ich ihr an ihrem Ehrentag den Trost noch mit auf den Weg geben kann.—Der Kasper ist zur rechten Zeit

---

bringen: jemanden um etwas ~ to deprive a person of something
die **Anatomie'** morgue
wieso' in which way
bei-tragen to contribute
ergehen to go out, be issued
die **Hand:** ~ an sich legen to commit suicide
der **Prozeß':** einen ~ anstellen to start a law suit
das **Papier':** zu ~ bringen to put down on paper

gestorben: hätte er alles gewußt, er wäre närrisch geworden vor Betrübnis."

„Was ist+ denn nun mit der schönen Annerl?" fragte ich die Alte. „Bald sagt Ihr, sie habe nur noch wenige Stunden, bald sprecht Ihr von ihrem Ehrentag, und sie werde Trost gewinnen durch Eure traurige Nachricht. Sagt mir doch alles heraus: Will sie Hochzeit halten mit einem andern? Ist sie tot, krank? Ich muß alles wissen, damit ich es in die Bittschrift setzen kann."

Da erwiderte die Alte: „Ach, lieber Schreiber, es ist nun so, Gottes Wille geschehe! Sehe Er, als Kasper kam, war ich doch nicht recht froh; als Kasper sich das Leben nahm, war ich doch nicht recht traurig; ich hätte es nicht überleben können, wenn Gott sich meiner nicht erbarmt gehabt hätte mit größerem Leid. Ja, ich sage Ihm: es war mir ein Stein vor das Herz gelegt, wie ein Eisbrecher, und alle die Schmerzen, die wie Grundeis gegen mich stürzten und mir das Herz gewiß abgestoßen+ hätten, die zerbrachen an diesem Stein und trieben kalt vorüber. Ich will Ihm etwas erzählen, das ist betrübt.+

„Als mein Patchen, die schöne Annerl, ihre Mutter verlor, die eine Base+ von mir war und sieben Meilen von uns wohnte, war ich bei der kranken Frau. Sie war die Witwe eines armen Bauern und hatte in ihrer Jugend einen Jäger liebgehabt, ihn aber wegen seines wilden Lebens nicht genommen. Der Jäger war endlich in solch Elend gekommen, daß er auf Tod und Leben+ wegen eines Mordes gefangen saß. Das erfuhr meine Base auf ihrem Krankenlager, und es tat ihr so weh, daß sie täglich schlimmer wurde und endlich in ihrer Todesstunde, als sie mir die liebe schöne Annerl als mein Patchen übergab und Abschied von mir nahm, noch in den letzten Augenblicken zu mir sagte: ‚Liebe Anne Margret, wenn du durch das Städtchen kömmst,+ wo der arme Jürge+ gefangen liegt, so lasse ihm sagen durch den Gefangenwärter, daß ich ihn bitte auf meinem Todesbett, er solle sich zu Gott

---

sein: was ist mit . . . ? what is the matter with . . .?
ab=stoßen to crush
betrübt = traurig—die **Base, -n** cousin
das **Leben:** auf Tod und ~ on trial for his life.
kömmst = kommst
Jürge. Proper name (from Georg)

bekehren,+ und daß ich herzlich für ihn gebetet habe in meiner letzten Stunde, und daß ich ihn schön grüßen lasse.'—Bald nach diesen Worten starb die gute Base, und als sie begraben war, nahm ich die kleine Annerl, die drei Jahre alt war, auf den Arm und ging mit ihr nach
5 Haus.

„Vor dem Städtchen, durch das ich mußte, kam ich an der Scharfrichterei+ vorüber, und weil der Meister berühmt war als ein Viehdoktor, sollte ich einige Arznei mitnehmen für unsern Schulzen.+ Ich trat in die Stube und sagte dem Meister, was ich wollte, und er ant-
10 wortete, daß ich ihm auf den Boden folgen solle, wo er die Kräuter liegen habe, und ihm helfen aussuchen. Ich ließ Annerl in der Stube und folgte ihm. Als wir zurück in die Stube traten, stand Annerl vor einem kleinen Schranke, der an der Wand befestigt war, und sprach: ‚Großmutter, da ist eine Maus drin! hört, wie es klappert!+ da ist
15 eine Maus drin!'

„Auf diese Rede des Kindes machte der Meister ein sehr ernsthaftes Gesicht, riß den Schrank auf und sprach: ‚Gott sei uns gnädig!' denn er sah sein Richtschwert,+ das allein in dem Schranke an einem Nagel hing, hin und her wanken.+ Er nahm das Schwert herunter, und
20 mir schauderte. ‚Liebe Frau', sagte er, ‚wenn Ihr das kleine, liebe Annerl liebhabt, so erschreckt nicht, wenn ich ihm mit meinem Schwert, rings um das Hälschen, die Haut ein wenig aufritze;+ denn das Schwert hat vor ihm gewankt, es hat nach seinem Blut verlangt, und wenn ich ihm den Hals damit nicht ritze, so steht dem Kinde groß Elend im
25 Leben bevor.' Da faßte er das Kind, welches entsetzlich zu schreien begann, ich schrie auch und riß das Annerl zurück. Indem trat der Bürgermeister des Städtchens herein, der von der Jagd kam und dem Richter einen kranken Hund zur Heilung bringen wollte. Er fragte nach der Ursache des Geschreis, Annerl schrie: ‚Er will mich um-
30 bringen!'+ Ich war außer mir vor Entsetzen. Der Richter erzählte

bekehren to convert
die **Scharfrichterei'** house of the executioner
der **Schulze, -n** village mayor
klappern to rattle
das **Richtschwert, -er** executioner's sword
wanken to sway
auf-ritzen to scratch
um-bringen to kill

dem Bürgermeister das Ereignis. Dieser verwies+ ihm seinen Aber=
glauben,+ wie er es nannte, heftig und unter starken Drohungen; der
Richter blieb ganz ruhig dabei und sprach: ,So haben's meine Väter
gehalten,+ so halt' ich's.' Da sprach der Bürgermeister: ,Meister Franz,
wenn Ihr glaubtet, Euer Schwert habe sich gerührt, weil ich Euch hier= 5
mit anzeige, daß morgen früh um sechs Uhr der Jäger Jürge von Euch
soll geköpft+ werden, so wollt ich es noch verzeihen; aber daß Ihr da=
raus etwas auf das liebe Kind schließen wollt, das ist unvernünftig
und toll. Es könnte so etwas einen Menschen in Verzweiflung bringen,
wenn man es ihm später in seinem Alter sagte, daß es ihm in seiner 10
Jugend geschehen sei. Man soll keinen Menschen in Versuchung
führen.'—,Aber auch keines Richters Schwert', sagte Meister Franz
vor sich und hing sein Schwert wieder in den Schrank. Nun küßte
der Bürgermeister das Annerl und gab ihm eine Semmel+ aus seiner
Jagdtasche, und da er mich gefragt, wer ich sei, wo ich her komme und 15
wo ich hin wolle, und ich ihm den Tod meiner Base erzählt hatte und
auch den Auftrag an den Jäger Jürge, sagte er mir: ,Ihr sollt ihn aus=
richten,+ ich will Euch selbst zu ihm führen; er hat ein hartes Herz,
vielleicht wird ihn das Andenken einer guten Sterbenden in seinen
letzten Stunden rühren.' Da nahm der gute Herr mich und Annerl 20
auf seinen Wagen, der vor der Tür hielt, und fuhr mit uns in das
Städtchen hinein.

„Er hieß mich zu seiner Köchin gehn; da kriegten wir gutes Essen,
und gegen Abend ging er mit mir zu dem armen Sünder. Und als
ich dem die letzten Worte meiner Base erzählte, fing er bitterlich an 25
zu weinen und schrie: ,Ach Gott! Wenn sie mein Weib geworden,
wäre es nicht so weit mit mir gekommen.' Dann begehrte er, man
solle den Herrn Pfarrer doch noch einmal zu ihm bitten, er wolle mit
ihm beten. Das versprach ihm der Bürgermeister und lobte ihn wegen
seiner Sinnesveränderung und fragte ihn, ob er vor seinem Tode noch 30
einen Wunsch hätte, den er ihm erfüllen könne. Da sagte der Jäger

---

verweisen: etwas ∼ to reprimand for
der Aberglaube superstition
halten: es ∼ to be accustomed to do
köpfen to behead
die Semmel, -n roll
aus=richten to deliver (a message)

Jürge: 'Ach, bittet hier die gute alte Mutter, daß sie doch morgen mit dem Töchterlein ihrer seligen Base bei meinem Rechte+ zugegen+ sein mögen, das wird mir das Herz stärken in meiner letzten Stunde.' Da bat mich der Bürgermeister, und so graulich+ es mir war, so
5 konnte ich es dem armen, elenden Menschen nicht abschlagen.+ Ich mußte ihm die Hand geben und es ihm feierlich versprechen, und er sank weinend auf das Stroh. Der Bürgermeister ging dann mit mir zu seinem Freunde, dem Pfarrer, dem ich nochmals+ alles erzählen mußte, ehe er sich ins Gefängnis begab.

10 „Die Nacht mußte ich mit dem Kinde in des Bürgermeisters Haus schlafen, und am andern Morgen ging ich den schweren Gang zu der Hinrichtung+ des Jägers Jürge. Ich stand neben dem Bürgermeister im Kreis und sah, wie er das Stäblein+ brach. Da hielt der Jäger Jürge noch eine schöne Rede, und alle Leute weinten, und er sah mich
15 und die kleine Annerl, die vor mir stand, gar beweglich+ an, und dann küßte er den Meister Franz, der Pfarrer betete mit ihm, die Augen wurden ihm verbunden, und er kniete nieder. Da gab ihm der Richter den Todesstreich. 'Jesus, Maria, Josef!' schrie ich aus; denn der Kopf des Jürge flog gegen Annerl zu und biß mit den Zähnen dem Kinde
20 in sein Röckchen, das ganz entsetzlich schrie. Ich riß meine Schürze vom Leibe und warf sie über den scheußlichen+ Kopf, und Meister Franz eilte herbei, riß ihn los und sprach: 'Mutter, Mutter, was habe ich gestern morgen gesagt? Ich kenne mein Schwert, es ist lebendig!' —Ich war niedergesunken vor Schreck, das Annerl schrie entsetzlich.
25 Der Bürgermeister war ganz bestürzt+ und ließ mich und das Kind nach seinem Hause fahren. Da schenkte mir seine Frau andere Kleider für mich und das Kind, und nachmittag schenkte uns der Bürgermeister noch Geld, und viele Leute des Städtchens auch, die Annerl sehen wollten, so daß ich an+ zwanzig Taler und viele Kleider für sie bekam. Am

---

das Recht (old form for die Hinrichtung) execution—**zuge'gen** present
graulich gruesome
ab=schlagen to refuse
nochmals = noch einmal
die **Hinrichtung** execution
das Stäblein. An old custom at an execution was to break a white staff above the head of the condemned person.
beweglich movingly—**scheußlich** horrible
bestürzt horrified—**an** about

Abend kam der Pfarrer ins Haus und redete+ mir lange zu, daß ich das Annerl nur recht in der Gottesfurcht erziehen sollte und auf alle die betrübten Zeichen gar nichts geben:+ das seien nur Schlingen+ des Satans, die man verachten müsse, und dann schenkte er mir noch eine schöne Bibel für das Annerl, die sie noch hat; und dann ließ uns 5 der gute Bürgermeister, am andern Morgen, noch an drei Meilen weit nach Haus fahren. Ach, du mein Gott, und alles ist doch eingetroffen!"+ sagte die Alte und schwieg.

Eine schauerliche+ Ahnung ergriff mich, die Erzählung der Alten hatte mich ganz zermalmt.+ „Um Gottes willen, Mutter!" rief ich 10 aus, „was ist es mit der armen Annerl geworden; ist denn gar nicht zu helfen?"

„Es hat sie mit den Zähnen dazu gerissen", sagte die Alte; „heut' wird sie gerichtet!+ Aber sie hat es in der Verzweiflung getan: die Ehre, die Ehre lag ihr im Sinn. Sie war zuschanden+ gekommen 15 aus Ehrsucht,+ sie wurde verführt+ von einem Vornehmen,+ er hat sie sitzenlassen,+ sie hat ihr Kind erstickt in derselben Schürze, die ich damals über den Kopf des Jägers Jürge warf und die sie mir heimlich entwendet+ hat. Ach, es hat sie mit den Zähnen dazu gerissen, sie hat es in der Verwirrung getan. Der Verführer+ hatte ihr die Ehe ver- 20 sprochen und gesagt, der Kasper sei in Frankreich geblieben.+ Dann ist sie verzweifelt und hat das Böse getan und hat sich selbst bei den Gerichten angegeben.+ Um vier Uhr wird sie gerichtet. Sie hat mir geschrieben, ich möchte noch zu ihr kommen; das will ich nun tun und ihr das Kränzlein und den Gruß von dem armen Kasper bringen und 25 die Rose, die ich heut' nacht erhalten, das wird sie trösten. Ach, lieber

---

zu-reden to exhort
geben: etwas ~ auf to pay attention to, heed—die **Schlinge, -n** snare
ein-treffen to come to pass
schauerlich gruesome
zermalmen to crush
richten. Short for hin-richten, to execute
zuschan'den kommen to be ruined
die **Ehrsucht** craving for honor
verführen to seduce
der **Vornehme, -n** person of rank
sitzen-lassen to desert
entwenden to take away
der **Verführer** seducer
bleiben to die (as a soldier)
an-geben to denounce

Schreiber, wenn Er es nur in der Bittschrift auswirken+ kann, daß ihr Leib und auch der Kasper dürfen auf unsern Kirchhof gebracht werden."

„Alles, alles will ich versuchen!" rief ich aus, „gleich will ich nach dem Schlosse laufen; mein Freund, der Ihr die Rose gab, hat die
5 Wache dort, er soll mir den Herzog wecken. Ich will vor sein Bett knien und ihn um Pardon für Annerl bitten."

„Pardon?" sagte die Alte kalt. „Es hat sie ja mit Zähnen dazu gezogen! Hör Er, lieber Freund, Gerechtigkeit ist besser als Pardon. Was hilft aller Pardon auf Erden? Wir müssen doch alle vor das Gericht:

10 ‚Ihr Toten, ihr Toten sollt auferstehn,
Ihr sollt vor das Jüngste Gerichte gehn.'

„Seht: sie will keinen Pardon, man hat ihn ihr angeboten, wenn sie den Vater des Kindes nennen wolle, aber das Annerl hat gesagt: ‚Ich habe sein Kind ermordet und will sterben und ihn nicht unglück-
15 lich machen; ich muß meine Strafe leiden, daß ich zu meinem Kinde komme, aber ich kann es verderben, wenn ich ihn nenne.' Darüber wurde ihr das Schwert zuerkannt.+ Gehe Er zum Herzog, und bitte er für Kasper und Annerl um ein ehrlich Grab! Gehe Er gleich! Seh' Er, dort geht der Herr Pfarrer ins Gefängnis, ich will ihn an-
20 sprechen, daß er mich mit hinein zum schönen Annerl nimmt. Wenn Er sich eilt, so kann Er uns draußen am Gerichte+ vielleicht den Trost noch bringen mit dem ehrlichen Grab für Kasper und Annerl."

Unter diesen Worten waren wir mit dem Prediger zusammengetroffen. Die Alte erzählte ihr Verhältnis+ zu der Gefangenen, und
25 er nahm sie freundlich mit zum Gefängnis. Ich aber eilte nun, wie ich noch nie gelaufen, nach dem Schlosse, und es machte mir einen tröstenden Eindruck, es war mir wie ein Zeichen der Hoffnung, als ich an Graf Grossingers Haus vorüberstürzte und aus einem offenen Fenster des Gartenhauses eine liebliche Stimme zur Laute+ singen
30 hörte:

---

aus=wirken to obtain
zuerkennen: das Schwert ~ to condemn to execution by the sword
das **Gericht** Here: place of execution
das **Verhältnis, -se** relation
die **Laute, -n** lute

„Die Gnade sprach von Liebe,
Die Ehre aber wacht
Und wünscht voll Lieb der Gnade
In Ehren gute Nacht.

Die Gnade nimmt den Schleier,
Wenn Liebe Rosen gibt,
Die Ehre grüßt den Freier,+
Weil sie die Gnade liebt."

Ach, ich hatte der guten Wahrzeichen+ noch mehr! Einhundert Schritte weiter fand ich einen weißen Schleier auf der Straße liegend; ich raffte+ ihn auf, er war voll von duftenden+ Rosen. Ich hielt ihn in der Hand und lief weiter, mit dem Gedanken: „Ach Gott, das ist die Gnade." Als ich um die Ecke bog, sah ich einen Mann, der sich in seinem Mantel verhüllte, als ich vor ihm vorübereilte, und mir heftig den Rücken wandte, um nicht gesehen zu werden. Er hätte es nicht nötig gehabt, ich sah und hörte nichts in meinem Innern+ als: Gnade, Gnade! und stürzte durch das Gittertor+ in den Schloßhof. Gott sei Dank, der Fähndrich,+ Graf Grossinger, der unter den blühenden Kastanienbäumen+ vor der Wache+ auf und ab ging, trat mir schon entgegen.

„Lieber Graf", sagte ich mit Ungestüm,+ „Sie müssen mich gleich zum Herzog bringen, gleich auf der Stelle, oder alles ist zu spät, alles ist verloren!"

Er schien verlegen über diesen Antrag+ und sagte: „Was fällt+ Ihnen ein, zu dieser ungewohnten Stunde? Es ist nicht möglich; kommen Sie zur Parade, da will ich Sie vorstellen."

Mir brannte+ der Boden unter den Füßen. „Jetzt", rief ich aus, „oder nie! Es muß sein, es betrifft das Leben eines Menschen."

---

der **Freier,** – suitor
das **Wahrzeichen,** – omen
auf=raffen to snatch up—**duftend** fragrant
das **Innere** inside, mind
das **Gittertor,** –e iron gate
der **Fähndrich,** –e second lieutenant
die **Kasta'nie,** –n chestnut
die **Wache** guardhouse
das **Ungestüm** violence
der **Antrag,** ⸚e proposal
ein=fallen: Was . . . ein What are you thinking of
brennen: Mir . . . Füßen I fretted with impatience

„Es kann jetzt nicht sein", erwiderte Grossinger scharf absprechend,+ „es betrifft meine Ehre; es ist mir untersagt,+ heute nacht irgendeine Meldung zu tun."

Das Wort Ehre machte mich verzweifeln; ich dachte an Kaspers
5 Ehre, an Annerls Ehre und sagte: „Die vermaledeite+ Ehre! Gerade um die letzte Hilfe zu leisten, welche so eine Ehre übriggelassen, muß ich zum Herzoge, Sie müssen mich melden, oder ich schreie laut nach dem Herzog."

„So+ Sie sich rühren", sagte Grossinger heftig, „lasse ich Sie in die
10 Wache+ werfen, Sie sind ein Phantast,+ Sie kennen keine Verhältnisse."+

„Oh, ich kenne Verhältnisse, schreckliche Verhältnisse! Ich muß zum Herzoge, jede Minute ist unerkauflich!"+ versetzte ich. „Wollen Sie mich nicht gleich melden, so eile ich allein zu ihm."

15 Mit diesen Worten wollte ich nach der Treppe, die zu den Gemächern des Herzogs hinaufführte, als ich den nämlichen in einen Mantel Verhüllten, der mir begegnete, nach dieser Treppe eilend bemerkte. Grossinger drehte mich mit Gewalt um, daß ich diesen nicht sehen sollte. „Was machen Sie, Töriger?"+ flüsterte er mir zu. „Schweigen Sie,
20 ruhen Sie, Sie machen mich unglücklich!"

„Warum halten Sie den Mann nicht zurück, der da hinaufging?" sagte ich. „Er kann nichts Dringenderes+ vorzubringen+ haben als ich. Ach, es ist so dringend, ich muß, ich muß! Es betrifft das Schicksal eines unglücklichen, verführten, armen Geschöpfs."

25 Grossinger erwiderte: „Sie haben den Mann hinaufgehen sehen; wenn Sie je ein Wort davon äußern, so kommen Sie vor meine Klinge.+ Gerade, weil er hinaufging, können Sie *nicht* hinauf, der Herzog hat Geschäfte mit ihm."

---

ab=sprechen to refuse
untersagt' forbidden
vermaledeit' accursed
so = **wenn**
die **Wache** guardroom
der **Phantast', –en** dreamer
die **Verhältnisse** *pl.* conditions: Sie kennen keine ~ you don't know the world
unerkauflich priceless
Töriger = **Törichter**
dringend urgent
vor=bringen to announce
die **Klinge:** vor die ~ kommen to be challenged to a duel

Da erleuchteten sich die Fenster des Herzogs. „Gott, er hat Licht, er ist auf!" sagte ich. „Ich muß ihn sprechen, um des Himmels willen, lassen Sie mich, oder ich schreie Hülfe."

Grossinger faßte mich beim Arm und sagte: „Sie sind betrunken,+ kommen Sie in die Wache. Ich bin Ihr Freund, schlafen+ Sie aus und sagen Sie mir das Lied, das die Alte heut' nacht an der Tür sang, als ich die Runde vorüberführte; das Lied interessierte mich sehr."

„Gerade wegen der Alten und den Ihrigen muß ich mit dem Herzoge sprechen!" rief ich aus.

„Wegen der Alten?" versetzte Grossinger, „wegen der sprechen Sie mit mir! Die großen Herren haben keinen Sinn+ für so etwas; geschwind kommen Sie nach der Wache!"

Er wollte mich fortziehen, da schlug die Schloßuhr halb vier. Der Klang schnitt mir wie ein Schrei der Not durch die Seele, und ich schrie aus voller Brust+ zu den Fenstern des Herzogs hinauf:

„Hülfe! um Gottes willen, Hülfe für ein elendes, verführtes Geschöpf!" Da ward Grossinger wie unsinnig,+ er wollte mir den Mund zuhalten,+ aber ich rang mit ihm; er stieß mich in den Nacken, er schimpfte; ich fühlte, ich hörte nichts. Er rief nach der Wache, der Korporal eilte mit etlichen Soldaten herbei, mich zu greifen, aber in dem Augenblick ging des Herzogs Fenster auf, und es rief herunter: „Fähndrich Graf Grossinger, was ist das für ein Skandal?+ Bringen Sie den Menschen herauf, gleich auf der Stelle!"

Ich wartete nicht auf den Fähndrich; ich stürzte die Treppe hinauf, ich fiel nieder zu den Füßen des Herzogs, der mich betroffen+ und unwillig aufstehen hieß. Er hatte Stiefel+ und Sporen an und doch einen Schlafrock,+ den er sorgfältig über der Brust zusammenhielt.

Ich trug+ dem Herzog alles, was mir die Alte von dem Selbstmorde des Ulans, von der Geschichte der schönen Annerl erzählt hatte,

---

aus=schlafen to sleep off the effects of drink
der **Sinn** Here: taste, inclination
die **Brust: aus voller ~** at the top of one's lungs
unsinnig mad
zu=halten to shut
der **Skandal'** uproar
betroffen taken aback
der **Stiefel, –** boot
der **Schlafrock, ⸗e** dressing gown
vor=tragen to report to

so gedrängt+ vor, als es die Not erforderte, und flehte ihn wenigstens um den Aufschub+ der Hinrichtung auf wenige Stunden und um ein ehrliches Grab für die beiden Unglücklichen an, wenn Gnade unmöglich sei.—„Ach, Gnade, Gnade!" rief ich aus, indem ich den gefundenen weißen Schleier voll Rosen aus dem Busen zog. „Dieser Schleier, den ich auf meinem Wege hierher gefunden, schien mir Gnade zu verheißen."+

Der Herzog griff mit Ungestüm+ nach dem Schleier und war heftig bewegt; er drückte den Schleier in seinen Händen, und als ich die Worte aussprach: „Euer Durchlaucht!+ dieses arme Mädchen ist das Opfer falscher Ehrsucht;+ ein Vornehmer hat sie verführt und ihr die Ehe versprochen; ach, sie ist so gut, daß sie lieber sterben will als ihn nennen"—da unterbrach mich der Herzog, mit Tränen in den Augen, und sagte: „Schweigen Sie, um's Himmels willen, schweigen Sie!"— Und nun wendete er sich zu dem Fähndrich, der an der Türe stand, und sagte mit dringender+ Eile: „Fort, eilend zu Pferde mit diesem Menschen hier. Reiten Sie das Pferd tot; nur nach dem Gerichte+ hin. Heften Sie diesen Schleier an Ihren Degen,+ winken und schreien Sie: Gnade, Gnade!—Ich komme nach."

Grossinger nahm den Schleier. Er war ganz verwandelt, er sah aus wie ein Gespenst vor Angst und Eile. Wir stürzten in den Stall, saßen zu Pferde und ritten im Galopp, er stürmte+ wie ein Wahnsinniger zum Tore hinaus. Als er den Schleier an seine Degenspitze heftete, schrie er: „Herr Jesus, meine Schwester!" Ich verstand nicht, was er wollte. Er stand hoch im Bügel+ und wehte+ und schrie: „Gnade, Gnade!" Wir sahen auf dem Hügel die Menge um das Gericht versammelt. Mein Pferd scheute vor dem wehenden Tuch. Ich bin ein schlechter Reiter, ich konnte den Grossinger nicht einholen, er

---

gedrängt concise
der **Aufschub** postponement, stay
verheißen to promise
das **Ungestüm** violence
Euer Durchlaucht! Your Highness!
die **Ehrsucht** striving for honor
dringend urgent
das **Gericht** place of execution
der **Degen,** – sword
stürmen to rush, sweep
der **Bügel,** – stirrup
wehen to wave

flog im schnellsten Karriere;+ ich strengte alle Kräfte an. Trauriges Schicksal! die Artillerie exerzierte+ in der Nähe, der Kanonendonner machte es unmöglich, unser Geschrei aus der Ferne zu hören. Grossinger stürzte, das Volk stob+ auseinander, ich sah in den Kreis, ich sah einen Stahlblitz+ in der frühen Sonne—ach Gott, es war der Schwertblitz des Richters!+—Ich sprengte+ heran, ich hörte das Wehklagen der Menge. „Pardon, Pardon!" schrie Grossinger und stürzte mit wehendem+ Schleier durch den Kreis, wie ein Rasender;+ aber der Richter hielt ihm das blutende Haupt der schönen Annerl entgegen, das ihn wehmütig+ anlächelte. Da schrie er: „Gott sei mir gnädig!" und fiel auf die Leiche hin zur Erde. „Tötet mich, tötet mich, ihr Menschen; ich habe sie verführt, ich bin ihr Mörder!"

Eine rächende Wut ergriff die Menge; die Weiber und Jungfrauen drangen heran und rissen ihn von der Leiche und traten ihn mit Füßen, er wehrte sich nicht; die Wachen konnten das wütende Volk nicht bändigen.+ Da erhob sich das Geschrei: „Der Herzog, der Herzog!"—Er kam im offnen Wagen gefahren; ein blutjunger+ Mensch, den Hut tief ins Gesicht gedrückt, in einen Mantel gehüllt, saß neben ihm. Die Menschen schleiften+ Grossinger herbei. „Jesus, mein Bruder!" schrie der junge Offizier mit der weiblichsten Stimme aus dem Wagen. Der Herzog sprach bestürzt+ zu ihm: „Schweigen Sie!" Er sprang aus dem Wagen, der junge Mensch wollte folgen; der Herzog drängte ihn schier+ unsanft zurück; aber so beförderte+ sich die Entdeckung, daß der junge Mensch die als Offizier verkleidete+ Schwester Grossingers sei. Der Herzog ließ den mißhandelten, blutenden, ohnmächtigen Grossinger in den Wagen legen, die Schwester nahm keine Rücksicht mehr, sie warf ihren Mantel über ihn; jedermann sah sie in weiblicher Kleidung. Der Herzog war verlegen, aber er sammelte sich und befahl,

---

das **Karrie're** gallop
exerzie'ren drill
auseinan'der=stieben, o, o to scatter
der **Stahlblitz** flash of steel
der **Richter** executioner
sprengen to gallop—**wehen** to wave
der **Rasende, -n** mad man
wehmütig sad
bändigen to restrain
blutjung very young
schleifen to drag
bestürzt disconcerted
schier almost—**befördern** to accelerate
verkleiden to disguise

den Wagen sogleich umzuwenden und die Gräfin mit ihrem Bruder nach ihrer Wohnung zu fahren. Dieses Ereignis hatte die Wut der Menge einigermaßen+ gestillt. Der Herzog sagte laut zu dem wachthabenden+ Offizier: „Die Gräfin Grossinger hat ihren Bruder an ihrem Hause vorbeireiten sehen, den Pardon zu bringen, und wollte diesem freudigen Ereignis beiwohnen;+ als ich zu demselben Zwecke vorüberfuhr, stand sie am Fenster und bat mich, sie in meinem Wagen mitzunehmen; ich konnte es dem gutmütigen Kinde nicht abschlagen.+ Sie nahm einen Mantel und den Hut ihres Bruders, um kein Aufsehen+ zu erregen, und hat, von dem unglücklichen Zufall überrascht, die Sache gerade dadurch zu einem abenteuerlichen+ Skandal+ gemacht. Aber wie konnten Sie, Herr Leutnant, den unglücklichen Grafen Grossinger nicht vor dem Pöbel+ schützen? Es ist ein gräßlicher+ Fall,+ daß er, mit dem Pferde stürzend, zu spät kam; er kann+ doch aber nichts dafür. Ich will die Mißhandler des Grafen verhaftet+ und bestraft wissen."

Auf diese Rede des Herzogs erhob sich ein allgemeines Geschrei: „Er ist ein Schurke,+ er ist der Verführer, der Mörder der schönen Annerl gewesen; er hat es selbst gesagt, der elende,+ der schlechte Kerl!"

Als dies von allen Seiten hertönte+ und auch der Prediger und der Offizier und die Gerichtspersonen+ es bestätigten, war der Herzog so tief erschüttert, daß er nichts sagte, als: „Entsetzlich, entsetzlich, oh, der elende Mensch!"

Nun trat der Herzog blaß und bleich in den Kreis, er wollte die Leiche der schönen Annerl sehen. Sie lag auf dem grünen Rasen+ in einem schwarzen Kleide mit weißen Schleifen.+ Die alte Großmutter,

---

einigermaßen to some extent
wachthabend on duty
bei=wohnen to be present at
ab=schlagen to refuse
Aufsehen: ~ erregen to attract attention
abenteuerlich sensational
der **Skandal'** shocking disturbance
der **Pöbel** mob
gräßlich terrible
der **Fall, ⸗e.** Translate here: accident
können: dafür' ~ to be to blame
verhaften to arrest
der **Schurke, –n** scoundrel
elend wretched
her=tönen to be heard
die **Gerichtsperson, –en** magistrate
der **Rasen** lawn
die **Schleife, –n** bow

welche sich um alles, was vorging,[+] nicht bekümmerte,[+] hatte ihr Haupt an den Rumpf[+] gelegt und die schreckliche Trennung mit ihrer Schürze bedeckt. Sie war beschäftigt, ihr die Hände über die Bibel zu falten, welche der Pfarrer in dem kleinen Städtchen der kleinen Annerl geschenkt hatte; das goldene Kränzlein band sie ihr auf den Kopf und steckte die Rose vor die Brust, welche ihr Grossinger in der Nacht gegeben hatte, ohne zu wissen, wem er sie gab.

Der Herzog sprach bei diesem Anblick: „Schönes, unglückliches Annerl! Schändlicher Verführer, du kamst zu spät!—Arme alte Mutter, du bist ihr allein treu geblieben, bis in den Tod!" Als er mich bei diesen Worten in seiner Nähe sah, sprach er zu mir: „Sie sagten mir von einem letzten Willen des Korporal Kasper, haben Sie ihn bei sich?" Da wendete ich mich zu der Alten und sagte: „Arme Mutter, gebt mir die Brieftasche Kaspers; Seine Durchlaucht[+] wollen seinen letzten Willen lesen."

Die Alte, welche sich um nichts bekümmerte,[+] sagte mürrisch:[+] „Ist Er auch wieder da? Er hätte lieber ganz zu Hause bleiben können. Hat Er die Bittschrift? Jetzt ist es zu spät. Ich habe dem armen Kinde den Trost nicht geben können, daß sie zu Kasper in ein ehrliches Grab soll; ach, ich hab es ihr vorgelogen, aber sie hat mir nicht geglaubt."

Der Herzog unterbrach sie und sprach: „Ihr habt nicht gelogen, gute Mutter. Der Mensch hat sein möglichstes[+] getan, der Sturz des Pferdes ist an allem schuld. Aber sie soll ein ehrliches Grab haben bei ihrer Mutter und bei Kasper, der ein braver Kerl war. Es soll ihnen beiden eine Leichenpredigt gehalten werden über die Worte: ‚Gebt Gott allein die Ehre!' Der Kasper soll als Fähndrich begraben werden, seine Schwadron soll ihm dreimal ins Grab schießen, und des Verderbers Grossingers Degen[+] soll auf seinen Sarg[+] gelegt werden."

---

vor=gehen to happen
sich bekümmern (um) to care (about), be concerned
der **Rumpf** trunk
Seine Durchlaucht His Highness
mürrisch sullen
möglich: sein ~stes tun to do one's utmost
der **Degen,** – sword
der **Sarg,** ⸗e coffin

Nach diesen Worten ergriff er Grossingers Degen, der mit dem Schleier noch an der Erde lag, nahm den Schleier herunter, bedeckte Annerl damit und sprach: „Dieser unglückliche Schleier, der ihr so gern Gnade gebracht hätte, soll ihr die Ehre wiedergeben, sie ist ehrlich und
5 begnadigt+ gestorben, der Schleier soll mit ihr begraben werden."

Den Degen gab er dem Offizier der Wache mit den Worten: „Sie werden heute noch meine Befehle wegen der Bestattung+ des Ulanen und dieses armen Mädchens bei der Parade empfangen."

Nun las er auch die letzten Worte Kaspers laut mit vieler Rüh-
10 rung; die alte Großmutter umarmte mit vielen Freudentränen seine Füße, als wäre sie das glücklichste Weib. Er sagte zu ihr: „Gebe Sie sich zufrieden. Sie soll eine Pension haben bis an Ihr seliges+ Ende, ich will Ihrem Enkel und der Annerl einen Denkstein+ setzen lassen." Nun befahl er dem Prediger, mit der Alten und einem Sarge, in
15 welchen die Gerichtete gelegt wurde, nach seiner Wohnung zu fahren und sie dann nach ihrer Heimat zu bringen und das Begräbnis zu besorgen. Da währenddem seine Adjutanten mit Pferden gekommen waren, sagte er noch zu mir: „Geben Sie meinem Adjutanten Ihren Namen an, ich werde Sie rufen lassen. Sie haben einen schönen
20 menschlichen Eifer gezeigt." Der Adjutant schrieb meinen Namen in seine Schreibtafel und machte mir ein verbindliches+ Kompliment.+ Dann sprengte+ der Herzog, von den Segenswünschen der Menge begleitet, in die Stadt. Die Leiche der schönen Annerl ward nun mit der guten alten Großmutter in das Haus des Pfarrers gebracht, und
25 in der folgenden Nacht fuhr dieser mit ihr nach der Heimat zurück. Der Offizier traf mit dem Degen Grossingers und einer Schwadron Ulanen auch daselbst am folgenden Abend ein. Da wurde nun der brave Kasper, mit Grossingers Degen auf der Bahre+ und dem Fähndrichspatent,+ neben der schönen Annerl zur Seite seiner Mutter be-
30 graben. Ich war auch hingeeilt und führte die alte Mutter, welche

begnadigt pardoned
die **Bestattung** burial
selig: ein ~es Ende a Christian death
der **Denkstein, -e** monument
verbindlich courteous
das **Kompliment', -e** bow
sprengen to gallop
die **Bahre, -n** bier
das **Fähndrichspatent'** second lieutenant's commission

kindisch vor Freude war, aber wenig redete; und als die Ulanen dem Kasper zum drittenmal ins Grab schossen, fiel sie mir tot in die Arme; sie hat ihr Grab auch neben den Ihrigen empfangen. Gott gebe ihnen allen eine freudige Auferstehung!+

Sie sollen treten auf die Spitzen,+ 5
Wo die lieben Engelein sitzen,
Wo kömmt der liebe Gott gezogen
Mit einem schönen Regenbogen;
Da sollen ihre Seelen vor Gott bestehn,+
Wann+ wir werden zum Himmel eingehn! 10
Amen.

Als ich in die Hauptstadt zurückkam, hörte ich, Graf Grossinger sei gestorben, er habe Gift genommen; in meiner Wohnung fand ich einen Brief von ihm. Er sagte mir darin:

„Ich habe Ihnen viel zu danken, Sie haben meine Schande, die mir lange 15 das Herz abnagte,+ zutage+ gebracht. Jenes Lied der Alten kannte ich wohl, die Annerl hatte es mir oft vorgesagt, sie war ein unbeschreiblich edles Geschöpf. Ich war ein elender Verbrecher. Sie hatte ein schriftliches Eheversprechen von mir gehabt und hat es verbrannt. Sie diente bei einer alten Tante von mir, sie litt oft an Melancholie. Ich habe mich durch ge- 20 wisse medizinische Mittel, die etwas Magisches haben, ihrer Seele bemächtigt.+—Gott sei mir gnädig!—Sie haben auch die Ehre meiner Schwester gerettet. Der Herzog liebt sie, ich war sein Günstling+—die Geschichte hat ihn erschüttert. — Gott helfe mir, ich habe Gift genommen.

Joseph Graf Grossinger." 25

Die Schürze der schönen Annerl, in welche ihr der Kopf des Jägers Jürge bei seiner Enthauptung gebissen, ist auf der herzoglichen Kunstkammer+ aufbewahrt worden. Man sagt, die Schwester des Grafen

---

die **Auferstehung** resurrection
die **Spitze, -n** height
bestehen to stand the test
wann = wenn
nagen: das Herz ab~ to worry to death
zuta'ge bringen to bring to light
sich bemächtigen to make oneself master of
der **Günstling, -e** favorite
die **Kunstkammer, -n** art collection

Grossinger werde der Herzog mit dem Namen Voile de Grace, auf deutsch Gnadenschleier, in den Fürstenstand erheben und sich mit ihr vermählen. Bei der nächsten Revue+ in der Gegend von D . . . soll das Monument auf den Gräbern der beiden unglücklichen Ehrenopfer,
5 auf dem Kirchhof des Dorfes, errichtet und eingeweiht werden; der Herzog wird mit der Fürstin selbst zugegen+ sein. Er ist ausnehmend+ zufrieden damit; die Idee soll von der Fürstin und dem Herzog zusammen erfunden sein. Es stellt die falsche und die wahre Ehre vor, die sich vor einem Kreuze beiderseits gleich tief zur Erde beugen, die
10 Gerechtigkeit steht mit dem geschwungenen+ Schwerte zur einen Seite, die Gnade zur andern Seite und wirft einen Schleier heran. Man will im Kopfe der Gerechtigkeit Ähnlichkeit mit dem Herzoge, in dem Kopfe der Gnade Ähnlichkeit mit dem Gesichte der Fürstin finden.

EMIL STRAUSS

Emil Strauss (born, 1866) is one of the contemporary masters of German prose. In his style he avoids equally the modern intellectual, reflective presentation—as practiced, for instance, by Thomas Mann—and the conventional patterns of narrative diction; his best writings succeed in recreating reality with a prose that is nervous, new, and full of individual life. As Strauss strives to be himself vigorous and unconventional in his writing, he is attracted and fascinated by the demonstration of the wild and inexhaustible power of nature.

At the beginning of the story *Der Laufen* ("The Rapids") he tries to understand and to recreate before the reader's eyes the rapids of the Rhine in ever-renewed images. He knows, however, that this elemental force of nature, which appears as a symbol of life's vigor and newness, is also dangerous and destructive. Strauss sees the same untamed powers that operate in nature active in the impulses of man. It is, in Strauss's eyes, inevitable that they break out one day, usually in connection with some experience of love—with wounded love, as in this story, or with a violent outburst of sexual craving in others of

---

die **Revue'** military review
zuge'gen present
ausnehmend exceedingly
geschwungen drawn

Karl Robert Langewiesche, Königstein im Taunus

Verzierung im Stil des Rokoko (um 1765): Aus der Wallfahrtskirche Vierzehnheiligen bei Bamberg

his narratives. These impulses, suddenly liberated, will then blindly attach themselves to similar forces in nature and allow themselves to be carried away—mostly into far-off lands with primitively violent ways of life. That was Strauss's own experience when, as a young man, he left for Brazil. But the task and the test for a man is to master this outbreak.

Strauss has no sympathy with the wild cravings and purely egotistic desires of man's nature, in themselves, although they are indispensable for the maturing of a person. Sometimes they will overpower their victim and carry him to a tragic end, as in our story. But most heroes of Strauss's stories and novels are able in the end to master the upsurge of their impulses and are reborn through their experiences. They then find a new meaning for their lives in being active members of a group or community that needs their efforts for its existence. That a person should be completely devoted to and absorbed in a meaningful activity, especially the activity of the farmer, is Strauss's conception of an ideal life.

Der Laufen+

Seit man damit umgeht,+ die Stromschnellen+ von Laufenburg+ in Kraftanlagen+ zu verwandeln und so die wilde, fast fremde Schönheit dieses Stromstadtbildes zu zerstören, seitdem treibt es mich oft plötzlich hin, zu sehen, ob die Felsen dem Wasser noch den Weg wehren, ob der
5 Laufen noch tobt um die unbegreiflich feste Rote Fluh.+ Meinen ersten freien Jugendsommer hab' ich dort mit einem Freunde durchschwärmt+ und durcharbeitet, und der grüne kämpfende Rhein, die umschäumten+ rötlichen Felsen, die enggedrängten alten Häuser darauf sind mir eine Heimat geblieben.

10 Wieder einmal war ich vom Hotzenwald+ herniedergestiegen und hielt unterhalb der Stromschnelle auf dem hohen Ufer und sah. Als wären sie vor dem grünen Ungetüm,+ das in der Enge unten schäumt,+

---

der Laufen. Dialect for *rapids*, used here as if it were a proper name
um=gehen mit to consider (an idea)
die Stromschnelle, –n rapids
Laufenburg. See Frontispiece
die Kraftanlage, –n power plant
die Rote Fluh "Red Cliff"
durchschwär'men to pass in ecstasy and revelry—**umschäumt'** surrounded by rushing and foaming water
der Hotzenwald. District adjoining the southern Black Forest
das Ungetüm, –e monster
schäumen to churn

entsetzt zurückgeschreckt, so standen die altersgrauen Häuser aneinandergedrückt auf den sicheren Felsen der Ufer in der Sonne, durch diese seltsame halbgedeckte Brücke verbunden. Oberhalb aber kam es im Bogen von rechts breit und grün und sonnig dahergeströmt zwischen umbuschten+ Ufern. An der Brücke plötzlich aufgestaut+ durch den von der andern Seite herüberdrängenden Felsenriegel,+ macht es wie eine aufgescheuchte+ Schlange noch eine jähe+ Wendung und drängt sich erregt unter dem bedeckten Drittel+ der Brücke durch, unheimlich+ glatt und wölbig+ wie ein Glasfluß,+ am Rande schaumtreibend,+ mit stillen ziehenden Wirbeln. Gedrängt, gezerrt,+ aus irgendeiner Tiefe angesogen,+ schießt es im verengten Bette herab, sich klemmend,+ über riesige Stufen schwellend und zusammenbrechend auf den breiten Pfeiler+ der Roten Fluh+ los,+ zerprasselt+ in zwei schaumschleudernde+ Ströme, die jäh in unbekannte Abgründe+ stürzen. Vereint kocht es wieder empor als runder weißer Wasserberg, den andere Wasserberge erdrücken,+ aufdampfend,+ mit unendlichem Tosen,+ um dann ein unerschöpfliches Spiel einander überschneidender,+ verdrängender, überholender+ Schaumkreise vor sich her+ zu schleudern, nach rechts und links in die ausgewaschenen Felsbuchten+ hinein und stromabwärts, wo sie immer weiter und dünner und zarter fließen und rieseln+ und sich endlich in einem frischen Wellengetümmel+ zwischen umbuschten+ Ufern verlieren.+

---

umbuscht' covered with shrubbery
auf=stauen to dam up
der **Felsenriegel** rocks acting as a bar
auf=scheuchen to startle—**jäh** abrupt
das **Drittel, –** third (part)
unheimlich uncanny, weird
wölbig vaulted
der **Glasfluß** flow of molten glass
schaumtreibend carrying foam
zerren to pull vigorously
an=saugen, o, o to draw by suction
klemmen to squeeze
der **Pfeiler, –** pillar—die **Rote Fluh** Red Cliff—**los:** auf . . . ~ straight toward
zerprasseln to be dashed
schaumschleudernd throwing up foam
der **Abgrund, ⸗e** abyss
erdrücken to overpower
auf=dampfen to throw up steam
das **Tosen** roar
überschnei'den to overlap
überho'len to overtake
her: vor sich ~ in front of itself
die **Felsbucht, –en** cove in the cliffs
rieseln to purl, ripple
Wellengetümmel: das Getümmel playful confusion
sich verlieren to disperse; disappear

Ich sah und überließ mich der Gewalt des Bildes.

Dann kamen Erinnerungen längstvergangener Anblicke.+ Ich sah die Stämme von Flößen,+ die oberhalb der Strombiegung aufgebunden+ worden waren, einzeln und im Gedränge unter der Brücke
5 durchschießen, wie Pfeile durch den Schaum fliegen, wie Uhrzeiger+ sich auf den Wellen drehen, wie Streichhölzer zerknicken+ oder auch in den pressenden Wogen+ aufgerichtet und festgeklemmt+ wie Mastbäume aufrecht durch die Stromschnelle hinabeilen.

Ich sah Gewitterwolken wie eine ungeheure Decke verfinsternd sich
10 über das Tal legen; die Dächer wurden dunkler; die Häuserwände wurden bleicher, das klare Grün des Stromes wurde stumpf und undurchsichtig und flackerte+ fern in bleiernen Lichtern auf, der Schaum des Laufen quoll+ grell+ und kalt aus dem Wellendunkel, die Blitze peitschten+ in die Stromschnelle, der Donner aber schien kaum leise
15 zu brummen:+ nur die härtesten Schläge knatterten+ bezwingend+ über das Tosen+ des Wassers hinweg.

Und ich sah, wenn auf den Bergen der Schnee schmolz, den Strom wachsen, sich dehnen, in unheimlich+ steter Steigerung mächtiger werden und hinaufverlangen+ auf die zerklüftete+ Felsmasse, die unter der
20 Brücke sonst wie ein Damm die Strömung aufhält und auf die rechte Seite herüberdrängt: über Nacht ist dieses Trümmerfeld+ von unzähligen, hastigen, blitzenden Wasseradern durchronnen, die dunklen Fugen+ und Risse+ in dem rötlichen Porphyrgestein leuchten von Wasser und Schaum, füllen sich und werden breiter, die Rinnsale+ werden

---

der **Anblick, -e** sight
das **Floß, ⸚e** raft
auf=binden to untie
der **Uhrzeiger, -** hand of a clock
zerknicken to break
die **Woge, -n** wave
fest=klemmen to jam, wedge in
auf=flackern to flare up
quellen, o, o to well up
grell glaring
peitschen to whip
brummen to rumble
knattern to rattle
bezwingend overpowering
das **Tosen** roar
unheimlich frightening, alarming
hinauf=verlangen to tend upward
zerklüftet fissured, rugged
das **Trümmerfeld, -er** wreckage (that is, the group of rocks under the bridge)
die **Fuge, -n** seam
der **Riß, -e** crack
das **Rinnsal, -e** rill

Bäche, die Felsinseln werden kleiner, und plötzlich hat die Flut den Damm erstürmt,+ rollt mit breitem Schwall+ über die Trümmerterrasse+ nieder und erfüllt das ganze Felsental mit kämpfenden, gelben Wogen,+ mit siedendem+ Schaume, mit allesverschlingendem+ Brausen und Dröhnen;+ der Pfeiler+ der Roten Fluh ist unter einem wech- 5 selnden Wasserhügel begraben, und dumpfe Stöße erschüttern die häusertragenden Felsen, als wären auch diese nicht mehr sicher.

Während ich so stand, hatte ich wohl einmal nahende Schritte gehört, aber nicht beachtet und wurde nun dadurch überrascht, daß jemand von hinten neben mich trat. Ich vermutete einen bekannten 10 Lachsfischer,+ wollte ihm seinen Scherz zurückgeben, blieb also, ohne etwas merken zu lassen, ruhig stehen und prüfte seinen Schatten, der breit vor mir neben dem meinigen lag. Aber es war keiner von der Riesenfamilie der Laufenburger Fischer; Hut und Rock waren auch von städtischem Schnitte. Etwas befremdet+ wandte ich mich um und 15 begegnete einem herzlichen Blick aus freundlich zuwartendem,+ weißbärtigem Gesichte. Ich erstaunte. Es war ein schöner, bejahrter+ Herr, dessen längliches, ernstgeschnittenes+ Antlitz von noch vollem weißem Haar und starkem, eckigem Bart umgeben war; als ich ihn zuletzt gesehen hatte—vor fast zwanzig Jahren—, war dieser Bart und 20 dieses Haar braun gewesen, das helle Auge aber hatte ernster und schwerer aus dem sonnverbrannten Gesicht herausgeschaut.

„Grüß Gott, Herr Doktor!" sagte ich; „sind Sie wieder im Land?"

„Grüß Gott!" erwiderte er, mir die Hand reichend; „und Sie gehen an mir vorbei und kennen mich nicht!" 25

„Ich habe Sie nicht gesehen; erkannt hätte ich Sie gewiß!"

„Dann war's also, wie wir Botaniker manchmal eine Pflanze

---

erstürmen to take by assault
der **Schwall** surging flood
die **Trümmerterrasse** terrace of rocks
die **Woge, -n** wave
sieden to boil, seethe
verschlingen, a, u to devour
das **Dröhnen** booming
der **Pfeiler, -** pillar
Lachsfischer: der Lachs salmon. (Below the cataracts, salmon is abundant.)
befremdet surprised
zuwartend expectant
bejahrt elderly
ernstgeschnitten of a serious cast

dicht vor unserer Nase nicht sehen, weil uns feststeht,+ daß sie in der Gegend nicht vorkomme!" Er lächelte und nickte nochmals zum Gruße.

„Und doch", entgegnete ich, „würde ich nachher zu Ihrem Hause hinaufgegangen sein und nach Ihnen gefragt haben,—wie jedesmal,
5 wenn ich hier war in diesen zwei Jahrzehnten."

„Ich weiß es", sprach er nickend und schaute einen Augenblick beiseit' in die Ferne, ehe er fortfuhr: „Und ich habe seinerzeit+ nach der ersten Meldung Ihres Besuches meinen Diener angewiesen,+ Ihnen und Ihrem Freunde stets das Gastzimmer zu richten und das Haus zur
10 Verfügung zu stellen. Aber die deutschen Diener taugen entweder gar nichts oder sie sind schatzhütende Drachen,+ und so wollte es dem Tröndle+ halt+ nicht in seinen harten Hotzenschädel+ hinein, daß Sie, in meiner Abwesenheit, an meinem Tische sitzen und etwa gar in meinen Büchern blättern sollten, und er hat Sie halt nicht hineingelassen.
15 Man nennt das treu wie Gold."

„Sie waren in jenem Sommer von so großer Freundlichkeit gegen uns unvergorene+ Springer,+ daß uns dieser neue Beweis Ihrer Güte nicht überrascht haben würde. Aber es gab doch Zeiten, wo wir recht vereinsamt dasaßen, verbogen+ und zerschlagen,+ und wo es uns
20 eine gründliche Erquickung gewesen wäre, zu erfahren, daß hinter irgendeinem Weltmeer ein Mann unser gedächte, nicht aus bekümmerter+ Verwandtschaft+ oder Gewohnheit, sondern aus dem guten Glauben eines erfahrenen Herzens heraus." Ich drückte ihm die Hand, was er ein wenig befangen hinnahm. „Übrigens haben wir
25 immer wieder von Ihnen gesprochen, und manches ruhige Wort, das Sie damals in unser Phantasieren hineinwarfen, ist uns nach Jahren

---

fest=stehen: weil uns feststeht because we are convinced, because we take it for granted

seinerzeit at that time, in those days

an=weisen to instruct

der **Drache, –n** dragon

Tröndle. Family name

halt simply, just

der **Hotzenschädel.** Head such as the people from the Hotzenwald have

unvergoren immature (*literally:* "not thoroughly fermented," like new wine)

der **Springer, –** gay young fellow

verbogen. Slang: taking a distorted view of life

zerschlagen. Translate here: depressed

bekümmert worried

die **Verwandtschaft.** Translate here: sympathy of a relative

eingefallen oder aufgegangen.+ Und unsere Nachfrage droben in Ihrem Hause sollte Ihnen ja beweisen, daß wir unser Teil an Ihnen nicht aufzugeben gedächten."

Er nickte mehrmals mit einem etwas beschämten+ und hilflosen Lächeln, drum fuhr ich rasch fort: 5

„Aber—seit wann sind Sie denn wieder hiesig?"+

„Schon seit einem Jahr. Und nun halt' ich es hoffentlich auch noch vollends hier aus. Damals—wissen Sie—war die Ruhe verfrüht. Die ersten Jahre mit dem Hausbau, dem Garten hatten mir wohl behagt; dann aber genügten mir die Obst- und Rosenbäume und das 10 Botanisieren doch nicht. Meine Knochen waren noch zu jung und mein Blut zu unruhig. Kein Wind konnte wehen, ohne daß ich an Seefahrt dachte. Das Meer wiegte mich in meinen Träumen, und all die ungerittenen Pferde und Wege störten meinen Schlaf. Da mußt' ich eben noch einmal hinaus und mich weiter verbrauchen. Zum 15 Zuschauen ist wohl jetzt noch Zeit."

„Zuschauen,—wie der Laufen dressiert+ wird, Blech zu walzen+ und Gingang+ zu weben! Können denn auch Sie ihn nicht retten?"

„Sie meinen,—weil er mich einmal gerettet hat—?" erwiderte er und blickte ernster in den rasenden+ Strom hinab. „Ich halte nichts 20 vom Retten."

„Der Laufen—hat Sie einmal—gerettet?" fragte ich erstaunt.

„Oder verschont oder—wie man will. Hat man's Ihnen nie erzählt?"

„Nie! Ich glaube allerdings, ich habe auch niemals mit einem Hie- 25 sigen+ viel über Sie gesprochen—

„Wir wußten ja noch gar nichts von Ihnen, als Sie damals im Walde droben zu uns traten, auf die Mensurmütze+ deuteten, die ich

---

auf-gehen to become clear
beschämt abashed
hiesig of this place; living here
dressie'ren to break in, drill
walzen to roll
der Gingang gingham
rasen to rage
der Hiesige, -n local resident
die Mensur'mütze, -n. Black cap worn over a head bandage. Saber cuts on the scalp were a frequent result of student duels (Mensuren).

schwergefüllt wie einen Sack in der Hand trug, und mich fragten, ob ich Pilze+ gesucht hätte. Und wir merkten sofort, daß Sie weit her seien, weil Sie nicht hinauslachten wie alle andern, als ich Ihnen die Eier in der Mütze zeigte und erzählte, daß wir sie in einem Hof auf+ dem Walde zu holen pflegten. Und dann gingen wir ja zusammen weiter, und Sie luden uns schließlich ein. Wir saßen bis in die Nacht hinein bei Ihnen auf der Veranda und produzierten uns auf unserm hohen Seil.+ Und so unreif Ihnen alles vorgekommen sein muß, Sie waren ein so teilnehmender Zuhörer, daß wir geradezu glücklich heimgingen und zur großen Beunruhigung der Grenzaufseher+ noch stundenlang auf der Brücke hin- und herzogen und redeten. Es hatte uns wunderbar wohlgetan und imponiert,+ daß auch einmal ein erfahrener Odysseus+ uns nicht gleich auslachte und Narren hieß, weil wir nicht viel von dem geheiligten Status quo hielten, nichts vom Karrieremachen+ und nichts von dem schwungvollen+ Detailgeschäft+ in Recht und Ordnung, Religion und Wissenschaft;—daß Sie uns ruhig gelten+ ließen und uns gelegentlich mit Psychologie abführten.+ Danach hatte ich ja keinen Anlaß mehr, irgendeinen Burger+ über Sie auszuholen,+ oder vielmehr, ich hatte Grund, nicht über Sie zu reden. So wird es gekommen sein, daß ich von Ihrer Rettung nie gehört habe."

„Dann—müssen Sie es sich einmal—erzählen lassen."

„Ich werde warten, bis Sie es mir selbst erzählen."

Er schüttelte leicht den Kopf und verwandte den ernstgespannten

---

der **Pilz, -e** mushroom
auf. Translate here: near
das **Seil:** sich auf dem hohen ∾ produzier'en to perform on the tightrope. Translate: to engage in mental acrobatics, to show off
der **Grenzaufseher, -** border guard
imponie'ren to impress
Odys'seus. Used here as the symbol of the far-travelled man
das **Karrie'remachen.** The concentration of one's ambitions on quick promotion
schwungvoll flourishing
das **Detail'geschäft** retail business. (The speaker contemptuously refers to the routine performance of the professions of law officer, public official, clergyman, and university teacher.)
gelten: ∾ lassen to allow a person to have his own opinion
ab=führen (*slang*) to expose a person's foolishness
der **Burger** short for Laufenburger
aus=holen to pump (for information)

Blick nicht von dem Bilde zu unsern Füßen. Auch meine Augen kehrten zu der Stromschnelle und den beiden Uferstädtchen zurück.

„Hat sich die Gewalt des Elementes", fing ich nach einer Pause an, „wohl noch einmal irgendwo ein so wildes und schönes Sinnbild+ geschaffen? Der Rheinfall bei Schaffhausen ist ein Naturschauspiel; hier aber ist Urgeschichte,+ die immer wieder Geschichte von heute sein wird. Vom ersten Male an kommt mir immer wieder, wie die Erinnerung einer Sage, der Eindruck, vorzeiten,+ ja, vor Jahren noch sei das eine einzige sonnige Stadt gewesen. Drüben von der Burg herab dehnte sie sich in sanfter Senkung+ über das ganze Tal herüber und stieg diesseits bis zur Kirche hinauf, und nur der Andelsbach+ rieselte+ friedlich zwischen den untersten Häusern hin. Eines Frühlings aber zerrte+ der Föhn+ den Schnee so jählings+ von den Alpen herab, daß dem Rhein die alte Rinne+ nicht mehr genügte und er mit ungeheuren Massen ins bestellte Land durchbrach. Dort oberhalb der Stadt trieb in weitem Bogen der Wasserschwall+ heran, gelb und mit unzähligen Tatzen+ vorwärtshastend. Wie ein Rachen+ sich auftut, so stieg es manchmal mit einer breiten, hohlen Woge hoch auf, warf sich über die Gärten und Mauern her und drückte sie zu Boden, unterwühlte+ sie, überrannte sie, riß im Sturmlauf+ die Stadt auseinander und warf sie rechts und links auf die Uferhöhen zurück. Das Hochwasser verlief,+ der Rhein blieb da und kämpft und tobt bis heute, als wäre der Widerstand der überfallenen Stadt noch nicht gebrochen. Das Stück gedeckter Brücke aber, das auf diesem Ufer und dem Pfeiler im Strom aufliegt, dieses Dach war das einzige im Tal unten, das von den Fluten nicht gestürzt wurde, und so hängt es noch da über dem Ver-

---

das **Sinnbild, -er** symbol
die **Urgeschichte** primeval history (of the globe)
vorzei'ten in remote times
die **Senkung** descent, slope
der **Andelsbach.** Name of a brook that empties into the Rhine
rieseln to flow gently
herab=zerren to tear down
der **Föhn** a warm and dry south wind
jählings suddenly
die **Rinne, -n** channel
Wasserschwall: der Schwall surge
die **Tatze, -n** paw
der **Rachen** jaws
unterwüh'len to undermine
der **Sturmlauf** assault
verlaufen to subside

derben, uralt, hinterhältig+-lustig, etwas spöttisch. Und seit dem Tage sind es zwei Städte, zwei Länder, zwei Völker. Die Leute hüben+ und drüben+ sind vom gleichen Stamme, sind verschwistert+ und verschwägert;+ aber sie denken verschieden, sie schwören auf anderes, sie sterben
5 für anderes: die drüben schimpfen uns ,deutsche Fürstenknechte', und wir schimpfen sie ,freie Schweizer'."+

„Sie haben—" sagte der alte Herr nachdenklich, „—die Menschen haben Sie vergessen—bei Ihrer Sündflut."+

„Ja. Aber wenn ich sie auch nicht vergessen hätte, würde ich nicht
10 viel mehr über sie zu sagen gehabt haben. Dieses Wasser hier verfährt so blitzschnell mit ihnen, daß sie nicht einmal Zeit zu einem Hilfeschrei haben,—den man übrigens in dem Getöse+ auch nicht hören würde.

„Ich hab' es einmal erlebt. Ich wohnte ja da drüben gerade über
15 dem Laufen in dem vorspringenden Eckhaus in einem Eckzimmer. Wenn ich aus dem Seitenfenster steil+ hinabschaute, so sah ich in die Felsbucht,+ die man ,Tote Waag'+ nennt und in der sich beim Flößen+ immer einzelne vom Talweg abirrende Stämme verfingen. Eines Morgens bei der Arbeit hörte oder fühlte ich wieder einmal öfter den
20 Anprall+ der herübergeschleuderten Bäume an den Felsen unter dem Hause, legte mich schließlich ins Fenster und sah rauchend zu, wie ein Floßknecht+ in hohen Stiefeln+ auf den Felsen und Hölzern hin- und herturnte+ und mit seiner Stange oder auch mit dem Fuße die einzelnen Stämme in den Strom hinausstieß. Und es gefiel mir sehr,
25 wie er im Strohhut, hemdsärmelig+ und in wasserglänzenden Stiefeln

---

hinterhältig insidious
hüben on this side
drüben on the other side
verschwistert brothers and sisters
verschwägert related by marriage
der **Schweizer,** – Swiss
die **Sündflut** Deluge
das **Getöse** din
steil steep, straight down
die **Felsbucht, -en** cove in the cliffs
die **,Tote Waag'** 'Dead Water'
das **Flößen.** The process of floating rafts of timber downstream
der **Anprall** impact, shock
der **Floßknecht, -e** raftsman
der **Stiefel,** – boot
turnen. Translate here: to move agilely
hemdsärmelig in shirt sleeves

sich waghalsig+ an den braunen Wänden der schattigen Bucht bewegte. Nun stand er auf zwei nebeneinander liegenden Stämmen und reckte+ sich, um einem ferneren Balken+ den Abstoß zu geben, glitt aus, bekam das Übergewicht,+ war verschwunden. Es geschah schneller, als ich es fassen konnte, ich sog noch an meiner Zigarre und suchte mit den 5 Augen umher, wo der Flößer geblieben+ sei, und erst als ich ihn nicht fand und er nicht mehr auftauchen wollte, überfiel mich der Schrecken. Ich eilte hinunter und rief Leute herbei. Die zuckten aber nur mit den Achseln und sagten: ‚Dem tut kein Zahn mehr weh!' standen ein Weilchen und guckten+ mit in das Wasser, dann gingen sie zurück an ihre 10 Arbeit. Und der Strom gab ihn nicht wieder heraus."

„Ja—den einen will er", sagte der alte Herr mit halber Stimme und setzte mit Nachdruck hinzu: „den andern will er nicht!" Er drehte sich rasch um, blieb noch einen Augenblick mit nachdenklich gesenktem Kopfe stehen, sagte dann: „Kommen Sie!" und ging mir voran. Wir 15 schlängelten+ uns ein Pfädchen hinab zum Strom. Auf einem warmbesonnten Felsen, an dem das Wasser vorbeischäumte,+ setzte mein Führer sich und sprach: „Hier sind wir ungestört."

Und wirklich, das Brausen+ in der Luft war so groß, daß ich ihn nur eben noch verstehen konnte. Manchmal wehte ein Schleier zarten 20 Wasserstaubes erfrischend über uns her.

Ich will Ihnen erzählen, wieso+ der Laufen mich rettete oder verschonte oder nicht haben wollte. Niemand weiß es außer mir. Unser Gespräch hat mich wieder einmal so tief in die Erinnerung hineingedrängt, daß ich mich ohnehin nur langsam und den Verlauf wieder 25 genau durchlebend aus ihr herausarbeiten kann: so will ich es einmal mit lauten Worten tun. Es ist eine einfache, harte Geschichte, und es mag gesund sein, sie anzuhören.

---

waghalsig daredevilish
recken to stretch—der **Balken** beam
das **Übergewicht:** das ~ bekommen to lose one's balance
bleiben: wo . . . sei what had become of the raftsman
gucken to look
sich hinab'=schlängeln to thread one's way downhill
vorbei'=schäumen to rush by turbulently
das **Brausen** roar
wieso' how it was that

Ich bin auf der Schweizer Seite drüben, also in der ‚Großstadt'+ geboren, hinten,+ wo die Gärten ins Freie stießen, und habe hier meine Kindheit verbracht,+ so gesund, frei, heiter und reich, wie es eigentlich+ nur in kleinen Städten möglich ist, wo die Familien seit hundert 5 Jahren in denselben Häusern sitzen, in denselben Gärten ihr Obst und Gemüse ziehen, in denselben natürlichen Bedingungen die Lust und Gefahr des Lebens lernen und, da alle einander kennen, alles mit persönlichem Anteil+ erleben. Dann war ich in Aarau+ auf der Schule, und nun wollte ich Medizin studieren. Teils um mich über mein Vor- 10 haben+ genauer zu unterrichten, teils auch nur, um meinen stolzeren Verkehrsansprüchen+ Genüge+ zu tun, machte ich eines Tages in Klein-Laufenburg einem Medizinstudenten, der vor dem letzten Examen stand, meinen Besuch. Ich kannte ihn natürlich, wie sich alle kannten; da er aber vier Jahre älter als ich war und von zurückhaltendem Wesen, 15 so hatte ich mich bisher nicht näher an ihn gewagt. Er wohnte in seinem Elternhause etwas oberhalb der Brücke, in einem Zimmer auf den Rhein hinaus, zwei Treppen hoch.

Vor der Türe hörte ich, wie er innen auf- und abschreitend englische Verse las, jedenfalls Byron, der damals immer auf seinem Tische lag. 20 Ich wartete eine Pause ab, ehe ich klopfte und eintrat. In dunklen Hosen und knapper Militärdrillichjacke+ stand er mitten im Zimmer, drehte den Oberkörper und sah verwundert nach der Türe her. Die einfache Kleidung, die energisch bewegte Haltung seines wohlgebauten Körpers, die niedrige, behagliche Stube, deren Decke er mit seinem 25 dichten braunen Haar fast streifte, all das ließ ihn mir noch größer und vornehmer erscheinen als sonst, ich wurde befangen und fand nicht gleich das Wort. Er legte das Buch weg, begrüßte mich mit einer

---

die **„Großstadt."** City on the Swiss side is called Groß-Laufenburg, larger than Klein-Laufenburg on the German side.
hinten. Translate here: on the outskirts
verbringen to spend
eigentlich really
der Anteil sympathy
Aarau. Capital of Aargau, canton in Switzerland
das **Vorhaben** plans
die **Verkehrsansprüche** *pl.* pretension to social connections
Genüge tun to satisfy
die **Militär'drillichjacke** fatigue jacket

freundschaftlichen Höflichkeit,—ich saß auf dem Sofa und hatte Zigarettenpapier und -tabak vor mir, ehe ich nur ein paar Worte hatte sagen können. Je+ liebenswürdiger nun der Empfang war, um so wichtiger erschien es mir, meinen Besuch zu rechtfertigen, ich erhob mich plötzlich wieder und sagte+ her, was mich zu ihm führte. Ich stand 5
jedenfalls sehr schulbubenhaft und komisch vor ihm, er schaute mich aber mit gänzlich unberührtem Ernst an, hörte aufmerksam zu und antwortete. Er lachte überhaupt selten und über das obenhin+ Lächerliche wohl nie. Er gab mir nur den Rat, meine ersten Semester nicht, wie üblich, zu verbummeln,+ sondern sofort richtig zu arbeiten, wenn 10
nicht in den medizinischen Fächern, dann irgendeine Liebhaberei,+ Geschichte, Geologie—was es sei. Nur gleich die freigewordene Hand auf die Welt legen, nur gleich die Eroberung beginnen! Hätte mir ein anderer das gesagt, so würde ich ihn ausgelacht und erwidert haben: ,Im Gegenteil! Für eine gute Weile ist genug geochst;+ jetzt wollen 15
wir trinken und raufen+ und die Mädchen küssen!' Albiez+ aber verleitete mich durch sein leidenschaftliches Beispiel. Er nahm mich auf Exkursionen mit und machte aus mir den Botaniker, der ich heute noch bin; wir klopften+ alle Steinbrüche,+ Sandgruben und Felsschluchten+ ab; wir suchten+ alle Sammler heim vom Bodensee+ bis Basel, ob sie 20
nun Schmetterlinge,+ Steinbeile+ oder Bilder sammelten,—ich empfand auf einmal, daß die Wissenschaft nicht eine Last sei, unter der man von Examen zu Examen keucht,+ sondern eine umworbene, beglückende Macht, der die verschiedensten Menschen der verschiedensten Berufe ihre, wenn auch nicht meisten, so doch innigsten Stunden widmeten. 25
Albiez, dem ich in meiner leichteren Art besonders behagen mochte,

---

je . . . um so . . . the . . . the . . .
her=sagen to recite like a lesson
obenhin superficially
verbummeln to idle away
die **Liebhaberei'**, **–en** favorite pursuit; hobby
ochsen (*slang*) to grind
raufen to scuffle, brawl
Albiez. Family name
ab=klopfen to tap (that is, to examine geological formations)
der **Steinbruch**, **¨–e** quarry
Felsschlucht: die Schlucht, –en gorge
heim=suchen to haunt
der **Bodensee** Lake of Constance
der **Schmetterling**, **–e** butterfly
das **Steinbeil**, **–e** (prehistoric) stone ax
keuchen to pant

nahm+ sich meiner wie eines jüngeren Bruders an, immer gleich sicher und ruhig, geduldig und—unnachgiebig.+

Einmal aber in diesen Ferien überraschte mich sein Wesen doch. In der Sauserzeit+ machten wir eine Weinreise+ in die Hallauer+ Gegend.
5 Schließlich blieben+ wir gegen Abend im ‚Hirschen'+ in Unterhallau+ hängen und waren nun bei einem Maß von Wein angekommen, das auch dem geeichten+ Weintrinker fühlbar wird, und da merkte ich auf einmal, daß der gute Albiez einen bösen Wein+ zu trinken scheine. Während er sonst nur seine eigenen Worte peinlich+ genau+ nahm und
10 gegen Andere Nachsicht+ zeigte, selten mit einem Zusatz+ mitleidiger+ Geringschätzung, legte er nun plötzlich jegliches Wort, das am Tische fiel, auf die Goldwaage, bald indem er es nur mit scharfer Betonung wiederholte, bald indem er es heftig kritisierte und zurückwies. Da ich selbst entweder als sein Schützling Schonung genoß oder in meiner
15 Verehrung und Rücksicht gegen ihn keinen Anlaß zur Rüge+ gab, so war sein Verfahren für mich zunächst ein freilich mit Bangen gewürzter Genuß: ich würde geglaubt haben, er leiste sich einen Weinulk,+ indem er all den Blödsinn,+ der geredet wurde, gedanklich und sprachlich zer-legte,+ wenn nicht seine gesenkte, stößige+ Kopfhaltung, der böse Blick
20 von unten auf und die kurze, heftige Art, wie er seinen Zigarrenrauch von sich paffte,+ allzu ersichtlich gezeigt hätte, daß es noch anders kom-

---

sich jemandes an-nehmen to take an interest in, to befriend someone
unnachgiebig uncompromising
die **Sauserzeit.** Time of year when the new wine is in the first stages of fermentation
die **Weinreise** "wine-journey" (that is, a trip through a wine-growing region in order to sample the local vintages)
Hallau. A town known for its good wine
hängen-bleiben: wir blieben hängen we could not tear ourselves away
der **Hirsch, -e** stag. Zum ‚Hirschen' is the name of an inn.
Unterhallau. Many German place names are formed with Unter- (Lower-) or Ober- (Upper-).
geeicht seasoned
der **Wein:** einen bösen ~ trinken to become vicious when intoxicated with wine
peinlich scrupulously
genau: ~ nehmen to be particular about
die **Nachsicht** indulgence
der **Zusatz** addition
mitleidig. Translate here: condescending
die **Rüge, -n** reproof
der **Weinulk** drunken joke
der **Blödsinn** nonsense
zerlegen to analyze
stößig vicious, like a bull ready to butt
paffen to puff

Photo Marburg

Architektur im romanischen Stil
Der Dom von Worms (Ende des 12. Jahrhunderts bis etwa 1230)

men müßte. Er sprach mit völliger Klarheit, Schärfe und Sicherheit des Wortes; nur an der hitzigen+ Streitsucht merkte man den Wein. Also—plötzlich, aber nicht unerwartet, auf eine grobe Widerrede hin, beugte sich Freund Albiez über den Tisch hinüber, packte den Spre-
5 chenden am Kragen+ und schlug auf ihn los. Und da war natürlich keiner unter uns, der sich die schöne Gelegenheit, draufzuhauen, hätte entgehen lassen, und schließlich fielen die Hiebe und Tritte so dicht, daß es auf Freund und Feind ging.+ Indessen wurden wir beide nach und nach zur Türe gedrängt, zum Hause hinaus und über die Staffel+
10 hinabgestoßen. Nun wäre ja alles in schönster Ordnung gewesen, da fiel es aber dem letzten der Sieger, der wieder zur Türe hineinging, ein, über die Schulter noch einmal zurückzurufen: ‚Ihr verfluchte+ Sauschwaben+—ihr verfluchte!' Und da kam denn noch das Lustigste. Albiez war mit einem Satz wieder im Haus (wohin ich ihm folgte),
15 stellte+ jenen Rufer und sagte:

‚Halt!+ Still, Ihr Mannen!+ Da ist ein Unrecht geschehen, das Sühne+ verlangt. Hier diesen Jüngling, der unter meinem Schutze steht, habt Ihr „Sauschwab" geheißen, und er ist doch ein so echter „Schwizerkaib"+ wie Ihr. Das ist eine Schmach für Euch wie für ihn!
20 Damit die eidgenössische+ Ehre wiederhergestellt wird, schlage ich vor, daß der Verleumder+ dem Verleumdeten+ dreimal „Schwizerkaib" ins Gesicht schreit!'

Das Komische war, daß er in unverdächtigem Ernste sprach und es jedenfalls ganz ernst meinte. Die Hallauer starrten uns einen Mo-
25 ment verblüfft+ an, dann fielen sie aufs neue über uns her, ich bekam diesmal mehr Prügel+ als vordem, nach kurzem flogen wir wieder

---

hitzig hotheaded
der **Kragen, –** collar
gehen: daß . . . ging that no distinction was made between friend or foe
die **Staffel** front steps
verflucht damned
„Sauschwaben" *pl.* "Swabian swine"
stellen to catch up with
halt! stop!
die **Mannen.** An old plural of Mann, used only with the connotation of *warriors*
die **Sühne** atonement
„Schwizerkaib" "Swiss carrion"
eidgenössisch confederate (relating to the Swiss Confederation)
verleumden: der Verleumder defamer; der Verleumdete defamed
verblüfft dumbfounded
die **Prügel** *pl.* thrashing

zum Tempel+ hinaus, und unsere Hüte hinterdrein.+ Albiez hob den seinigen auf und drehte ihn im Mondlicht hin und her, fuhr reinigend immer wieder mit dem Ärmel+ drüber und setzte ihn mit hochmütig nachlässiger+ Gebärde auf, blickte kurz nach den erleuchteten Fenstern zurück und sagte: 5

,Victrix causa diis placuit, sed victa Catoni!'+ und trat den Weg zum Bahnhof an.

Ich sah nach der Uhr und bemerkte: ,Die haben uns zur rechten Zeit an die Luft+ gesetzt, jetzt kommen wir noch bequem auf den Zug.' 10

Er antwortete nicht, und da mich sein Benehmen+ überhaupt unsicher gemacht hatte, so schwieg ich auch, und wir gingen eine ganze Strecke stumm nebeneinander hin, er mitten auf der Straße, ich ein paar Schritte seitlich am Straßenrand.

Plötzlich blieb er stehen und rief mir mit scharfem Tone zu: 15

,Mein Herr, wie kommen Sie eigentlich dazu, immer neben mir herzulaufen!'

Ich war natürlich etwas überrascht und sagte:

,Ja—was ist denn los, auf einmal?'

,Fühlen Sie denn nicht, daß mir das lästig werden muß!' fuhr er fort. ,Das ist ja geradezu zudringlich,+—verzeihen Sie das harte Wort!—aber ich kenne Sie ja gar nicht. Wer sind Sie denn überhaupt!' Er blickte mich so fremd und feindlich an, daß ich merkte, eine Berufung+ auf unsere Freundschaft sei zwecklos, und so widerstand+ es mir ein wenig, meinen Namen zu sagen. Mein Zögern reizte ihn, er trat einen kleinen Schritt näher, bohrte seinen Blick in den meinen und fuhr fort: ,Wollen Sie sich nun entschließen, mich allein zu lassen? Oder— 20 25

---

der Tempel: zum ∾ hinaus-fliegen to be thrown out
hinterdrein'. Translate here: after us
der Ärmel, – sleeve
nachlässig negligent
Victrix . . . Catoni. Latin proverb: *The gods liked the victorious cause, but Cato liked the defeated cause*, that is, the Republican cause for which Cato fought against Caesar, finally committing suicide.
die Luft: an die ∾ setzen to throw out
das Benehmen behavior
zudringlich obtrusive
die Berufung appeal
widerste'hen to be repugnant to

muß ich mir Platz machen?' Er wiegte+ seine herabhängenden Fäuste wie versuchend ein wenig auf und ab. Ehe ich antworten konnte, setzte er hinzu: ,Sind Sie Student?' Als ich bejahte, sagte er in leichterem Tone: ,Dann bitte ich um Ihre Karte!'+ und griff nach seiner
5 Brusttasche. Ich zog zwar auch mein Notizbuch;+ aber, als er sich mit seiner Karte in der Hand wieder zu mir wandte, erwiderte ich:

,Bedaure, ich habe keine Karte.' Darauf richtig einzugehen,+ auch nur aus Rücksicht auf seinen Zustand, war gegen mein Gefühl.

,Darf ich aushelfen?' fragte er höflich und reichte mir eine der seini-
10 gen. Als ich mein Blei zur Hand nahm, fuhr mir durch den Sinn, einen falschen Namen anzugeben, und ich kritzelte+ auf die Rückseite seiner Karte: ,Melchior Müller, stud phil.,+ Säckingen.'+ Indem ich ihm meine Karte gab und seine empfing, beobachtete ich ihn erwartungsvoll. Er hielt die Karte gegen das Mondlicht, las, lupfte+ leicht,
15 doch förmlich den Hut,—und ich tat dasselbe.

Dann eilte ich mit großen Schritten voran. Auf dem Bahnhof ging er noch einmal an mir vorbei, ohne mich zu erkennen. Und am andern Tag wußte er nicht, wie er aus dem Wirtshause heraus- und heimgekommen sei. Ich sagte es ihm auch nicht.

20 Dies war das einzige Mal, daß ich ein gebändigtes+ und verdecktes Temperament+ bei ihm ausbrechen sah; denn er trank immer sehr mäßig. Von seinen Bundesbrüdern+ erfuhr ich später ähnliche und ernstere Geschichten, doch nur aus seinem ersten Studienjahr; nachdem er seine Schwäche kennen gelernt hatte, gewöhnte er sich daran, wenig
25 zu trinken. An dem Hallauer Tag aber war ihm, indem wir von Ort

---

wiegen: auf- und ab-~ to swing back and forth

die **Karte.** The exchange of calling cards between students was the first step toward a duel.

das **Notiz'buch, -̈er** notebook

ein-gehen auf to take seriously

kritzeln to scribble

stud. phil. Abbreviated for **studens philosophiae,** *student of philosophy.* "Philosophy" is one of the four traditional faculties into which a German university is divided (the others are "theology," "medicine," and "law") and corresponds to the American colleges of Arts and Sciences.

Säckingen. A town on the Rhine near Laufenburg

lupfen to raise slightly

bändigen to restrain

das **Temperament'** temper

der **Bundesbruder, -̈er** fraternity brother

zu Ort wanderten, Besuche machten, einkehrten,+ immer wieder mit andern zusammensaßen und redeten, wohl, wie es so geht, nicht bewußt geworden, wieviel er trank.

Bald darauf zog ich mit ihm nach Heidelberg,+ und es war für mich ausgelassenes+ Füchslein,+ dem die studentische Freiheit und die Pfälzer+ Lustigkeit alle Riegel und Zügel lösten,+ eine große Wohltat, den älteren Freund zu besitzen, der fest auf sein Ziel hinsah, heiter und gleichmäßig arbeitete und mich, sobald ich zu ihm trat, mit wissenschaftlichen Fragen einnahm.+ Er baute+ also sein Staatsexamen und seinen Doktor und verbrachte dann, wie auch ich, das folgende Sommersemester wieder in Heidelberg, und zwar als Assistent+ in einer Klinik.+

Am Ende des Semesters machte ich mit einigen Bundesbrüdern eine Rundreise nach verschiedenen andern Universitäten, so+ zum Abschied; denn ich gedachte, im Winter eine Schweizer Universität zu besuchen und erst in den klinischen Semestern nach Deutschland zurückzukehren.

Spät im August kam ich nach Hause. Am Bahnhof erwartete mich Freund Albiez und hatte ein zierliches, hellgekleidetes Geschöpf am Arm, das mir bekannt schien; aber es hielt den Kopf gesenkt, und ich konnte aus der Ferne das Gesicht unter dem großrandigen Strohhut nicht sehen. Alle Wetter,+ dachte ich, hat der sich zu guter Letzt+ auch noch einen Schatz vom Neckar+ mitgebracht! Wer kann sie nur sein? Freudig erregt trat ich auf die beiden zu, blieb aber einige Schritte vor ihnen plötzlich stehen, als das Mädchen nach mir auf-

---

ein=kehren stop (at an inn or restaurant)
Heidelberg. A town in southwest Germany, with an old university celebrated for its student life
ausgelassen exuberant
das **Füchslein.** Diminutive of "Fuchs," Translate here: freshman, "frosh"
Pfälzer. Adjective from die Pfalz, the Palatinate, in which Heidelberg lies
lösen: alle Riegel und Zügel ~ to remove all inhibitions and restraints
ein=nehmen to interest, captivate
bauen. *Student slang:* to prepare for and pass (an examination)
der **Assistent', –en** intern
die **Klinik, –en.** Specialized branch of a university hospital
so as it were
das **Wetter:** alle ~ confound it
Letzt: zu guter ~ finally, after all
der **Neckar.** Name of the river on which Heidelberg is located

schaute und mich mit wohlbekannten, dunklen Augen anlachte, während zugleich eine tiefe Röte ihr bräunliches Gesicht durchglühte.

Ich blieb also stehen, blickte bewundernd vom einen zum andern und sagte:

5 ‚Herr Gott, sieh dein Volk an! Es sind lauter Zigeuner.'+ Dann schüttelte ich ihnen herzlich die Hände. Das Mädchen aber gab mir noch, scherzhaft schmollend,+ einige Schläge mit dem Zeigefinger auf meine Hand und sprach:

‚Du bist auch nicht mehr wert als die andern! Alle wundern sich 10 darüber, daß ich mich verlobe!+ Wieso denn? Das ist doch zu arg! Von dir aber hätte ich was anderes erwartet!' Im Grunde war sie von der allgemeinen Überraschung sehr erfreut.

‚Ich bin wirklich maßlos überrascht', erwiderte ich: ‚aber nicht, wie du meinst, sondern darüber, daß mir nicht schon längst aufgegangen+ 15 ist, wie ausgesucht+ ihr zwei zu einander paßt! Ihr habt es gut gemacht! Ihr könnt mir's glauben; denn ich kenne euch.—Siddy!'+ setzte ich hinzu, ‚du bist ja freilich noch ein Mammenkind!—Was ein Strumpf ist, erkennt sie nämlich erst, wenn der Fuß drinsteckt! Und für die Trauung und Unterschrift—da ist nun nicht zu helfen!—Kind, 20 dafür wirst du doch noch lernen müssen, drei Kreuze zu machen!'

Über meine Anspielung+ errötend rief sie:

‚Und ich rate dir, laß dir das Haar schneiden, ehe du zu uns ins Haus kommst!'

Also mein Nachbarskind, meine Spielgefährtin und Jugend- 25 freundin, die in unserm Haus und Garten so daheim war wie im eigenen, und wie übrigens auch ich in dem ihrigen, Siddy Graf war die Braut meines Freundes Ludwig Albiez! Und sie machten ein Paar, das sich sehen lassen konnte. Sie war kleiner als er, biegsam,+ lebhaft, von natürlicher Anmut. Man konnte sie sich als kleinstädtische

---

der **Zigeu'ner,** – gipsy
schmollen to sulk
sich verloben to become engaged
auf-gehen to dawn upon
ausgesucht perfectly
Siddy. Diminutive of Sidonie
die **Anspielung, -en** allusion
biegsam lithe

Hausfrau und Mutter vieler Kinder denken, die diesem Dasein jede mögliche Schönheit bewahrt hätte, man war aber auch sicher, daß sie als Frau eines Gelehrten oder eines repräsentierenden+ Beamten an ihrer Stelle sein würde. Sie hatte zwar in der Schule nicht gelernt, doch war sie empfänglich, ja, begierig auf alles, was das Leben brachte, und kam nie seinen Anforderungen gegenüber in Verlegenheit. Ich bewunderte die Liebeswahl meines Freundes, dem alles so wohl geriet, ohne daß er im mindesten ein Schlauer, ein Streber,+ ein Berechner gewesen wäre, und es schien mir nur seinem Reinlichkeitsbedürfnis zu entsprechen, daß er es klug vermieden hatte, auf diesem Eroberungszuge den Verdacht oder die Ahnung selbst der nächsten Angehörigen zu erregen.

Ich freute mich über diese Verlobung+ wahrhaftig ohne jede Spur von Neid. Gewiß war ich in den Jahren und auch dazu angetan,+ Liebesgedanken zu haben, schönen Mädchen nachzulaufen und wo es anging,+ den Hof zu machen: aber diese liebliche Siddy Graf hatte sich noch nie in meine Träume eingeschlichen. Wenn gesunde Buben mit herzhaften+ Mädeln aufwachsen, so sind ihnen die Mädel nicht viel anders als Kameraden, die langes Haar und Röcke tragen, schlecht rennen und schlecht werfen können. Nun kommt die Zeit, wo das Mädchen seine Knabenhaftigkeit verliert, und kriegt man im herkömmlichen+ Spiel und Treiben+ so ein Wesen zu fassen, so hat man plötzlich ein unruhiges Gewissen, da man inne wird,+ daß so ein Arm etwas anderes geworden ist, voll, elastisch, nicht mehr jenes dünne Ding aus Knochen und Muskelsträngen.+ Man hat mit einemmal das Gefühl, der Arm sei fremdes Eigentum, von dem man die Hand lassen müsse wie von so vielen lieblichen Dingen, man wird mißtrauisch, unsicher, etwas scheu. Man überläßt die Freundin mehr der

---

repräsentie'rend of executive rank
der **Streber, –** pushing person
die **Verlobung** engagement
angetan constituted
an=gehen to be feasible
herzhaft robust, hale
herkömmlich accustomed
das **Treiben** doings
inne werden to become aware
die **Muskelstränge** *pl.* muscle fibers

Schwester und zieht sich instinktiv soweit zurück, daß das gute Einvernehmen+ keinen Schaden leidet. Die ersten Schritte auf dem Glatteis der Liebe tut man überhaupt womöglich nicht unter den Augen der Eltern und Schwestern, man schweift etwas in die Ferne, und
5 wenn es nur die nächste Straße ist, und verwagt+ sich lieber vor fremden Mädchen als vor alten Freundinnen, von denen uns die Vertrautheit+ zu dieser Zeit wie eine Kluft+ trennt. Mir wenigstens war es mit Siddy so ergangen.+ Unser Verkehr war längst ein klein wenig förmlich geworden, ich hatte mich bei einer etwas steifen Aufmerksam-
10 keit für sie wohlbefunden.

Wie sie nun am Arme ihres Verlobten neben mir dahinschritt, vom Bahnhof der Brücke zu, da ward mir plötzlich bewußt, daß wir eben bei unserer Begrüßung ganz in der derb+ herzlichen Unbefangenheit+ früherer Jahre miteinander gesprochen hatten, und während ich den
15 Albiez ausfragte, freute ich mich unsäglich darüber, daß Siddy und ich den alten Ton wiedergefunden hatten, und nahm+ mir vor, dabei zu bleiben; am liebsten hätte ich sie bei der Hand gefaßt, dem Herrn da weggerissen und wäre mit ihr die Straße hinunter und wie der Blitz an den Zöllern+ vorbei über die Brücke nach Hause gerannt! Albiez
20 wandelte+ frei und gemessen, als wäre er schon zehn Jahre verheiratet, mit seiner Braut des Weges und sprach davon, daß er den Winter in Wien zubringen werde, um die Spitäler und Kliniken kennen zu lernen—es war zu Ende der sechziger Jahre, und der süddeutsche Arzt ging noch nach Wien—und daß sich bei diesem Aufenhalte entscheiden
25 müßte, ob er praktischer Arzt+ werde oder die Universitätslaufbahn einschlage;+ übers Jahr+ wollten sie in beiden Fällen heiraten. Siddy, an deren kürzeren Schritt sich ihr Liebster noch nicht gewöhnt hatte, so

---

das **Einvernehmen** understanding
sich **verwagen** to make bold
die **Vertrautheit** familiarity, intimacy
die **Kluft** gulf
ergehen to happen
derb rough
die **Unbefangenheit** unaffectedness
sich **vor=nehmen** to intend, resolve
der **Zöller,** – customs official
wandeln to stride
der **Arzt:** praktischer ~ practicing physician
ein=schlagen to enter upon
das **Jahr:** übers ~ next year

daß sie bald trippeln,+ bald weit ausholen+ mußte, Siddy war so rührend schön in ihrem stillen Hineinhören+ in die Dinge, die ihr noch fremd waren und doch ihre Zukunft und ihr Glück in sich bargen, und sie war so köstlich ernst und überlegen, wenn sie zwischenhinein+ mir etwas erklärte,—und ich dachte derweil+ an lauter Bubenpossen+ und Narretei.+ 5

Ich blieb auch zunächst grundvergnügt.+ Anfangs oft mit dem Paare zusammen, merkte ich bald, daß ein Dritter überflüssig sei, und folgte daher ihren Aufforderungen+ seltener, überließ das Zusammentreffen dem Zufall und beschränkte+ mich darauf, den Freund wie bis 10 dahin zu besuchen, wenn ich ihn allein wußte, und mit Siddy Graf nach der Gelegenheit zu verkehren wie in Kinderzeiten. Und dieser Verkehr war wieder ganz der alte, unbefangen+ vertraute.+ Wenn sie meine Schwestern besuchte, was in dieser Zeit der Wichtigkeiten sehr häufig geschah, so versäumte sie nie mehr, meine Zimmertüre zu 15 öffnen, mich zu begrüßen und das Neueste zu berichten; wenn ich ausging, so trat ich meistens noch in das Nebenhaus, um ein paar flinke+ Worte mit ihr zu wechseln. Sahen wir einander im Garten, so hob sie die dafür eingerichtete Latte+ aus dem Zaun,+ schlüpfte+ wie als Kind schon herüber und hielt mir die Leiter+ beim Obstpflücken,+ 20 oder ich half ihr drüben beim Bohnenbrechen.+ Öfter noch lehnten wir uns von beiden Seiten nebeneinander auf den Zaun und plauderten. Oder vielmehr wir scherzten, wir neckten+ einander, trieben Possen.+

Das war alles sehr harmlos, aber manchmal doch übertrieben von 25

---

trippeln to take short, quick steps
holen: weit aus≈∼ to walk with long strides
das **Hinein'hören (in)** attentive listening (to)
zwischenhinein by way of interruption
derweil' meanwhile
die **Bubenposse, –n** boyish prank
die **Narretei'** foolish thing(s)
grundvergnügt thoroughly happy
die **Aufforderung, –en** invitation
sich beschränken auf confine oneself to
unbefangen unaffected
vertraut intimate, familiar
flink quick
die **Latte, –n** board
der **Zaun, ⸚e** fence—**schlüpfen** to slip
die **Leiter, –n** ladder
das **Obstpflücken** picking fruit
das **Bohnenbrechen** picking beans
necken to tease
die **Posse:** ∼n treiben to play tricks

einer zutappenden+ Aufgeregtheit,+ die uns wohl plötzlich bewußt wurde, so daß wir in alberner+ Überraschtheit vor einander stehen blieben und uns ein wenig schämten. Wir fühlten, daß wir uns nicht so auslassen+ würden, wenn nicht Siddy eben+ eine verlobte Braut wäre.
5 Diese Brautschaft machte uns sicher. Siddy war ja einige Jahre jünger als ich und noch ein halbes Kind, und es hatte den Anschein,+ als müßte sie sich für den plötzlich über sie gekommenen Ernst durch kindisches Tollen+ entschädigen.+ So überließen wir uns unserer Unbesonnenheit+ ohne Arg.+ Wohl entging mir nicht, daß dieser
10 Verkehr anfing, mich von der Arbeit abzuhalten, daß ich träumerisch auf meinem Studierzimmer hin und her ging, daß ich droben unzufrieden war und allfort+ ins Haus hinabhorchte oder in den Nachbargarten hinüberspähte;+—aber was war denn dabei,+ wenn ich nebenher+ auch ein bißchen für Siddy schwärmte,+ für die Braut meines
15 Freundes, dem ich sie doch aufrichtig von Herzen gönnte. Und war sie denn nicht mein Spielkamerädlein von ihren ersten Schühchen an!

Wie es in dieser Zeit mit ihr stand,+ ob sie sich bloß vergaß oder ob sie vielleicht auch bewußt aus der Sicherheit heraus ein wenig mit dem Feuer spielte, das weiß ich nicht. Ich jedenfalls, keines bösen Willens
20 mir bewußt, ließ mich treiben in dem klaren Gefühle, daß ich in einigen Wochen nach Bern ziehen und das Spiel dann ein Ende haben werde. Übrigens scheuten oder verstellten+ wir uns vor Albiez nicht im mindesten, und er spottete wohl gutmütig und sagte, wir seien wie zwei junge Hunde, die immer herumtollen+ und herumtapsen+
25 müssen. Und so wenig über das doch lustig anzusehende Spiel jun-

---

zutappend awkwardly familiar
die **Aufgeregtheit** excitement
albern silly
sich aus=lassen to let oneself go
eben indeed
der **Anschein:** den ∾ haben to seem
das **Tollen** frolicking
entschädigen to compensate
die **Unbesonnenheit** imprudence
das **Arg** evil thought
allfort′ = immerfort
hinü′ber=spähen to peer across
dabei: was . . . dabei what was wrong with it
nebenher′ incidentally
schwärmen: für jemanden ∾ to have a crush on somebody
stehen: Wie . . stand How she felt at that time
sich verstellen to dissemble (thoughts or feelings)
herum′=tollen to frolic about
herum′=tapsen to move about awkwardly

Photo Marburg

Gotische Skulptur: Die sogenannte Uta im Dom von Naumburg (um 1260)

ger Hunde zu sagen ist, so wenig kann ich von unsern Albernheiten+ erzählen.

Eines Tages nun hatte sie vor dem Mittagessen noch Blumen geschnitten und in einem schönen roten Glase auf den weißen Tisch der Laube+ gestellt, wo auf des Bräutigams Anregung+ der Kaffee genommen wurde. Dann trat sie zu mir an den Zaun, über den hinweg ich ihr zugeschaut hatte. Sie stützte sich, die Hände zusammenfügend, mit beiden Unterarmen auf die den Zaun oben schließende Querleiste,+ ich lehnte auf der andern Seite neben ihr. Sie hatte ein kleines blasses Röslein zwischen den weißen Zähnen und bewegte es beim Plaudern hin und her. Die Rosafarbe der Blüte hob+ sich zart von der kräftigen Röte ihrer zierlichen, vollen Lippen wie von der heißbraunen Gesichtsfarbe ab und gab ihr einen ungemein frischen Reiz. Ich sah eine Weile zu, wie das Röslein von rechts nach links im Gesicht wanderte, sich bald unter das Näschen erhob, das alsdann den Duft+ einsog, bald auch über das rund herausgewölbte Kinn herabhing, und wie die Zähne auf dem Stiel+ herumbissen, und sagte dann, indem ich die hohle Hand hinhielt:

„Mir das Röschen!"

„Wozu!" erwiderte sie und wandte den Kopf ausweichend beiseite.

„Zum Andenken!" sprach ich, ganz ohne Überlegung.

„Zum Andenken—?" wiederholte sie, mich scharf ansehend, und nahm das Röslein aus dem Munde.

„Gewiß!" antwortete ich mit etwas bewegter Stimme. „Wir haben dich ja doch nicht mehr lange."

„Aber das Röschen ist nichts!" sagte sie. „Morgen fallen die Blätter ab. Nein, ich werde dir was Rechtes geben,—ich werde dir was machen!" Sie ließ nachsinnend die Augen umgehen, und ihr feiner Mund stand halbgeöffnet, kindlich, daß die Zähne schimmerten.

Da erschien mir dieser Mund als das schönste und köstlichste Gut auf

---

die **Albernheiten** *pl.* silly doings
die **Laube, –n** arbor
die **Anregung, –en** suggestion
die **Querleiste, –n** horizontal board
sich ab=heben to contrast
der **Duft** fragrance—**Stiel, –e** stem

der Welt, ich trat vor Siddy, legte die Hände fest auf ihre Schultern und sprach:

„Ich weiß, was! Einen Kuß gibst du mir zum Andenken—zum Abschied—wie du mir früher einen gegeben hast, wenn ich aus den Ferien wieder nach Aarau fuhr!" Nicht ganz ehrlich hatte ich dies rasch zur Überrumpelung[+] hinzugesetzt, und ohne weiteres hielt ich die sich Aufrichtende fest und küßte sie. Und sie küßte mich mit Kraft wieder.

Kaum hatte ich sie aber losgelassen und stand etwas beschämt und mir selbst überflüssig vor ihr, da atmete sie plötzlich gewaltsam auf, blickte mir erschrocken in die Augen, ward tiefrot und sagte leise:

„Das war Unrecht."

„Unrecht—?!" wiederholte ich unwillig, „Unrecht? Wieso?!"

„Ja!" erwiderte sie bestimmt, „Unrecht! Denn das darf Ludwig nicht wissen!"

„Ja, was ist[+] denn—?!" fragte ich. „Hier über den Gartenzaun, wo wir aus euerem Haus, aus unserem Haus, von der ganzen Nachbarschaft gesehen werden können, haben wir alten Freunde,—fast Geschwister!—uns einen Kuß gegeben!"

Sie ließ, ohne sich zu bewegen, ihren Blick über die ihr sichtbaren Fenster wandern und schüttelte wie verständnislos den Kopf.

„Das will ich dem Albiez gerne sagen!" fuhr ich fort, „da bin ich ganz ruhig. Er ist doch ein vernünftiger Mensch!"

„Du sagst nichts! Wenn er es erfahren darf, dann bin ich die nächste. Aber ich glaube,—er darf es nicht erfahren. Da kennst du ihn schlecht: das erträgt er nicht!—Und er hat recht!" setzte sie plötzlich wieder errötend und mit zornigen Augen hinzu. „Ich würde es auch nicht ertragen, daß er andere Mädchen küßte."

Mir war recht unbehaglich zumute,[+] ein bißchen gedemütigt, fast als hätte ich gestohlen; doch bezwang ich meinen Ärger und sagte beruhigend:

---

die Überrum'pelung: zur ∼ to take (her) by surprise
sein: was ist denn what is wrong?
zumu'te: mir . . . zumute I felt quite ill at ease

„Aber Kind, so sagen wir eben nichts davon! Dann ist der Katze gestreut.+ Denke nicht mehr daran!"

„Nicht daran denken—" wiederholte sie langsam, als steckte in den paar Worten ein Problem. Dann blickte sie mich mit rührend schö-
5 nem, tröstendem Lächeln an und sprach mit bewegter Stimme: ‚Also, leb' wohl, Rudi!+ Du bist ein zu dummer und leichter Gesell für ernsthafte Leute!' Sie ließ ihr Auge noch eine Weile auf mir, dann nickte sie und ging, ohne mir die Hand zu reichen, auf das Haus zu. Noch längere Zeit sah ich sie dort nachdenklich hin- und herschreiten,
10 ehe sie in das Haus trat.

So übertrieben mir erst ihr Aufschrecken erschienen war, so ergriffen war ich nun, und trotz aller Neigung, den Vorfall leicht zu nehmen, mußte ich über ihn und Siddys ernste Auffassung+ nachgrübeln.+ Ich für mein Teil wäre am liebsten zu Albiez gegangen und hätte von dem
15 Küßlein in Ehren berichtet; aber freilich: mußte es berichtet werden, so war es Siddys Sache. Und wenn Albiez nun wirklich so empfindlich, wie Siddy annahm, oder gar mißtrauisch war,—wie auf aller Welt konnte man ihn dann von der Harmlosigkeit überzeugen! Da war Schweigen vielleicht schon das klügste.

20 Wir hatten nun Abschied genommen: aber so ernst und endgültig er von Siddy gemeint sein mochte, er trennte uns nicht. Ich fiel als-bald in die Trunkenheit des Kusses zurück, ich würde den Abschied trotz allem zehntausendmal wiederholt haben. Meinen Freund empfand ich gar nicht als Hindernis. Der Kuß hatte mir jene Gärung+ ins
25 Blut geworfen, die unsere Begriffe sprengt, die plötzlich alle scheinbar festgelegten und eingefahrenen+ Bahnen und Wege unseres Charakters unterwühlt+ und verschwemmt,+ in der uns Lug+ und Trug, Gewalt-tat und Verbrechen leicht und verführerisch+ werden, die uns als ent-

---

streuen: Dann . . . gestreut. Figurative expression, meaning "Then the matter is settled"
Rudi. Term of endearment for Rudolf
die **Auffassung -en** interpretation
nach-grübeln to ponder
die **Gärung** fermentation
eingefahren much traveled
unterwüh'len to undermine
verschwemmen to wash out
Lug und Trug lying and deceiving
verführerisch tempting

scheidende Probe zu Schurken+ oder Narren oder Männern läutert.+ Ich mied Siddy nicht. Mehr als je lief ich ihr in den Weg. Und zu meiner Überraschung wich auch sie mir keineswegs aus. Ihren Zustand kann ich natürlich nur vermuten, nur ausdeuten. Vielleicht war er auch ganz anders. Ich sah sie und Albiez immer nur in unzweideutigem Glück, in Ruhe, Heiterkeit, gegenseitigem Verständnis und bin überzeugt davon, daß ich für Siddy nur als ihr alter Gespiel+ in Betracht+ kam, gegen den sich ihre Spannung in harmlosem Tummeln+ lösen konnte. Der Kuß nun war nicht nur von mir erbeutet,+ sondern auch von ihr gegeben. Obschon überrascht, küßte sie herzhaft und kundig. Im nächsten Augenblick aber mag es sie durchzuckt+ haben, daß ich ja nicht ihr Liebster und daß also ihr Kuß, dieser hingegebene+ Kuß eine Verirrung, ein Verrat, eine Abscheulichkeit+ sei, deren sie sich schmerzlich schämte, vor sich selbst, vor mir und gar vor Albiez. Da sie das strenge Fühlen ihres Verlobten kannte, ja teilte, so fand sie zunächst nicht die nötige Leichtigkeit, sich gegen ihn auszusprechen, und ihre Unsicherheit wuchs von Tag zu Tage. In ihrer Hilflosigkeit drängte es sie wieder zu mir, den sie hatte meiden wollen, zu dem Gewalttäter, gerade als könnte sie bei mir Schutz und Hilfe finden. Aber unser Beisammensein war einsilbig,+ gedrückt, trostlos.

So ging es einige Tage. Nur einmal sprach sie aus, was sie bewegte, indem sie, den gesenkten Kopf schüttelnd, flüsterte:

„Ich kann es ihm nicht sagen!"

Da fühlte ich mich so schuldig, daß ich rief:

„Ich reise morgen ab! Dann denkst du nicht mehr daran."

„O nein!" erwiderte sie. „Das wäre gefehlt;+ denn ich muß es ihm sagen."

Ich sah ein, daß sie es nicht über sich gewinnen+ würde. Darum

---

der **Schurke, –n** scoundrel
läutern to chasten
der **Gespiel** playmate
Betracht: in ~ kommen to be considered
das **Tummeln** playing
erbeuten to gain as a booty
durchzu'cken to flash through one
hingegeben yielding
die **Abscheu'lichkeit, –en** abomination
einsilbig taciturn
fehlen: Das wäre gefehlt that would be wrong
gewinnen: etwas über sich ~ to bring oneself to do something

nahm ich mir vor, bei nächster Gelegenheit den Albiez zu fragen, ob mir seine Braut zum Abschied einen Kuß geben dürfte wie in früheren Zeiten. So dachte ich, den verübten+ Schaden wieder gut zu machen. Aber seltsam, ich fand die Unbefangenheit des Wortes auch nicht und
5 verschob es von einem auf das andere Mal.

Diese geheime Absicht machte mich nun auch dem Freunde gegenüber nachdenklich und einsilbig,+ und diesem Umstand schrieb+ ich es zu, daß er mich einige Male auffallend+ ernst und forschend anblickte.

„Du wirst langweilig, mein Sohn", warf er einmal hin, „und steckst+
10 mir die Siddy auch noch an."

So vergingen vier, fünf Tage. Da fragte er nachmittags, als ich zum Kaffee in den Garten gekommen war und unbehaglich herumstand oder hin- und herzappelte,+ ob ich nicht mit ihm und seiner Braut eine Kahnfahrt machen wollte. Ich war's+ zufrieden, ja, ich drängte,
15 früher zu gehen, denn es war mir eine Erlösung aus dieser Unterbundenheit,+ wenn nur irgend etwas geschah oder von mir verlangt wurde. Albiez aber wollte die Nachmittagshitze vorbeigehen lassen, und so machten wir uns erst auf den Weg,+ als die Sonne schon tief stand.

Die Felsbank, die unter der Brücke her dem Rhein den halben Weg
20 verlegt,+ staut+ oberhalb auf der Schweizer Seite eine Bucht ruhigeren Wassers an und drängt meistens am Ufer eine Gegenströmung hinauf. Mit dieser kann man ein gutes Stück bequem rheinaufwärts, über den Bereich+ des Gefälles+ hinaus in den stilleren Fluß. Auf dem Rückweg handelt es sich dann nur darum, beizeiten+ aus der rascher wer-
25 denden Strömung ab- und in die Bucht einzulenken; sonst gerät man in den Laufen.

Ich ruderte, Albiez und Siddy saßen mir gegenüber, gaben mir

---

verüben to perpetrate
einsilbig taciturn
zu-schreiben to attribute
auffallend striking
an-stecken to infect
zappeln to fidget
's = es with it

die **Unterbun'denheit** unclear and uneasy state of affairs
der **Weg**: sich auf den ~ machen to set out
verlegen to obstruct **an-stauen** to dam up
der **Bereich** range
das **Gefälle** incline, drop of the river
beizei'ten in time

gelegentlich einen Wink für die Steuerung,+ und wir sprachen Zufälliges über die Häuser, an denen wir vorbeifuhren.

„Das sind deine Fenster, Ludwig", sagte Siddy, über das Wasser deutend. Sie standen weit offen und zeigten nur dunkle Vierecke.

„Wie trostlos", sprach er hinaufschauend, „kommt einem doch die eigene liebe Bude+ vor, wenn man so dran vorbeigeht und sie so offen und leer sieht!" 5

„Deine Mutter ist unten am Fenster, schau!" sagte Siddy und winkte mit ihrem roten Sonnenschirm; und nun erhoben wir unsere Stimmen und riefen „Juhu".+ Die Frau grüßte und drohte dann mit dem Finger, als wollte sie sagen: Gebt acht! 10

So kamen wir über die Häuser und Gärten hinauf.

Es war ein heißer Vorherbsttag, der Himmel dunstblau+ mit wenigen verzogenen+ Wolken der Art, die man nicht mehr findet, wenn man nach fünf Minuten wieder hinschaut. Auch die Luft war etwas dunstig+ und ließ mir die Stadt und die Brücke und die Höhen, auf die ich zurückblickte, fast unwirklich erscheinen, als sähe ich das Ganze in einem Spiegel. Und die Luft war so still, daß die Blätter, die sich von den Bäumen lösten, zögernd und schwankend und taumelnd+ niedersanken. Und das Brausen der Stromschnelle war nur noch wie ein leises Sieden+ in der Luft. Es wurde still zwischen uns. 15 20

Da fing Siddy an zu sprechen und sprach mit spürbarer Ruhelosigkeit unaufhörlich, von einem Ding zum andern springend. Ich fühlte, daß sie nur die ängstliche Zeit ausfüllen und ihren Verlobten hindern wollte, zu sagen: Siddy, du hast mich betrogen! Du hast den Rudi geküßt! 25

Und hier in dieser Abgelöstheit+ nur mit den beiden Menschen zusammen, die ich gekränkt hatte, unter dem unendlichen Himmel, auf dem klaren Strom zwischen den stillen Ufern, gegenüber dem gequäl-

---

die **Steuerung** steering
die **Bude, -n.** *Student slang:* room
„Juhu" "hallo"
dunstblau of a blue haze
verzogen stretching out and dissipating
dunstig hazy
taumelnd aimlessly
das **Sieden** seething (here referring to the sound)
die **Abgelöstheit** isolation

ten Mädchen und dem ahnungslosen Freund erschien ich mir plötzlich treulos und schamlos und schlecht. Als wären nur wir drei Menschen auf der Welt und als hätte jede Regung Schicksalswucht,+ empfand und wog ich nun mein und Siddys Treiben mit der schärfsten Emp-
5 findlichkeit und erkannte es als unverzeihlich. Ich hörte nicht mehr auf die beiden. Ich ruderte mit Wut, als könnte ich dadurch diesen Gedanken und Verhältnissen entfliehen; ich dachte: ins Wasser springen, ans Land schwimmen, auf Nimmerwiedersehen davon!

Ich schrak auf, da Albiez rief:

10 „Rudi! Hörst du denn nichts?! Laß mich jetzt rudern, du schindest+ dich ja!—Aber sachte!"+

Ich war so erregt, daß ich kaum die zwei Schritte zur andern Bank leisten konnte und fast über Bord getaumelt+ wäre. Nun saß ich neben dem Mädchen und sagte, um etwas zu sagen:

15 „Ein Blödsinn,+ so zu rudern! Ich bin ganz außer Atem!"

„Wenn du wieder bei Atem bist, könntet ihr singen!" meinte Albiez, indem er gelassen+ ruderte. Er blickte bald, sich umwendend, in der Fahrtrichtung, bald nach den Ufern, bald nach Siddy und mir. Sie sah meistens zur Seite ins Wasser, und ich glaube, sie vermied seinen
20 Blick; mir wenigstens war nie wohl zumute,+ wenn sein und mein Auge einander trafen, und ich hielt ihm nicht stand.+

„Jetzt werd' ich wenden", sagte er nach einer Weile. „Die Sonne steht+ gerade auf dem Schwarzwald+ auf; ihr könnt ihr noch rasch etwas singen, ehe sie dahinter versinkt!"

25 Es war in diesen Wochen nämlich auch wieder aufgekommen,+ daß wir abends im Garten oder auf dem Feld miteinander sangen; manch-mal machten noch die Geschwister mit, drei-, vierstimmig; oft auch nur Siddy und ich, und unsere Stimmen klangen gut zusammen.

---

die **Schicksalswucht** impact of fate
sich **schinden, u, u** to slave
sachte gently, carefully
taumeln to stagger
der **Blödsinn** nonsense
gelassen quietly
zumu'te: mir . . . zumute I, at least, never felt at ease
stand-halten to brave
auf-stehen auf to rest upon, touch
der **Schwarzwald** Black Forest
auf-kommen to come into use

„Was—sollen wir singen?" fragte ich sie, die mich nur kurz anschaute und wiederholte: „Ja, was?"

„Nun, irgend eines! Die Lorelei+ oder Morgen muß ich fort von hier+", schlug ich vor.

„Ach—nein! Die sind ja so traurig!" 5

„Ich habe zwar noch nie ein Lied traurig empfunden, wenn es schön war—aber was denn?"

„Singt in Gottes Namen den Schwarzen Walfisch!+," rief Albiez lachend. „Nein, um Gottes willen nicht! Singt doch das schöne, das ihr letzthin+ auf dem Ebenen Berg+ gesungen habt, das von Haydn, 10 ‚An die Freundschaft!' "

Wir fingen an:

> „In stiller Wehmut,
> In Sehnsuchtstränen
> Schmilzt meine Seele—" 15

aber keines von uns beiden hatte Stimme, es kam zaghaft, gedrückt, schwächlich heraus; keines verführte das andere zum Singen, und so zog es sich dünn und kläglich hin, bis Siddy mitten im Vers abbrach ohne etwas zu sagen. Ich verstand ihr Aufhören, fragte also nicht, schwieg auch und schaute in den Rhein, der uns rasch mitnahm, dem 20 fernen Städtchen entgegen.

Da hörte Albiez mit einem heftigen Ruderschlage zu rudern auf, sah uns mit bohrenden Blicken an und sagte mit ganz ruhiger Stimme:

„Kinder, jetzt muß ich wissen, was euch ist! Schon seit Tagen beobachte ich es: Ihr seid auf einmal beide so freudlos, so still, so— 25 hinterhältig.+ Was gibt+ es?"

Ich erschrak, ich fühlte mich rot werden, ich schielte+ zu Siddy hin-

---

die Lorelei'. The legendary name of a rock on the Rhine, and title of the famous lied (words by Heinrich Heine, 1797–1856) about a beautiful sorceress who by her singing brought doom to the sailors

Morgen muß ich, *etc.* Opening lines of a popular song

Schwarzer Walfisch. "At the Black Whale Inn," a merry student song

letzthin lately

der **Ebene Berg.** "Flat Mountain"

hinterhältig incommunicative, secretive

geben: Was gibt es? What is the matter?

hinü'ber-schielen zu to cast a furtive glance at

über, ob sie nun sprechen würde; sie aber senkte nach einem flehenden Aufblick zu Albiez den Kopf und errötete tief. Es werde ihr schwer, vor mir zu reden, dachte ich.

Wir müssen, wie wir wortlos und schamrot vor ihm saßen, das
5 Bild eines schuldigen Paares gewesen sein. Er beugte sich noch etwas vor, seine weitoffenen Augen gingen zwischen uns hin und her, stöhnend+ atmete er aus, so daß er etwas zusammensank,+ wurde weiß im Gesicht und flüsterte:

„So!—So!—Das ist's!"

10 Er stand plötzlich hoch aufgerichtet im Boot und schaute nach Luft ringend+ um sich; er blickte mit kaltem Blicke von ihr zu mir; er saß schon wieder, mit den Armen sich stützend, auf der Bank, sah gesenkten Kopfes vor sich hin+ und manchmal unter den Brauen hervor auf Siddy und auf mich.

15 Sie neigte sich vor und mit dem demütigsten Flehen in ihrem lieblichen Gesichte flüsterte sie:

„So ist es nicht! Ludwig! Beruhige dich! Wir wollen—"

„Beruhigen—!" unterbrach er sie mit gedämpfter+ Stimme und um so festerem Ausdrucke:

20 „Nie! Nie! Versteh', das ist meine tiefste Huldigung für dich!"

„Wir wollen hinüber ans Land!" sagte ich. „Damit wir ruhig reden können!" Wir näherten uns schon den ersten Gärten.

„Hier bleiben wir!" entgegnete er, nach rechts und links blickend. „Hier sind wir unter uns und werden nicht Worte+ machen."

25 Einen Augenblick war es still. Ich wußte, daß er nun unnachgiebig+ sei, und überlegte, was ich sagen wollte.

„Übrigens—" fuhr er fort, „wozu reden! Das Geringste, das ihr mir sagen könnt, wird—ekelhaft+ sein, und das Schlimmste nicht schlimmer, als ich jetzt schon fühle!"

30 Da fuhr+ ich rasch heraus:

---

stöhnen to groan
zusam'men-sinken to slump down
ringen to gasp (for air)
sehen: vor sich hin ~ to wear a blank stare
gedämpft subdued
das Wort: ~e machen to waste words
unnachgiebig inflexible
ekelhaft disgusting
heraus'-fahren to burst out

Photo Marburg

Gotische Architektur:
Der Chor der Elisabeth-Kirche in Marburg
(1235–1249)

„Ich habe Siddy geküßt,—im Spiel—im Scherz! Und sie schämt sich, es dir zu sagen. Weiter nichts!"

„Weiter nichts—!" wiederholte er und lachte; es sah aber aus, als weinte er. „Im Spiel—? Und sie schämt sich!—Du aber schämst dich nicht, mir solchen Unsinn zu sagen!"

Ich antwortete nicht. Wir kamen in den stärkeren Strom und mußten nach links hinüber halten; darum griff ich nach dem Ruder, das auf meiner Seite neben dem Boote durchs Wasser schleifte.[+] Albiez aber kam mir flink[+] zuvor, packte die Ruder und holte zum Rudern aus,[+] ruderte aber nicht, sondern hob die Ruder aus den Pflökken,[+] öffnete die Hände, und die Ruder sanken in den Strom.

Einen Moment war ich starr vor Entsetzen; denn ich begriff.

„Mensch!" rief ich. „Komm[+] zu dir! Laß mich allein büßen![+] Befiehl mir nachher in den Laufen zu springen! Ich tu' es."

Er verzog das Gesicht, als röche er etwas Unangenehmes, und erwiderte:

„Und dann—Siddy und ich—heiraten?—Oder—nicht heiraten?—Was du für möglich hältst!"

Da erhob sich Siddy neben mir, leicht glitt ihre weiße Gestalt hinüber zur andern Bank; Albiez machte ihr Platz, und sie setzte sich neben ihn. Sie ergriff seine Hand und sagte:

„Laß mir deine Hand! Ich habe ein Recht auf sie. Ich habe nie an einen andern gedacht."

Er küßte ihre Hand und erwiderte:

„Ich glaube es dir. Aber sieh,—im Leben würde ich es nie haben glauben können."

Wir glitten an seinem Elternhause entlang; er schien nicht darauf zu achten. Ich ergriff eines der Bodenbretter, um notdürftig[+] damit zu steuern.[+] Albiez trat mit dem Fuße darauf.

---

schleifen to trail, drag
flink quickly
aus=holen zu to get into position for
der **Pflock, ⸗e** tholepin
kommen: zu sich ∼ to come to one's senses—**büßen** to atone
notdürftig in a makeshift manner
steuern to steer

„Laß!" schrie ich. „Wenn wir durchkommen, wirst du uns glauben!" Und ich riß das Brett unter seinem Fuße weg.

Er lächelte.

Nun ging es schon jählings[+] der Brücke zu, und da und dort schrien entsetzte Leute. Ich steuerte mit dem Brette, damit wir womöglich neben der Roten Fluh vorbeikämen und so wenigstens die winzige[+] Möglichkeit hätten, vom Wasser durchgetragen zu werden.

Die beiden saßen Hand in Hand da, rückwärts fahrend. Wir sausten[+] am letzten Hause vorbei, schossen unter der Brücke durch und wie durch ein Riesentor hinein in ein großes Brausen. Das sog, preßte sich durch alle Poren in uns hinein, lähmte uns, schied[+] uns ab.

Bisher war es mir gelungen, das Boot auf der linken Seite des Stromes zu halten, oder es schien mir wenigstens so; nun gehorchte es mir nicht mehr und sprang auf den hart stoßenden Wellen schaukelnd[+] vorwärts. Das Brett wurde mir aus der Hand gerissen. Ich klammerte[+] mich fest und lauerte[+] gespannt auf den Moment, der mich in diesem atemraubenden, betäubenden[+] weißen Getöse[+] vollends überwältigen wollte. Ludwig und Siddy hatten einander mit je einem Arm umschlungen,[+] hielten sich mit der freien Hand an der Bank und schauten mir mit Blicken entgegen, die nichts Äußeres mehr zu sehen schienen, und sie wurden vor meinen Augen auf- und nieder- und hin- und hergeschüttelt in dem stäubenden[+] Schaume.

Nun machte das Boot zwei große Sätze und prallte[+] dabei hart ab, als wären die Wellen von Eis. Nun hob sich das Ende des Kahnes mit mir in die Luft, ich sah das andere Ende in den Gischt[+] eindringen, sah Siddy und Albiez auffahren[+] und sich umfassen, sah beide in der brodelnden[+] weißen Masse versinken,—und war vom Sitze abgeglitten,

---

jählings headlong
winzig very slight—**sausen** to rush
ab=scheiden to isolate
schaukeln to rock
sich fest=klammern to seize a hold and cling to it
lauern (auf) to wait anxiously (for)
betäuben to stun—**das Getöse** uproar
umschlin'gen, a, u to embrace
stäuben to spray
ab=prallen to rebound
der Gischt spray
auf=fahren to start up
brodeln to seethe

hatte, Halt suchend, mich mit beiden Armen an der Bank festgehakt+ und wurde so hängend wie in einem aufrechten offenen Sarge+ weitergetragen, auf dem rasenden+ Wasser dahin, das über Siddy und Albiez hergefallen war und hinstampfte+ und meine Füße mit Schaum bespie.+
5 Der Nachen+ bebte und zuckte von der pressenden Arbeit der Wellen, ich stierte+ hinab, und von jedem Auftrieb+ und Aufquellen+ und Aufschäumen+ erwartete ich die Freunde zurück und erwartete ich den eigenen Untergang. Nun schwankte das Boot, ich war gefaßt,+ von ihm zugedeckt zu werden; aber es fiel rückwärts und schnellte+ mich von sich.
10 Ich wurde weitergerissen—ich traf den Kahn wieder—ich hängte mich an ihn, und nun war es ja kein Wunder mehr, daß ich unten an Land kam.

Ich. Allein.

---

sich fest=haken (an) to clasp (at)
der **Sarg, ⁼e** coffin
rasen to rage
hin=stampfen to pound on
bespeien, ie, ie to spit on, to spray
der **Nachen, –** boat
hinab=stieren to stare down
der **Auftrieb** surge
das **Aufquellen** welling up
das **Aufschäumen** gushing up
gefaßt prepared
schnellen to toss

Schauspiel

GOETHE

The position and importance of Johann Wolfgang Goethe (1749–1832) in German letters are unique. They cannot be compared with those of any poet in any other European literature. Goethe is the greatest German mind and the greatest German poet. His creative activity has a universal character. He is the most personal lyric poet of modern times; he excelled in the drama and in the novel. But not only that: he was a great critic of literature and art and an investigator in several fields of natural science. In other European literatures there have been periods and traditions, schools and groups of writers, which have kept alive the standards and ideals of the national literary heritage. New generations draw from this heritage and receive guidance and inspiration from it. A tradition of endeavor in certain directions and of a certain level of production is thus established. This is especially true of French literature. In Germany the tendencies toward the formation of small, particularistic states, which were manifested in the historical development of the country, did not allow any truly national civilization to develop. For this reason, and owing to the individualistic trends of German writers, no homogeneous tradition of national literature has ever been formed. The observer who wants to gain a judgment of what German literature really is, and who wants to assign a place to an individual writer in the development of German letters, thus finds himself without the usual standard to go by. But he has Goethe. Goethe alone is the point of reference for the whole of German literature. Any writer, any literary theme, any intellectual attitude, has to be seen in its relationship to Goethe in order to be understood. Without reference to Goethe its place and importance in the course of German literature cannot be clear.

As a dramatist, Goethe started out in his early twenties in a mood of rebellion against the prevailing French ideal of restraint and order. He adopted the variety and liberty of Shakespeare's form of the drama as an expression of his revolt. The heroes of his dramas were rebels, or victims of tyranny who fought in the name of freedom: Götz von Berlichingen, the knight who joined the revolutionary peasants during the time of the Reformation; Egmont, the Dutch leader who was put to death by the Spanish oppressors; and finally Faust, who, to gain knowledge and experience denied to men in general, rebelled against God and made use of the services of the devil. After his twenty-sixth year, however, Goethe underwent a period of severe self-education. He discovered the value of restraint, mental discipline, and order. He reverted to the form of the classical French drama: *Iphigenie auf Tauris*, based on a theme from Euripides, shows the civilizing influence exerted by a person who has mastered her own selfish impulses; *Torquato Tasso* gives, in the life of the unhappy Italian poet, a picture of the problematical position of a poet in society; *Die Natürliche Tochter* ("The Natural Daughter") is the drama of a person whose life has been shaken to its foundations by exterior events beyond her control and who has to muster the strength to build a new existence. Throughout his whole life Goethe continued working on *Faust*, adding scenes and reflections from all his varied experiences, so that this drama rather resembles one of those medieval mystery plays that pass the whole world in review.

Among the minor plays which Goethe often wrote with a view to immediate production for a special occasion is *Die Geschwister*, which dates from the beginning of Goethe's stay at Weimar, where he went from Frankfurt in 1775 to remain to the end of his life. It is certainly not comparable in intellectual scope to Goethe's great dramas; yet it has some of the splendor of language and rapidity of movement that distinguish the beginning of *Faust*, which was written shortly before that time.

Die Geſchwiſter

Ein Schauſpiel[+] in einem Akt

Perſonen: Wilhelm, ein Kaufmann — Marianne, ſeine Schweſter — Fabrice — Briefträger

Wilhelm (an einem Pult mit Handelsbüchern[+] und Papieren). Dieſe Woche wieder zwei neue Kunden! Wenn man ſich rührt, gibts doch immer etwas; ſollt[+] es auch nur wenig ſein, am Ende ſummiert[+] ſichs doch,

---

das Schauſpiel, -e. A serious play with happy ending

das Handelsbuch, ⸗er ledger

ſollt = ſollte. Young Goethe writes the forms spoken in his native city. Thus, he often omits a final -e where modern High German requires it or, at least, would indicate the standard form by an apostrophe (ſollt'); cf. also gibts for gibt's, and such shortened forms as klein for kleines, etc.

ſummie'ren to add up

und wer klein Spiel spielt, hat immer Freude, auch am kleinen Gewinn, und der kleine Verlust ist zu verschmerzen.+ Was gibts?

(Briefträger kommt.)

Briefträger. Einen beschwerten+ Brief, zwanzig Dukaten,+ franko+ halb.

Wilhelm. Gut! sehr gut! Notier+ Er+ mirs zum übrigen. 5

(Briefträger ab+.)

Wilhelm (den Brief ansehend). Ich wollte mir heute den ganzen Tag nicht sagen, daß ich sie erwartete. Nun kann ich Fabricen+ gerade bezahlen und mißbrauche seine Gutheit+ nicht weiter. Gestern sagte er mir: Morgen komm ich zu dir! Es war mir nicht recht. Ich wußte, daß er mich nicht mahnen würde, und so mahnt mich seine Gegenwart 10 just+ doppelt. (Indem er die Schatulle+ aufmacht und zählt.) In vorigen Zeiten, wo ich ein bißchen bunter wirtschaftete,+ konnt ich die stillen Gläubiger+ am wenigsten leiden. Gegen einen, der mich überläuft,+ belagert, gegen den gilt Unverschämtheit und alles, was dran hängt; der andere, der schweigt, geht gerade ans Herz und fordert am drin- 15 gendsten, da er mir sein Anliegen+ überläßt. (Er legt Geld zusammen auf den Tisch.) Lieber Gott, wie dank ich dir, daß ich aus der Wirtschaft+ heraus und wieder geborgen bin! (Er hebt ein Buch auf.) Deinen Segen+ im Kleinen! mir, der ich deine Gaben im Großen verschleuderte.+— Und so—Kann ichs ausdrücken?——Doch du tust nichts für mich, 20 wie+ i c h nichts für mich tue. Wenn das holde liebe Geschöpf nicht wäre,

---

verschmerzen to put up with
beschwert overweight (with declared value)—der **Dukat', -en.** The Reichsdukat contained 3.44 grams of gold.
franko halb half of the postage due
notie'ren to put down
Er. In the 18th century, this form was used to address persons of a lower social rank.
ab exit
Fabri'cen. The n is the old case ending for the accusative of the proper name.
die **Gutheit** = die **Güte**
just = **gerade**
die **Schatul'le, -n** box with lock and key for the safe-keeping of money or valuables
wirtschaften: bunt ∾ to manage in a disorderly fashion
der **Gläubiger,** – creditor
überlau'fen to pester (with visits)
das **Anliegen,** – request
die **Wirtschaft** disorderly management
Deinen Segen *etc.* Add: Gewähre mir
verschleudern to squander
wie as long as

säß ich hier und verglich Brüche?+—O Marianne! wenn du wüßtest, daß der, den du für deinen Bruder hältst, daß der mit ganz anderm Herzen, ganz andern Hoffnungen für dich arbeitet!—Vielleicht!—ach!—es ist doch bitter——Sie liebt mich—ja, als Bruder—Nein, pfui!+
5 das ist wieder Unglaube,+ und der hat nie was+ Gutes gestiftet.—Marianne! ich werde glücklich sein, du wirsts sein, Marianne!

(Marianne kommt.)

Marianne. Was willst du, Bruder! Du riefst mich.

Wilhelm. Ich nicht, Marianne.

Marianne. Sticht dich der Mutwille,+ daß du mich aus der Küche
10 hereinvexierst?+

Wilhelm. Du siehst Geister.

Marianne. Sonst wohl. Nur deine Stimme kenn ich zu gut, Wilhelm!

Wilhelm. Nun, was machst du draußen?

15 **Marianne.** Ich habe nur ein paar Tauben+ gerupft,+ weil doch wohl Fabrice heut abend mitessen wird.

Wilhelm. Vielleicht.

Marianne. Sie sind bald fertig, du darfst es nachher nur sagen. Er muß mich auch sein neues Liedchen lehren.

20 **Wilhelm.** Du lernst wohl gern was von ihm?

Marianne. Liedchen kann er recht hübsch. Und wenn du hernach+ so bei Tische sitzest und den Kopf hängst, da fang ich gleich an. Denn ich weiß doch, daß du lachst, wenn ich ein Liedchen anfange, das dir lieb ist.

Wilhelm. Hast du mirs abgemerkt?+

25 **Marianne.** Ja, wer euch Mannsleuten auch nichts abmerkte!—Wenn du sonst nichts hast, so geh ich wieder; denn ich habe noch allerlei zu tun. Adieu.+—Nun gib mir noch einen Kuß.

---

der **Bruch, ⸗e** fraction (the old German monetary units were mostly not on the decimal basis)
pfui! shame!
der **Unglaube** lack of faith—**was** (short for **etwas**) something, anything
der **Mutwille**: sticht . . . Mutwille can you not control your mischievousness
herein'⸗vexieren to call in teasingly
die **Taube, –n** pigeon—**rupfen** to pluck
hernach' afterwards
ab⸗merken to notice by observing a person
Adieu' good-bye

Wilhelm. Wenn die Tauben+ gut gebraten sind, sollst du einen zum Nachtisch+ haben.

Marianne. Es ist doch verwünscht,+ was+ die Brüder grob sind! Wenn Fabrice oder sonst ein guter Junge einen Kuß nehmen dürfte, die sprängen Wände hoch, und der Herr da verschmäht+ einen, den ich geben will.—Jetzt verbrenn ich die Tauben. (Ab.)

Wilhelm. Engel! lieber Engel! Daß ich mich halte, daß ich ihr nicht um den Hals falle, ihr alles entdecke!—Siehst du denn auf uns herunter, heilige Frau, die du mir diesen Schatz aufzuheben gabst?—Ja, sie wissen von uns droben! sie wissen von uns!—Charlotte, du konntest meine Liebe zu dir nicht herrlicher, heiliger belohnen, als daß du mir scheidend deine Tochter anvertrautest! Du gabst mir alles, was ich bedurfte, knüpftest mich ans Leben! Ich liebte sie als dein Kind—und nun!—Noch ist mirs Täuschung.+ Ich glaube dich wiederzusehen, glaube, daß mir das Schicksal verjüngt dich wiedergegeben hat, daß ich nun mit dir vereinigt bleiben und wohnen kann, wie ichs in jenem ersten Traum des Lebens nicht konnte, nicht sollte!—Glücklich! glücklich! All deinen Segen, Vater im Himmel!

(Fabrice kommt.)

Fabrice. Guten Abend.

Wilhelm. Lieber Fabrice, ich bin gar+ glücklich: es ist alles Gute über mich gekommen diesen Abend. Nun nichts von Geschäften! Da liegen deine dreihundert Taler! Frisch in die Tasche! Meinen Schein gibst du mir gelegentlich wieder. Und laß uns eins plaudern!+

Fabrice. Wenn du sie weiter brauchst—

Wilhelm. Wenn ich sie wieder brauche, gut! Ich bin dir immer dankbar, nur jetzt nimm sie zu dir.—Höre, Charlottens Andenken ist diesen Abend wieder unendlich neu und lebendig vor mir geworden.

Fabrice. Das tuts wohl öfters.

---

die **Taube, -n** pigeon
der **Nachtisch** dessert
verwünscht confounded
was. Translate here: how
verschmähen to disdain
die **Täuschung, -en** illusion, dream
gar = **sehr**
plaudern: eins ~ to have a chat

Wilhelm. Du hättest sie kennen sollen! Ich sage dir, es war eins der herrlichsten Geschöpfe.

Fabrice. Sie war Witwe, wie du sie kennen lerntest?

Wilhelm. So rein und groß! Da las ich gestern noch einen ihrer
5 Briefe. Du bist der einzige Mensch, der je was davon gesehen hat. (Er geht nach der Schatulle.+)

Fabrice (für sich). Wenn er mich nur jetzt verschonte! Ich habe die Geschichte schon so oft gehört! Ich höre ihm sonst auch gern zu, denn es geht ihm immer vom Herzen; nur heute hab ich ganz andere Sachen
10 im Kopf, und just möcht ich ihn in guter Laune erhalten.

Wilhelm. Es war in den ersten Tagen unserer Bekanntschaft. „Die Welt wird mir wieder lieb", schreibt sie, „ich hatte mich so los von ihr gemacht, wieder lieb durch Sie. Mein Herz macht mir Vorwürfe; ich fühle, daß ich Ihnen und mir Qualen zubereite. Vor einem
15 halben Jahre war ich so bereit zu sterben, und bins nicht mehr."

Fabrice. Eine schöne Seele!

Wilhelm. Die Erde war sie nicht wert. Fabrice, ich hab dir schon oft gesagt, wie ich durch sie ein ganz anderer Mensch wurde. Beschreiben kann ich die Schmerzen nicht, wenn ich dann zurück und mein
20 väterliches Vermögen von mir verschwendet sah! Ich durfte ihr meine Hand nicht anbieten, konnte ihren Zustand nicht erträglicher machen. Ich fühlte zum erstenmal den Trieb, mir einen nötigen schicklichen+ Unterhalt+ zu erwerben; aus der Verdrossenheit,+ in der ich einen Tag nach dem andern kümmerlich+ hingelebt+ hatte, mich herauszureißen.
25 Ich arbeitete—aber was war das?—Ich hielt an,+ brachte+ so ein mühseliges+ Jahr durch; endlich kam mir ein Schein von Hoffnung; mein Weniges vermehrte sich zusehends+—und sie starb—Ich konnte nicht bleiben. Du ahnest nicht, was ich litt. Ich konnte die Gegend nicht mehr sehen, wo ich mit ihr gelebt hatte, und den Boden nicht

---

die **Schatul'le, -n** strongbox
schicklich appropriate, decent
der **Unterhalt** livelihood
die **Verdrossenheit** sullenness
kümmerlich pitiful
hin=leben to go on living
an=halten. Translate here: to persevere
durch=bringen to pass with difficulty
mühselig toilsome
zusehends visibly

verlassen, wo sie ruhte. Sie schrieb mir kurz vor ihrem Ende— (Er nimmt einen Brief aus der Schatulle.)

Fabrice. Es ist ein herrlicher Brief, du hast mir ihn neulich gelesen. —Höre, Wilhelm . . .

Wilhelm. Ich kann ihn auswendig und les ihn immer. Wenn ich ihre Schrift sehe, das Blatt, wo ihre Hand geruht hat, mein ich wieder, sie sei noch da—Sie ist auch noch da!— (Man hört ein Kind schreien.) Daß doch Marianne nicht ruhen+ kann! Da hat sie wieder den Jungen unsers Nachbars; mit dem treibt+ sie sich täglich herum und stört mich zur unrechten Zeit. (An der Tür.) Marianne, sei still mit dem Jungen, oder schick ihn fort, wenn er unartig ist. Wir haben zu reden. (Er steht in sich gekehrt.+)

Fabrice. Du solltest diese Erinnerungen nicht so oft reizen.

Wilhelm. Diese Zeilen sinds! diese letzten! der Abschiedshauch des scheidenden Engels. (Er legt den Brief wieder zusammen.) Du hast recht, es ist sündlich. Wie selten sind wir wert, die vergangenen selig-elenden Augenblicke unsers Lebens wieder zu fühlen!

Fabrice. Dein Schicksal geht mir immer zu Herzen.+ Sie hinterließ eine Tochter, erzähltest du mir, die ihrer Mutter leider bald folgte. Wenn die nur leben geblieben wäre, du hättest wenigstens etwas von ihr übrig gehabt, etwas gehabt, woran sich deine Sorgen und dein Schmerz geheftet hätten.

Wilhelm (sich lebhaft nach ihm wendend). Ihre Tochter? Es war ein holdes Blütchen. Sie übergab mirs.—Es ist zu viel, was das Schicksal für mich getan hat!—Fabrice, wenn ich dir alles sagen könnte . . .

Fabrice. Wenn dirs einmal ums Herz+ ist.

Wilhelm. Warum sollt ich nicht . . .

(Marianne mit einem Knaben.)

Marianne. Er will noch gute Nacht sagen, Bruder. Du mußt ihm kein finster Gesicht machen und mir auch nicht. Du sagst immer, du wolltest heiraten und möchtest gerne viel Kinder haben. Die hat man

---

ruhen to keep quiet
sich herum'=treiben to fool around
in sich gekehrt pensive
das Herz: einem zu ~en gehen to make one feel sorry; einem ums ~ sein to feel like it

nicht immer so am Schnürchen,+ daß sie nur schreien, wenns dich nicht stört.

Wilhelm. Wenns meine Kinder sind.

Marianne. Das mag wohl auch ein Unterschied sein.

5 **Fabrice.** Meinen Sie, Marianne?

Marianne. Das muß gar zu glücklich+ sein! (Sie kauert+ sich zum Knaben und küßt ihn.) Ich habe Christeln+ so lieb! Wenn er erst mein wäre!—Er kann schon buchstabieren; er lernts bei mir.

Wilhelm. Und da meinst du, deiner könnte schon lesen?

10 **Marianne.** Jawohl! Denn da tät+ ich mich den ganzen Tag mit nichts abgeben,+ als ihn aus- und anziehen, und lehren, und ihm zu essen geben, und putzen, und allerlei sonst.

Fabrice. Und der Mann?

Marianne. Der täte+ mitspielen: der würd ihn ja wohl so lieb haben 15 wie ich. Christel muß nach Haus und empfiehlt sich. (Sie führt ihn zu Wilhelmen.) Hier, gib eine schöne Hand, eine rechte Patschhand!+

Fabrice (für sich). Sie ist gar zu lieb; ich muß mich erklären.

Marianne (das Kind zu Fabricen führend). Hier dem Herrn auch.

Wilhelm (für sich). Sie wird dein sein! Du wirst—es ist zu viel, 20 ich verdiens nicht.— (Laut.) Marianne, schaff das Kind weg; unterhalt Herrn Fabricen bis zum Nachtessen; ich will nur ein paar Gassen auf und ab laufen; ich habe den ganzen Tag gesessen. (Marianne ab.) Unter dem Sternhimmel nur einen freien Atemzug!—Mein Herz ist so voll.—Ich bin gleich wieder da! (Ab.)

25 **Fabrice.** Mach der Sache ein Ende, Fabrice. Wenn dus nun immer länger und länger trägst, wirds doch nicht reifer. Du hasts beschlossen. Es ist gut, es ist trefflich! Du hilfst ihrem Bruder weiter, und sie—sie liebt mich nicht, wie ich sie liebe. Aber sie kann auch nicht heftig lieben, sie soll nicht heftig lieben!—Liebes Mädchen!—Sie ver-30 mutet wohl keine andere als freundschaftliche Gesinnungen in mir!—

---

das Schnürchen: einen am ~ haben to have a person under one's thumb
glücklich = beglückend blissful
sich kauern to squat
Christel. Diminutive of **Christoph**
täte. Colloquial use for **würde**
sich ab-geben to occupy oneself
die Patschhand, ⸚e plump baby hand

Es wird uns wohl gehen, Marianne!—Ganz erwünscht und wie bestellt, die Gelegenheit! Ich muß mich ihr entdecken—und wenn mich ihr Herz nicht verschmäht+—von dem Herzen des Bruders bin ich sicher.

(Marianne und Fabrice.)

Fabrice. Haben Sie den Kleinen weggeschafft? 5

Marianne. Ich hätt ihn gern dabehalten; ich weiß nur, der Bruder hats nicht gern, und da unterlaß ichs. Manchmal erbettelt sich der kleine Dieb selbst die Erlaubnis von ihm, mein Schlafkamerade zu sein.

Fabrice. Ist er Ihnen denn nicht lästig?

Marianne. Ach, gar nicht. Er ist so wild den ganzen Tag, und wenn 10 ich zu ihm ins Bett komm, ist er so gut wie ein Lämmchen! Ein Schmeichelkätzchen!+ und herzt+ mich, was er kann; manchmal kann ich ihn gar nicht zum Schlafen bringen.

Fabrice (halb für sich). Die liebe Natur!+

Marianne. Er hat mich auch lieber als seine Mutter. 15

Fabrice. Sie sind ihm auch Mutter. (Marianne steht in Gedanken, Fabrice sieht sie eine Zeitlang an.) Macht Sie der Name Mutter traurig?

Marianne. Nicht traurig, aber ich denke nur so.

Fabrice. Was, süße Marianne?

Marianne. Ich denke—ich denke auch nichts. Es ist+ mir nur 20 manchmal so wunderbar.

Fabrice. Sollten Sie nie gewünscht haben?—

Marianne. Was tun Sie für Fragen?

Fabrice. Fabrice wirds doch dürfen?

Marianne. Gewünscht nie, Fabrice. Und wenn mir auch einmal 25 so ein Gedanke durch den Kopf fuhr, war er gleich wieder weg. Meinen Bruder zu verlassen, wäre mir unerträglich—unmöglich,—alle übrige Aussicht möchte auch noch so reizend sein.

Fabrice. Das ist doch wunderbar! Wenn Sie in einer Stadt beieinander wohnten, hieße das ihn verlassen? 30

---

verschmähen to scorn
das Schmeichelkätzchen, – affectionate child
herzen to caress
die Natur' natural, unaffected person
sein: mir ist I feel

Marianne. O nimmermehr! Wer sollte seine Wirtschaft führen? Wer für ihn sorgen?—Mit einer Magd?—Oder gar heiraten?—Nein, das geht nicht!

Fabrice. Könnte er nicht mit Ihnen ziehen? Könnte Ihr Mann
5 nicht sein Freund sein? Könnten Sie drei nicht ebenso eine glückliche, eine glücklichere Wirtschaft führen? Könnte Ihr Bruder nicht dadurch in seinen sauern Geschäften erleichtert werden?—Was für ein Leben könnte das sein!

Marianne. Man sollts denken. Wenn ichs überlege, ists wohl wahr.
10 Und hernach ist mirs wieder so, als wenns nicht anginge.+

Fabrice. Ich begreife Sie nicht.

Marianne. Es ist nun so.—Wenn ich aufwache, horch ich, ob der Bruder schon auf ist; rührt sich nichts, hui+ bin ich aus dem Bette in der Küche, mache Feuer an, daß das Wasser über und über kocht, bis
15 die Magd aufsteht und er seinen Kaffee hat, wie er die Augen auftut.

Fabrice. Hausmütterchen!

Marianne. Und dann setze ich mich hin und stricke+ Strümpfe für meinen Bruder, und hab eine Wirtschaft,+ und messe sie ihm zehnmal an, ob sie auch lang genug sind, ob die Wade+ recht sitzt, ob der Fuß
20 nicht zu kurz ist, daß er manchmal ungeduldig wird. Es ist+ mir auch nicht ums Messen, es ist mir nur, daß ich was um ihn zu tun habe, daß er mich einmal ansehen muß, wenn er ein paar Stunden geschrieben hat, und er mir nicht Hypochonder+ wird. Denn es tut ihm doch wohl, wenn er mich ansieht; ich sehs+ ihm an den Augen ab, wenn er
25 mirs gleich sonst nicht will merken lassen. Ich lache manchmal heimlich, daß er tut, als wenn er ernst wäre oder böse. Er tut wohl; ich peinigte+ ihn sonst den ganzen Tag.

Fabrice. Er ist glücklich.

Marianne. Nein, ich bins. Wenn ich ihn nicht hätte, wüßt ich nicht,

---

anginge = ginge
hui. Interjection: quick!
stricken to knit
die **Wirtschaft:** ich hab eine ∼ I busy myself
die **Wade, –n** calf (of the leg)
sein: Es . . . Messen I really do not care about measuring
der **Hypochon'der, –** hypochondriac, morbidly depressed, worried person
ab=sehen to tell by looking at
peinigen to annoy

was ich in der Welt anfangen sollte. Ich tue doch auch alles für mich, und mir ist, als wenn ich alles für ihn täte, weil ich auch bei dem, was ich für mich tue, immer an ihn denke.

Fabrice. Und wenn Sie nun das alles für einen Gatten täten, wie ganz glücklich würde er sein! Wie dankbar würde er sein, und welch 5 ein häuslich Leben würde das werden!

Marianne. Manchmal stell ich mirs auch vor und kann mir ein langes Märchen erzählen, wenn ich so sitze und stricke+ oder nähe, wie alles gehen könnte und gehen möchte. Komm ich aber hernach aufs Wahre zurück, so wills immer nicht werden. 10

Fabrice. Warum?

Marianne. Wo wollt ich einen Gatten finden, der zufrieden wäre, wenn ich sagte: „Ich will Euch+ liebhaben", und müßte gleich dazusetzen:+ „Lieber als meinen Bruder kann ich Euch nicht haben, für den muß ich alles tun dürfen, wie bisher."——Ach, Sie sehen, daß das 15 nicht geht!

Fabrice. Sie würden nachher einen Teil für den Mann tun, was Sie für den Bruder taten, Sie würden die Liebe auf ihn übertragen.—

Marianne. Da sitzt der Knoten!+ Ja, wenn sich Liebe herüber und hinüber zahlen ließe, wie Geld, oder den Herrn alle Quartal+ verän- 20 derte, wie eine schlechte Dienstmagd. Bei einem Manne+ würde das alles erst werden müssen, was hier schon ist, was nie so wieder werden kann.

Fabrice. Es macht+ sich viel.

Marianne. Ich weiß nicht. Wenn er so bei Tische sitzt und den Kopf 25 auf die Hand stemmt+ und niedersieht und still ist in Sorgen—ich kann halbe Stunden lang sitzen und ihn ansehen. Er ist nicht schön, sag ich manchmal so zu mir selbst, und mir ists so wohl, wenn ich ihn ansehe.—Freilich fühl ich nun wohl, daß es mit für mich ist, wenn er

---

stricken to knit
Euch you (addressed to one person). Somewhat familiar, but less intimate than du, it is no longer used in this manner today.
dazu'=setzen to add
der **Knoten:** da . . . Knoten there is the hitch
das **Quartal'** quarter (of a year)
der **Mann, ⸗er.** Translate here: husband
sich machen to come right
stemmen to lean

sorgt; freilich sagt mir das der erste Blick, wenn er wieder aufsieht, und das tut ein Großes.+

Fabrice. Alles, Marianne. Und ein Gatte, der für Sie sorgte!—

Marianne. Da ist noch eins; da sind eure Launen. Wilhelm hat 5 auch seine Launen; von ihm drücken sie mich nicht, von jedem andern wären sie mir unerträglich. Er hat leise Launen, ich fühl sie doch manchmal. Wenn er in unholden Augenblicken eine gute, teilnehmende, liebevolle Empfindung wegstößt—es trifft+ mich! freilich nur einen Augenblick; und wenn ich auch über ihn knurre,+ so ists mehr, 10 daß er meine Liebe nicht erkennt, als daß ich ihn weniger liebe.

Fabrice. Wenn sich nun aber einer fände, der es auf alles das hin+ wagen wollte, Ihnen seine Hand anzubieten?

Marianne. Er wird sich nicht finden! Und dann wäre die Frage, ob ichs mit ihm wagen dürfte!

15 **Fabrice.** Warum nicht?

Marianne. Er wird sich nicht finden!

Fabrice. Marianne, Sie haben ihn!

Marianne. Fabrice!

Fabrice. Sie sehen ihn vor sich. Soll ich eine lange Rede halten? 20 Soll ich Ihnen hinschütten,+ was mein Herz so lange bewahrt? Ich liebe Sie, das wissen Sie lange; ich biete Ihnen meine Hand an, das vermuteten Sie nicht. Nie hab ich ein Mädchen gesehen, das so wenig dachte, daß es Gefühle dem, der sie sieht, erregen muß, als dich.— Marianne, es ist nicht ein feuriger, unbedachter+ Liebhaber, der mit 25 Ihnen spricht; ich kenne Sie, ich habe Sie erkoren,+ mein Haus ist eingerichtet;+ wollen Sie mein sein?———Ich habe in der Liebe mancherlei Schicksale gehabt, war mehr als einmal entschlossen, mein Leben als Hagestolz+ zu enden. Sie haben mich nun—Widerstehen Sie nicht!—Sie kennen mich; ich bin+ eins mit Ihrem Bruder; Sie

---

ein Großes a lot
treffen. Translate here: to hurt
knurren to grumble
auf . . . hin knowing . . .
hin=schütten to pour out
unbedacht thoughtless
erkoren chosen
eingerichtet ready
der **Hagestolz** (confirmed) bachelor
sein: eins ~ to be intimate friends

können kein reineres Band denken.—Öffnen Sie Ihr Herz!—Ein Wort, Marianne!

Marianne. Lieber Fabrice, lassen Sie mir Zeit, ich bin+ Ihnen gut.

Fabrice. Sagen Sie, daß Sie mich lieben! Ich lasse Ihrem Bruder seinen Platz; ich will Bruder Ihres Bruders sein, wir wollen vereint 5 für ihn sorgen. Mein Vermögen, zu dem seinen geschlagen,+ wird ihn mancher kummervollen Stunde überheben,+ er wird Mut kriegen,+ er wird—Marianne, ich möchte Sie nicht gern überreden. (Er faßt ihre Hand.)

Marianne. Fabrice, es ist mir nie eingefallen.—In welche Verle- 10 genheit setzen Sie mich!—

Fabrice. Nur ein Wort! Darf ich hoffen?

Marianne. Reden Sie mit meinem Bruder!

Fabrice (kniet). Engel! Allerliebste!

Marianne (einen Augenblick still). Gott! Was hab ich gesagt! (Ab.) 15

Fabrice. Sie ist dein!———Ich kann dem lieben kleinen Narren wohl die Tändelei+ mit dem Bruder erlauben; das wird sich so nach und nach herüberbegeben,+ wenn wir einander näher kennen lernen, und er soll nichts dabei verlieren. Es tut mir gar wohl, wieder so zu lieben und gelegentlich wieder so geliebt zu werden! Es ist doch eine 20 Sache, woran man nie den Geschmack verliert.—Wir wollen zusam- menwohnen. Ohnedas+ hätt ich des guten Menschen gewissenhafte Häuslichkeit+ zeither+ schon gern ein bißchen ausgeweitet; als Schwa- ger+ wirds schon gehen. Er wird sonst ganz Hypochonder mit seinen ewigen Erinnerungen, Bedenklichkeiten, Nahrungssorgen und Ge- 25 heimnissen. Es wird alles hübsch! Er soll freiere Luft atmen; das Mädchen soll einen Mann haben—das nicht wenig ist; und du kriegst noch mit Ehren eine Frau—das viel ist!

---

sein: jemandem gut ∼ to like someone
schlagen. Translate here: to add
überhe'ben: jemanden einer Sache ∼ to spare a person something
kriegen to gain
die **Tändelei', -en** dallying
sich herü'ber-begeben to pass to the other (*here*: the speaker's) side
ohnedas = ohnehin
die **Häuslichkeit** domesticity
zeither' (*obsolete*) all the time
der **Schwager, ⸗** brother-in-law

(Wilhelm. Fabrice.)

Fabrice. Ist dein Spaziergang zu Ende?

Wilhelm. Ich ging auf den Markt und die Pfarrgasse hinauf und an der Börse zurück. Mir ists eine wunderliche Empfindung, nachts durch die Stadt zu gehen. Wie von der Arbeit des Tages alles teils
5 zur Ruh ist, teils darnach eilt, und man nur noch die Emsigkeit+ des kleinen Gewerbes in Bewegung sieht! Ich hatte meine Freude an einer alten Käsefrau, die, mit der Brille+ auf der Nase, beim Stümpfchen+ Licht ein Stück nach dem andern auf die Wage+ legte und ab- und zuschnitt,+ bis die Käuferin ihr Gewicht hatte.

10 **Fabrice.** Jeder bemerkt in seiner Art. Ich glaube, es sind viele die Straße gegangen, die nicht nach den Käsemüttern und ihren Brillen+ geguckt+ haben.

Wilhelm. Was man treibt, kriegt+ man lieb, und der Erwerb im Kleinen ist mir ehrwürdig, seit ich weiß, wie sauer ein Taler+ wird,
15 wenn man ihn groschenweise+ verdienen soll. (Steht einige Augenblicke in sich gekehrt.+) Mir ist ganz wunderbar geworden auf dem Wege. Es sind mir so viel Sachen auf einmal und durcheinander eingefallen—und das, was mich im Tiefsten meiner Seele beschäftigt . . . (Er wird nachdenkend.)

Fabrice (für sich). Es geht mir+ närrisch; sobald er gegenwärtig
20 ist, untersteh+ ich mich nicht recht, zu bekennen, daß ich Mariannen liebe.—Ich muß ihm doch erzählen, was vorgegangen ist.— (Laut.) Wilhelm! sag mir! du wolltest hier ausziehen? Du hast wenig Gelaß+ und sitzest teuer. Weißt du ein ander Quartier?

Wilhelm (zerstreut). Nein.

25 **Fabrice.** Ich dächte, wir könnten uns beide erleichtern. Ich habe da mein väterliches Haus und bewohne nur den obern Stock, und den

---

die **Emsigkeit** industriousness
die **Brille, -n** eyeglasses
das **Stümpfchen, -** stub (of a candle)
die **Wage, -n** scales
zu=schneiden. Translate here: to add piece by piece
gucken to look
kriegen: lieb ~ to become fond of
der **Taler, -.** A silver coin
groschenweise penny by penny. The Groschen is the 24th part of a Taler.
in sich gekehrt pensive
gehen: es . . . närrisch an odd thing happens to me
sich unterste'hen to dare
das **Gelaß** (*obsolete*) space, room

Photo Marburg

Das Rathaus in Frankfurt, der sogenannte Römer, zu Goethes Zeit

untern könntest du einnehmen; du verheiratest dich doch so bald nicht.— Du hast den Hof und eine kleine Niederlage+ für deine Spedition+ und gibst mir einen leidlichen+ Hauszins,+ so ist uns beiden geholfen.

Wilhelm. Du bist gar gut. Es ist mir wahrlich auch manchmal ein-
5 gefallen, wenn ich zu dir kam und so viel leer stehen sah, und ich muß mich so ängstlich+ behelfen.+—Dann sind wieder andre Sachen—— Man muß es eben sein lassen, es geht doch nicht.

Fabrice. Warum nicht?

Wilhelm. Wenn ich nun heiratete?

10 **Fabrice.** Dem wäre zu helfen. Ledig hättest du mit deiner Schwester Platz, und mit einer Frau gings ebensowohl.

Wilhelm (lächelnd). Und meine Schwester?

Fabrice. Die nähm ich allenfalls+ zu mir. (Wilhelm ist still.) Und auch ohne das. Laß uns ein klug Wort reden.—Ich liebe Mariannen;
15 gib mir sie zur Frau!

Wilhelm. Wie?

Fabrice. Warum nicht? Gib dein Wort! Höre mich, Bruder! Ich liebe Mariannen! Ich habs lang überlegt: sie allein, du allein, ihr könnt mich so glücklich machen, als ich auf der Welt noch sein kann.
20 Gib mir sie! Gib mir sie!

Wilhelm (verworren.+) Du weißt nicht, was du willst.

Fabrice. Ach, wie weiß ichs! Soll ich dir alles vorerzählen,+ was mir fehlt und was ich haben werde, wenn sie meine Frau und du mein Schwager+ werden wirst?

25 **Wilhelm** (aus Gedanken auffahrend,+ hastig). Nimmermehr! nimmermehr!

Fabrice. Was hast du?—Mir tuts weh!—Den Abscheu!+—Wenn du einen Schwager haben sollst, wie sichs doch früh oder später macht,+

---

die **Niederlage, -n** *Here:* depot
die **Spedition'** shipping agency
leidlich moderate—der **Hauszins** rent
ängstlich (*obsolete*) narrowly
sich behelfen to get along
allenfalls in case of need
verworren perturbed
vor-erzählen to enumerate; to tell tediously
der **Schwager, ¨** brother-in-law
auf-fahren to start up; to be startled
der **Abscheu** aversion
machen: wie . . . macht as it eventually will come to pass

warum **mich** nicht? den du so kennst, den du liebst! Wenigstens glaubt ich . . .

Wilhelm. Laß mich!——Ich hab keinen Verstand.+

Fabrice. Ich muß alles sagen. Von dir allein hängt mein Schicksal ab. Ihr Herz ist mir geneigt, das mußt du gemerkt haben. Sie liebt dich mehr, als sie mich liebt; ich bins zufrieden. Den Mann wird sie mehr als den Bruder lieben: ich werde in deine Rechte treten, du in meine, und wir werden alle vergnügt sein. Ich habe noch keinen Knoten+ gesehen, der sich so menschlich schön knüpfte. (Wilhelm stumm.) Und was alles fest macht—Bester, gib du nur dein Wort, deine Einwilligung!+ Sag ihr, daß dichs freut, daß dichs glücklich macht.—Ich hab ihr Wort.

Wilhelm. Ihr Wort?

Fabrice. Sie warfs+ hin, wie einen scheidenden Blick, der mehr sagte, als alles Bleiben gesagt hätte. Ihre Verlegenheit und ihre Liebe, ihr Wollen und Zittern, es war so schön!

Wilhelm. Nein! Nein!

Fabrice. Ich versteh dich nicht. Ich fühle, du hast keinen Widerwillen+ gegen mich, und bist mir so entgegen? Seis nicht! Sei ihrem Glücke, sei meinem nicht hinderlich!—Und ich denke immer, du sollst mit uns glücklich sein!—Versag+ meinen Wünschen dein Wort nicht! dein freundliches Wort! (Wilhelm stumm in streitenden Qualen.) Ich begreife dich nicht . . .

Wilhelm. Sie? Du willst sie haben?—

Fabrice. Was ist das?

Wilhelm. Und sie dich?

Fabrice. Sie antwortete, wie's einem Mädchen ziemt.

Wilhelm. Geh! geh!—Marianne!——Ich ahnt es! ich fühlt es!

Fabrice. Sag mir nur . . .

Wilhelm. Was sagen!—Das wars, was mir auf der Seele lag

---

der Verstand: ich hab keinen ~ I am out of my mind
der Knoten, – tie, knot
die Einwilligung consent
hin=werfen. Translate here: to say hastily
der Widerwille repugnance
versagen to deny

diesen Abend, wie eine Wetterwolke. Es zuckt, es schlägt——Nimm sie!—Nimm sie—Mein Einziges—mein Alles! (Fabrice ihn stumm ansehend.) Nimm sie!—Und daß du weißt, was du mir nimmst . . . (Pause. Er rafft+ sich zusammen.) Von Charlotten erzählt ich dir, dem Engel, der
5 meinen Händen entwich und mir sein Ebenbild,+ eine Tochter, hinterließ——und diese Tochter—ich habe dich belogen—sie ist nicht tot; diese Tochter ist Marianne!—Marianne ist nicht meine Schwester.

Fabrice. Darauf war ich nicht vorbereitet.

Wilhelm. Und von dir hätt ich das fürchten sollen!—Warum folgt
10 ich meinem Herzen nicht und verschloß dir mein Haus, wie jedem in den ersten Tagen, da ich herkam? Dir allein vergönnt ich einen Zutritt in dies Heiligtum, und du wußtest mich durch Güte, Freundschaft, Unterstützung, scheinbare Kälte gegen die Weiber einzuschläfern.+ Wie ich dem Schein nach ihr Bruder war, hielt ich dein Gefühl für sie
15 für das wahre brüderliche; und wenn mir ja auch manchmal ein Argwohn+ kommen wollte, warf ich ihn weg als unedel, schrieb ihre Gutheit+ für dich auf Rechnung+ des Engelherzens, das eben alle Welt mit einem liebevollen Blick ansieht.—Und du!—Und sie!—

Fabrice. Ich mag nichts weiter hören, und zu sagen hab ich auch
20 nichts. Also Adieu! (Ab.)

Wilhelm. Geh nur!—Du trägst sie alle mit dir weg, meine ganze Seligkeit. So weggeschnitten, weggebrochen alle Aussichten—die nächsten—auf einmal am Abgrunde!+ Und zusammengestürzt die goldne Zauberbrücke, die mich in die Wonne der Himmel hinüber-
25 führen sollte—Weg! und durch ihn, den Verräter! der so mißbraucht hat die Offenheit, das Zutrauen!——O Wilhelm! Wilhelm! bist du so weit gebracht, daß du gegen den guten Menschen ungerecht sein mußt?—Was hat er verbrochen?———Du liegst schwer über mir und bist gerecht, vergeltendes+ Schicksal!—Warum stehst du da? und

---

sich zusam'men-raffen to pull oneself together
das **Ebenbild, -er** exact likeness
ein-schläfern to lull to sleep
der **Argwohn** suspicion
die **Gutheit** kindness
die **Rechnung: auf ~ schreiben** to place on the account of; to attribute to
der **Abgrund, ⸚e** abyss
vergelten to repay, retaliate

du? Just in dem Augenblicke!—Verzeiht mir! Hab ich nicht gelitten dafür? Verzeiht! es ist lange!—Ich habe unendlich gelitten. Ich schien euch zu lieben; ich glaubte euch zu lieben; mit leichtsinnigen Gefälligkeiten schloß ich euer Herz auf und machte euch elend!—Verzeiht und laßt mich!—Soll ich so gestraft werden?—Soll ich Mariannen verlieren? die letzte meiner Hoffnungen, den Inbegriff+ meiner Sorgen?—Es kann nicht! es kann nicht! (Er bleibt stille.) 5

(Marianne naht verlegen.)

Marianne. Bruder!

Wilhelm. Ah!

Marianne. Lieber Bruder, du mußt mir vergeben, ich bitte dich um alles. Du bist böse, ich dacht es wohl. Ich habe eine Torheit begangen!—Es ist mir ganz wunderlich. 10

Wilhelm (sich zusammennehmend+). Was hast du, Mädchen?

Marianne. Ich wollte, daß ich dirs erzählen könnte.—Mir gehts so konfus im Kopf herum.—Fabrice will mich zur Frau, und ich . . . 15

Wilhelm. (halb bitter). Sags heraus, du schlägst+ ein?

Marianne. Nein, nicht ums Leben! Nimmermehr werd ich ihn heiraten, ich *kann* ihn nicht heiraten.

Wilhelm. Wie anders klingt das!

Marianne. Wunderlich genug. Du bist gar unhold, Bruder; ich ginge gern und wartete eine gute Stunde ab, wenn mirs nicht gleich vom Herzen müßte. Ein für allemal, ich kann Fabricen nicht heiraten. 20

Wilhelm (steht auf und nimmt sie bei der Hand). Wie, Marianne?

Marianne. Er war da und redete so viel und stellte+ mir so allerlei vor, daß ich mir einbildete, es wäre möglich. Er drang so, und in der Unbesonnenheit+ sagt ich, er sollte mit dir reden.—Er nahm das als Jawort, und im Augenblicke fühlt ich, daß es nicht werden konnte. 25

Wilhelm. Er hat mit mir gesprochen.

Marianne. Ich bitte dich, was ich kann und mag, mit all der Liebe, 30

---

der **Inbegriff** essence
sich zusam'men=nehmen to pull oneself together
ein=schlagen to consent
vor=stellen to lay before
die **Unbesonnenheit** rashness

die ich zu dir habe, bei all der Liebe, mit der du mich liebst, mach es wieder gut, bedeut+ ihn!

Wilhelm. (für sich). Ewiger Gott!

Marianne. Sei nicht böse! Er soll auch nicht böse sein. Wir wollen
5 wieder leben wie vorher und immer so fort.—Denn nur mit dir kann ich leben, mit dir allein mag ich leben. Es liegt von jeher in meiner Seele, und dieses hats herausgeschlagen,+ gewaltsam herausgeschlagen —Ich liebe nur dich!

Wilhelm. Marianne!

10 **Marianne.** Bester Bruder! Diese Viertelstunde über,+—ich kann dir nicht sagen, was in meinem Herzen auf und ab gerannt ist.—Es ist mir wie neulich, da es auf dem Markte brannte und erst Rauch und Dampf über alles zog, bis auf einmal das Feuer das Dach hob und das ganze Haus in einer Flamme stand.—Verlaß mich nicht! stoß
15 mich nicht von dir, Bruder!

Wilhelm. Es kann doch nicht immer so bleiben.

Marianne. Das eben ängstet mich so!—Ich will dir gern versprechen, nicht zu heiraten, ich will immer für dich sorgen, immer, immer so fort. —Da drüben wohnen so ein paar alte Geschwister zusammen; da denk
20 ich manchmal zum Spaß: wenn du so alt und schrumpflich+ bist, wenn ihr nur so zusammen seid!

Wilhelm. (sein Herz haltend, halb für sich). Wenn du das aushältst, bist du nie wieder zu enge!

Marianne. Dir ists nun wohl nicht so; du nimmst doch wohl eine
25 Frau mit der Zeit, und es würde mir immer leid tun, wenn ich sie auch noch so gern lieben wollte.—Es hat dich niemand so lieb wie ich; es kann dich niemand so liebhaben. (Wilhelm versucht zu reden.) Du bist immer so zurückhaltend,+ und ich habs immer im Munde, dir ganz zu sagen, wie mirs ist, und wags nicht. Gott sei Dank, daß mir der
30 Zufall die Zunge löst!

---

bedeuten. Here: to make understand
heraus'=schlagen to bring out forcibly
über: diese Viertelstunde ~ during this quarter hour
schrumpflich wrinkled
zurück'haltend reserved

Wilhelm. Nichts weiter, Marianne!

Marianne. Du sollst mich nicht hindern, laß mich alles sagen! Dann will ich in die Küche gehen und tagelang an meiner Arbeit sitzen, nur manchmal dich ansehen, als wollt ich sagen: du weißts!— (Wilhelm stumm in dem Umfange+ seiner Freuden.) Du konntest es lange wissen, du weißts auch, seit dem Tod unserer Mutter, wie ich aufkam+ aus der Kindheit und immer mit dir war.—Sieh, ich fühle mehr Vergnügen, bei dir zu sein, als Dank für deine mehr als brüderliche Sorgfalt. Und nach und nach nahmst du so mein ganzes Herz, meinen ganzen Kopf ein, daß jetzt noch etwas anders Mühe hat, ein Plätzchen drin zu gewinnen. Ich weiß wohl noch, daß du manchmal lachtest, wenn ich Romanen las: es geschah einmal mit der „Julie Mandeville",+ und ich fragte, ob der Heinrich, oder wie er heißt, nicht ausgesehen habe wie du?—Du lachtest—das gefiel mir nicht. Da schwieg ich ein andermal still. Mir wars aber ganz ernsthaft; denn was die liebsten, die besten Menschen waren, die sahen bei mir alle aus wie du. Dich sah ich in den großen Gärten spazieren, und reiten, und reisen und sich duellieren . . .

(Sie lacht für sich.)

Wilhelm. Wie ist dir?

Marianne. Daß ichs ebenso mehr+ auch gestehe: wenn eine Dame recht hübsch war und recht gut und recht geliebt—und recht verliebt—das war ich immer selbst.—Nur zuletzt, wenns an die Entwicklung+ kam und sie sich nach allen Hindernissen noch heirateten ——Ich bin doch auch ein gar treuherziges,+ gutes, geschwätziges+ Ding!

Wilhelm. Fahr fort! (Weggewendet.) Ich muß den Freudenkelch+ austrinken. Erhalte mich bei Sinnen, Gott im Himmel!

Marianne. Unter allem konnt ich am wenigsten leiden, wenn sich ein paar Leute liebhaben, und endlich kommt heraus, daß sie verwandt sind,

---

der **Umfang.** Translate here: fullness
auf=kommen = auf=wachsen
„Julie Mandeville." A favorite English novel of the period, translated into German
mehr = weiter
die **Entwicklung** unravelling (of the plot)
treuherzig candid, naive
geschwätzig talkative
Freudenkelch: der Kelch, –e cup

oder Geschwister sind.—Die „Miß Fanny“[+] hätt ich verbrennen können!—Ich habe so viel geweint! Es ist so ein gar erbärmlich[+] Schicksal!

(Sie wendet sich und weint bitterlich.)

Wilhelm (auffahrend[+] an ihrem Hals[+]). Marianne!—Meine Marianne!

Marianne. Wilhelm! nein! nein! Ewig laß ich dich nicht! Du bist mein!—Ich halte dich! ich kann dich nicht lassen!

(Fabrice tritt auf.)

Marianne. Ha, Fabrice, Sie kommen zur rechten Zeit! Mein Herz ist offen und stark, daß ichs sagen kann. Ich habe Ihnen nichts zugesagt.[+] Sein Sie unser Freund! heiraten werd ich Sie nie.

Fabrice (kalt und bitter). Ich dacht es, Wilhelm. Wenn du dein ganzes Gewicht auf die Schale[+] legtest, mußt ich zu leicht erfunden werden. Ich komme zurück, daß ich mir vom Herzen schaffe, was doch herunter muß. Ich gebe alle Ansprüche auf und sehe, die Sachen haben sich schon gemacht; mir ist wenigstens lieb, daß ich unschuldige Gelegenheit dazu gegeben habe.

Wilhelm. Lästre[+] nicht den Augenblick und raub dir nicht ein Gefühl, um das du vergebens in die weite Welt wallfahrtetest![+] Sieh hier das Geschöpf—sie ist ganz mein——und sie weiß nicht . . .

Fabrice (halb spottend). Sie weiß nicht?

Marianne. Was weiß ich nicht?

Wilhelm. Hier lügen, Fabrice?—

Fabrice (getroffen[+]). Sie weiß nicht?

Wilhelm. Ich sags.

Fabrice. Behaltet einander, ihr seid einander wert!

Marianne. Was ist das?

Wilhelm (ihr um den Hals fallend). Du bist mein, Marianne!

„Miß Fanny,“ A German imitation of the contemporary English family novel.
erbärmlich pitiful
auf=fahren to call out passionately
der **Hals**: an ihrem ~ embracing her
zu=sagen to promise
die **Schale, –n.** *Here:* scales
lästern to revile
wallfahrten to go on a pilgrimage
getroffen taken aback

Marianne. Gott! was ist das?—Darf ich dir diesen Kuß zurückgeben?—Welch ein Kuß war das, Bruder?

Wilhelm. Nicht des zurückhaltenden,+ kaltscheinenden Bruders, der Kuß eines ewig einzig glücklichen Liebhabers.— (Zu ihren Füßen.) Marianne, du bist nicht meine Schwester! Charlotte war deine Mutter, nicht meine. 5

Marianne. Du! Du!

Wilhelm. Dein Geliebter!—Von dem Augenblick an dein Gatte, wenn du ihn nicht verschmähst.+

Marianne. Sag mir, wie wars möglich?— 10

Fabrice. Genießt, was euch Gott selbst nur einmal geben kann! Nimm es an, Marianne, und frag nicht.—Ihr werdet noch Zeit genug finden, euch zu erklären.

Marianne (ihn ansehend). Nein, es ist nicht möglich!

Wilhelm. Meine Geliebte! meine Gattin! 15

Marianne (an seinem Hals+). Wilhelm, es ist nicht möglich!

---

zurück'haltend reserved
verschmähen to spurn
der **Hals:** an seinem ~ embracing him

Aus Selbstbiographien

JUNG-STILLING

Johann Heinrich Jung (1740–1817), commonly called Jung-Stilling because in his autobiography he spoke of himself as Heinrich Stilling, grew up in a village in Westphalia. In no German document of the eighteenth century is the gulf that separated the uneducated classes from the educated so poignantly brought to the reader's mind as in this book. Heinrich's grandfather was a peasant and charcoal-burner, his father a tailor and schoolteacher. The boy had to learn his father's trade; at the age of fourteen, however, he had already started teaching school. He strove desperately to obtain an education, but clashes with the peasants and with the pastors who employed him in the different schools, forced him, again and again, back to his village and to tailoring. Finally, at the age of thirty, after serving several years as a secretary to a businessman, he succeeded in going to the University of Strassburg, where he became a friend of Goethe's. He studied medicine and excelled as an eye surgeon. Later he held the chair of economics in different universities and was highly regarded as a religious writer.

What is admirable in Jung-Stilling's book and what causes some critics to call it the greatest German autobiography, and others, like Nietzsche, to class it with the best German prose, are the directness and naive freshness of its style. Here there emerges a new sensibility which traces its origins back to the devotional practices of the Pietists, a group of German Protestants of the seventeenth century who stressed religious fervor and pious living. This sensibility was destined to revolutionize the conventions and the rationalism of the early eighteenth century and to prepare the ground for the great revival of German literature.

Der Tod des Großvaters

Einsmalen+ gingen Vater Stilling,+ Mariechen+ und Heinrich+ des Morgens früh in den Wald, um Brennholz zuzubereiten.+ Mar=

---

einsmalen = **einmal**—**Vater Stilling.** Heinrich's grandfather—**Marie'chen.** Stilling's daughter, aunt of Heinrich

Heinrich. The author, then eleven years old

zu=bereiten to prepare

garet+ hatte ihnen einen guten Milchbrei+ mit Brot und Butter in einem Korb zusammen getan, welchen Mariechen auf dem Kopf trug; sie ging den Wald hinauf voran, Heinrich folgte und erzählte mit aller Freude die Historie+ von den vier Haymonskindern,+ und Vater
5 Stilling schritt,+ auf seine Holzaxt+ sich stützend, seiner Gewohnheit nach, mühsam hinten darein und hörte fleißig zu. Sie kamen endlich zu einem weit entlegenen+ Ort des Waldes, wo sich eine grüne Ebene befand, die am einen Ende einen schönen Brunnen hatte. „Hier laßt uns bleiben," sagte Vater Stilling, und setzte sich nieder; Mariechen
10 nahm ihren Korb ab, stellte ihn hin und setzte sich auch.

Vater Stilling stand endlich auf und sagte: „Kinder bleibt ihr hier, ich will ein wenig herumgehen und abständig+ Holz suchen, ich will zuweilen rufen, ihr antwortet mir dann, damit ich euch nicht verliere." Er ging.

15 Indessen saßen Mariechen und Heinrich beisammen und waren vertraulich.+ „Erzähle mir doch, Base!"+ sagte Heinrich, „die Historie von Joringel und Jorinde+ noch einmal." Mariechen erzählte.

Indem sie so saßen, pfiff Vater Stilling. Mariechen und Heinrich antworteten mit einem He! He! Nicht lange hernach+ kam er, sah
20 munter und fröhlich aus, als wenn er etwas gefunden hätte; lächelte wohl zuweilen, stand, schüttelte den Kopf, sah auf eine Stelle, faltete die Hände, lächelte wieder, Mariechen und Heinrich sahen ihn mit Verwunderung an; doch durften sie ihn nicht fragen; denn er tät's wohl oft so, daß er vor sich+ allein lachte. Doch Stillingen+ war das
25 Herz zu voll; er setzte sich zu ihnen nieder und erzählte; wie er anfing,

---

Margaret'(e). Heinrich's grandmother
der **Milchbrei** milk pudding
die **Histo'rie** = die **Geschichte**
die **Haymonskinder.** "The Four Sons of Haymon," one of the medieval romances, perpetuated as a folk tale
darein'=schreiten to walk along
die **Holzaxt** axe
entlegen distant
abständig. Said of dead wood. Abständig Holz (as, later, weiß Licht, etc.) is dialect use for modern standard German, abständiges Holz.
vertraulich: ∼ sein to talk intimately with each other
die **Base, -n** = die **Tante**
Jorin'gel und Jorin'de. See page 11.
hernach' afterwards
sich: vor ∼ to himself
Stillingen. The ending -en indicates the (direct or indirect) object case of the proper name. (cf. Heinrichen, below.)

so standen ihm die Augen voll Wasser. Mariechen und Heinrich sahen es, und schon liefen+ ihnen auch die Augen über.

„Wie ich von euch in+ Wald hinein ging, sah ich weit von mir ein Licht, eben so, als wenn morgens früh die Sonne aufgeht. Ich verwunderte mich sehr. Ei! dachte ich, dort steht ja die Sonne am Himmel; ist das denn eine neue Sonne? Das muß ja was Wunderliches sein, das muß ich sehen. Ich ging darauf zu; wie ich vorn hin+ kam, siehe, da war vor mir eine Ebene, die ich mit meinen Augen nicht übersehen konnte, ich hab' mein Lebtag+ so etwas Herrliches nicht gesehen, so ein schöner Geruch, so eine kühle Luft kam darüber her, ich kann's euch nicht sagen. Es war so weiß Licht durch die ganze Gegend, der Tag mit der Sonne ist Nacht dagegen. Da standen viel tausend prächtige Schlösser, eins nah beim andern. Schlösser!—ich kann's euch nicht beschreiben! als wenn sie von lauter Silber wären. Da waren Gärten, Büsche, Bäche. O Gott, wie schön!—Nicht weit von mir stand ein großes herrliches Schloß. (Hier liefen dem guten Stilling die Tränen häufig die Wangen herunter, Mariechen und Heinrichen auch.) Aus der Tür dieses Schlosses kam jemand heraus auf mich zu, wie eine Jungfrau. Ach! ein herrlicher Engel! Wie sie nah bei mir war, ach Gott! da war es unser seliges Dortchen!"+ Nun schluchzten+ sie alle drei, keins konnte etwas reden, nur Heinrich rief und heulte:+ „O meine Mutter! meine liebe Mutter!" „Sie sagte gegen mich+ so freundlich, eben mit der Miene, die mir ehemals so oft das Herz stahl: ‚Vater, dort ist unsere ewige Wohnung, ihr kommt bald zu uns.'—Ich sah, und siehe! alles war Wald vor mir; das herrliche Gesicht+ war weg. Kinder, ich sterbe bald; wie freu' ich mich darauf!" Heinrich konnte nicht aufhören zu fragen, wie seine Mutter ausgesehen, was sie angehabt,+ und so weiter. Alle drei verrichteten+

über=laufen: und . . . über and right away their eyes too were filled with tears
in = **in den**
hin: vorn ~ (up) to the front (that is, the edge of the woods)
mein Lebtag all my life
Dortchen. Heinrich's dead mother
schluchzen to sob
heulen to wail
gegen mich = **zu mir**
das **Gesicht, -e** vision
an=haben to wear
verrichten to perform; to carry on

den Tag durch ihre Arbeit und sprachen beständig+ von dieser Geschichte. Der alte Stilling aber war von der Zeit an wie einer, der in der Fremde und nicht zu Hause ist.

Ein altes Herkommen,+ dessen ich (wie vieler andern) noch nicht erwähnt, war, daß Vater Stilling alle Jahr selbsten+ ein Stück seines Hausdaches, das Stroh war, eigenhändig decken mußte. Das hatte er nun schon acht und vierzig Jahre getan, und diesen Sommer sollt es wieder geschehen. Er richtete+ es so ein, daß er alle Jahre so viel davon neu deckte, so weit das Roggenstroh+ reichte, das er für dies Jahr gezogen+ hatte.

Die Zeit des Dachdeckens fiel gegen Michaelstag,+ und rückte nun mit Macht heran, so daß Vater Stilling anfing, darauf zu Werk+ zu legen. Heinrich war dazu bestimmt, ihm zur Hand+ zu langen, und also wurde die lateinische Schule auf acht Tage ausgesetzt.+ Margarete und Mariechen hielten täglich in der Küche geheimen Rat über die bequemsten Mittel, wodurch er vom Dachdecken zurückgehalten werden möchte. Sie beschlossen endlich beide, ihm ernstliche Vorstellungen+ zu tun, und ihn vor Gefahr zu warnen; sie hatten die Zeit während des Mittagessens dazu bestimmt.

Margarete brachte also eine Schüssel+ Mus,+ und auf derselben vier Stücke Fleisches, die so gelegt waren, daß ein jedes just vor den zu stehen kam, für den es bestimmt war. Hinter ihr her kam Mariechen mit einem Kumpen+ voll gebrockter+ Milch. Beide setzten ihre Schüsseln auf den Tisch, an welchem Vater Stilling und Heinrich schon an ihrem Ort saßen und mit wichtiger Miene von ihrer nun morgen anzufangenden Dachdeckerei redeten. Denn im Vertrauen

---

beständig constant
das Herkommen custom
selbsten = selbst
ein=richten to arrange
das Roggenstroh rye straw
ziehen. Translate here: to grow
Michaelstag Michaelmas Day (September 29)
das Werk: zu ~ legen (auf) to make preparations (for a job)
die Hand: zur ~ langen to assist
aus=setzen to suspend
die Vorstellung, –en remonstrance
die Schüssel, –n dish—das **Mus** purée
der Kumpen, – bowl—**brocken:** gebrockte Milch milk with bread crumbled into it

gesagt, wie sehr auch Heinrich auf Studieren, Wissenschaften und Bücher verpicht+ sein mochte, so war's ihm doch eine weit größere Freude, in Gesellschaft seines Großvaters zuweilen entweder im Wald, auf dem Feld oder gar auf dem Hausdach zu klettern; denn dieses war nun schon das dritte Jahr, daß er seinem Großvater als Diakonus+ bei dieser jährlichen Solemnität+ beigestanden. Es ist also leicht zu denken, daß der Junge herzlich verdrießlich werden mußte, als er Margaretens und Mariechens Absichten zu begreifen anfing.

„Ich weiß nicht, Ebert",+ sagte Margarete, indem sie ihre linke Hand auf seine Schultern legte, du fängst mir so an zu verfallen. Spürst du nichts in deiner Natur?"

„Man wird als+ alle Tage älter, Margarete."

„O Herr ja! Ja freilich, alt und steif."

„Ja wohl", versetzte Mariechen und seufzte.

„Mein Großvater ist noch recht stark für sein Alter", sagte Heinrich.

„Ja wohl, Junge", antwortete der Alte. „Ich wollte noch wohl in die Wette+ mit dir die Leiter+ 'nauf+ laufen."

Heinrich lachte laut. Margarete sah wohl, daß sie auf dieser Seite die Festung nicht überrumpeln+ würde; daher suchte sie einen andern Weg.

„Ach ja", sagte sie, es ist eine besondere Gnade, so gesund in seinem Alter zu sein; du bist, glaub' ich, nie in deinem Leben krank gewesen, Ebert?"

„In meinem Leben nicht, ich weiß nicht, was Krankheit ist; denn an den Pocken+ und Röteln+ bin ich herumgegangen."+

„Ich glaub' doch, Vater!" versetzte Mariechen, „Ihr seid wohl verschiedene Male vom Fallen krank gewesen: denn Ihr habt uns wohl erzählt, daß Ihr oft gefährlich gefallen seid."

---

verpicht (auf) intent (upon)
der **Diako'nus** deacon, assistant (to a minister) in a ceremony
die **Solemnität', –en** (solemn) ceremony
Ebert. Shortened form of Eberhard
als for sure
die **Wette:** in (= um) die ~ laufen to run a race—die **Leiter, –n** ladder
'nauf = hinauf
überrum'peln to take by surprise
die **Pocken** *pl.* smallpox
die **Röteln** *pl.* measles (possibly scarlet fever)
herum'=gehen (an) to pass by

„Ja, ich bin dreimal tötlich gefallen."

„Und das viertemal", fuhr Margarete fort, „wirst du dich tot fallen, mir ahnt es. Du hast letzthin+ im Wald das Gesicht+ gesehen, und eine Nachbarin hat mich kürzlich gewarnt und gebeten, dich nicht auf's
5 Dach zu lassen; denn sie sagte, sie hätte des Abends, wie sie die Küh' gemolken,+ ein Poltern+ und klägliches+ Jammern neben unserem Hause im Weg gehört. Ich bitte dich, Ebert! tu' mir den Gefallen, und laß jemand+ anders das Haus decken, du hast's ja nicht nötig."

„Margarete!—kann ich oder jemand anders denn nicht in der Straße
10 ein ander Unglück bekommen? Ich hab' das Gesicht gesehen, ja, das ist wahr!—unsere Nachbarin kann auch diese Vorgeschichte+ gehört haben. Ist dieses gewiß, wird dann derjenige dem entlaufen, was Gott über ihn beschlossen hat? Hat er beschlossen, daß ich meinen Lauf hier in der Straße endigen soll, werd' ich armer Dummkopf
15 von Menschen, das wohl vermeiden können? und gar wenn ich mich totfallen soll, wie werd' ich mich hüten können? Gesetzt,+ ich bleib' vom Dach, kann ich nicht heut' oder morgen da in der Straße einen Karren+ Holz losbinden wollen, draufsteigen, straucheln+ und den Hals abstürzen?+ Margarete! laß mich in Ruh'; ich werde so ganz
20 grade fortgehen, wie ich bis dahin gegangen bin; wo mich dann mein Stündchen+ überrascht, da werd' ich's willkommen heißen!"

Margarete und Mariechen sagten noch ein und das andere, aber er achtete nicht darauf, sondern redete mit Heinrichen von allerhand,+ die Dachdeckerei betreffenden Sachen; daher sie sich zufrieden+ gaben
25 und sich das Ding aus dem Sinne+ schlugen.

Des andern Morgens standen sie frühe auf und der alte Stilling

---

letzthin = **neulich**
das **Gesicht, -e** vision, apparition
melken to milk
das **Poltern** rumbling noise
kläglich pitiful
jemand: ~ anders somebody else
die **Vorgeschichte** account of something that happened in the past
gesetzt supposing
der **Karren, -** cart
straucheln to stumble
ab=stürzen to break in falling
das **Stündchen.** Translate here: last hour
allerhand' all kinds of things
zufrie'den: sich ~ geben to let the matter rest
der **Sinn:** sich aus dem ~ schlagen to get out of one's mind

fing an, während daß+ er ein Morgenlied sang, das alte Stroh loszu-
binden und abzuwerfen, womit er denn diesen Tag auch hübsch fertig
wurde; so daß sie des folgenden Tages schon anfingen, das Dach mit
neuem Stroh zu belegen; mit einem Wort, das Dach ward fertig,
ohne die mindeste Gefahr oder Schreck dabei gehabt zu haben; außer 5
daß es noch einmal bestiegen werden mußte, um starke und frische
Rasen+ oben über den First+ zu legen. Doch damit eilte der alte
Stilling so sehr nicht; es gingen wohl noch acht Tage über,+ eh' es ihm
einfiel, dies letzte Stück Arbeit zu verrichten.+

Des folgenden Mittwochs stand Eberhard ungewöhnlich früh auf, 10
ging im Hause umher, von einer Kammer zur andern, als wenn er
was suchte. Seine Leute verwunderten sich, fragten ihn, was er suche?
„Nichts," sagte er. „Ich weiß nicht, ich bin so wohl, doch hab' ich keine
Ruhe, ich kann nirgend+ still sein, als wenn etwas in mir wäre, das
mich triebe, auch spür' ich so eine Bangigkeit, die ich nicht kenne." Mar- 15
garete riet ihm, er sollte sich anziehen und mit Heinrichen nacher+
Lichthausen+ gehen, seinen Sohn Johann zu besuchen. Er war damit
zufrieden; doch wollte er zuerst die Rasen oben auf den Hausfirst
legen, und dann des andern Tages seinen Sohn besuchen. Dieser
Gedanke war seiner Frau und Tochter sehr zuwider. Des Mittags 20
über+ Tisch ermahnten sie ihn wieder ernstlich, vom Dach zu bleiben;
selbst Heinrich bat ihn, jemand für Lohn zu kriegen, der vollends mit
der Deckerei ein Ende mache. Allein der vortreffliche Greis lächelte
mit einer unumschränkten+ Gewalt um sich her+; ein Lächeln, das so
manchem Menschen das Herz geraubt und Ehrfurcht+ eingeprägt+ 25
hatte! Dabei sagte er aber kein Wort. Ein Mann, der mit einem
beständig guten Gewissen alt geworden, sich vieler guten Handlungen
bewußt ist, und von Jugend auf sich an einen freien Umgang mit Gott

---

während daß = **während**
der **Rasen, –**. Translate here: piece of sod
der **First, –e** ridgepole
über = **vorüber**—**verrichten** to perform
nirgend = **nirgends**
nacher = **nach**
Lichthausen. A fictitious place name
über = **bei**
unumschränkt unlimited
her: um sich ~ all around
die **Ehrfurcht** respect, awe
ein=prägen to impress

und seinem Erlöser gewöhnt hat, gelangt zu einer Größe und Freiheit, die nie der größte Eroberer erreicht hat. Die ganze Antwort Stillings auf diese treugemeinten Ermahnungen der Seinigen bestand darin: Er wollte da auf den Kirschenbaum+ steigen und sich noch einmal recht satt+
5 Kirschen essen. Es war nämlich ein Baum, der hinten im Hof stand, und sehr spät, aber desto vortrefflicher Früchte trug. Seine Frau und Tochter verwunderten sich über diesen Einfall, denn er war wohl in zehn Jahren auf keinem Baum gewesen. „Nun dann," sagte Margarete, „du mußt nun vor diese Zeit+ in die Höh', es mag kosten, was es wolle."
10 Eberhard lachte und antwortete: „Je höher, he näher zum Himmel!" Damit ging er zur Tür hinaus, und Heinrich hinter ihm her auf den Kirschenbaum zu. Er faßte den Baum in seine Arme und die Knie, und kletterte hinauf bis oben hin, setzte sich in eine Furke+ des Baums, fing an, aß Kirschen, und warf Heinrichen zuweilen ein Ästchen herab.
15 Margarete und Mariechen kamen ebenfalls. „Halt!" sagte die ehrliche Frau, „heb' mich ein wenig, Mariechen, daß ich nur die untersten Äste fassen kann, ich muß da probieren, ob ich auch noch hinauf kann." Es geriet; sie kam hinauf; Stilling sah herab und lachte herzlich, und sagte: „Das heißt recht verjüngt+ werden, wie die Adler."+ Da saßen
20 beide ehrliche alte Grauköpfe in den Ästen des Kirschbaumes, und genossen noch einmal zusammen die süßen Früchte ihrer Jugend; besonders war Stilling aufgeräumt.+ Margarete stieg wieder herab, und ging mit Mariechen in den Garten, der eine ziemliche Strecke unterhalb dem Dorf war. Eine Stunde hernach stieg auch Eberhard
25 herab, ging und hatte einen Hacken,+ um Rasen+ damit abzuschälen.+ Er ging des Endes+ oben ans Ende des Hofs an den Wald; Heinrich blieb gegen dem Hause über+ unter dem Kirschenbaum sitzen; endlich kam Eberhard wieder, hatte einen großen Rasen um den Kopf hangen,+

Kirschenbaum: die Kirsche, –n cherry
satt Kirschen = satt an Kirschen
vor diese Zeit = diesmal
die **Furke, –n** fork
verjüngen to rejuvenate
der **Adler, –** eagle
aufgeräumt in high spirits
der **Hacken, –** hoe
der **Rasen, –** piece of sod
ab=schälen to cut out (literally: "to peel off")
des Endes = zu diesem Zweck
gegen . . . über = gegenüber
hangen = hängen

bückte[+] sich zu Heinrichen, sah ganz ernsthaft aus und sagte: Sieh, welch eine Schlafkappe!" Heinrich fuhr[+] ineinander, und ein Schauer[+] ging ihm durch die Seele. Er hat mir hernach wohl gestanden, daß dieses einen unvergeßlichen Eindruck auf ihn gemacht habe.

Indessen stieg Vater Stilling mit dem Rasen das Dach hinauf. Heinrich schnitzelte[+] an einem Hölzchen; indem er drauf sah, hörte er ein Gepolter;[+] er sah hin, vor seinen Augen war's schwarz, wie die Nacht—lang hingestreckt[+] lag da der teure, liebe Mann unter der Last von Leitern, seine Hände vor der Brust gefalten;[+] die Augen starrten; die Zähne klapperten[+] und alle Glieder bebten, wie ein Mensch im starken Frost.[+] Heinrich warf eiligst die Leitern von ihm, streckte die Arme aus, und lief wie ein Rasender[+] das Dorf hinab, und erfüllte das ganze Tal mit Zeter[+] und Jammer. Margarete und Mariechen hörten im Garten kaum halb die seelzagende[+] kenntliche[+] Stimme ihres geliebten Knaben; Mariechen tat einen hellen Schrei, rang die Hände über dem Kopf und flog das Dorf hinauf. Margarete strebte hinter ihr her, die Hände vorwärts ausgestreckt, die Augen starrten umher; dann und wann[+] machte ein heiserer[+] Schrei der beklemmenden[+] Brust ein wenig Luft. Mariechen und Heinrich waren zuerst bei dem lieben Manne. Er lag da lang ausgestreckt, die Augen und der Mund waren geschlossen, die Hände noch vor der Brust gefalten, und sein Odem[+] ging langsam und stark, wie bei einem gesunden Menschen, der ordentlich schläft; auch bemerkte man nirgend, daß er blutrünstig[+] war. Mariechen weinte häufige Tränen auf sein Angesicht und jammerte beständig: „Ach! mein Vater! mein Vater!" Heinrich

---

sich bücken to stoop
ineinan'der=fahren = zusam'men=fahren to start back in alarm
der **Schauer** shudder
schnitzeln to carve
das **Gepolter** rumbling noise
lang hingestreckt in full length
die **Leiter, –n** ladder
gefalten = gefaltet
klappern to chatter
der **Frost** chill
der **Rasende, –n** mad person
Zeter. A cry for help
seelzagend (*obsolete*) agonizing
kenntlich recognizable, well-known
dann: ~ und wann now and then
heiser hoarse
beklemmend oppressed
der **Odem** breath
blutrünstig = blutig

saß zu seinen Füßen im Staub, schluchzte+ und weinte. Indessen kam Margarete auch hinzu; sie fiel neben ihm nieder auf die Knie, faßte ihren Mann um den Hals, rief ihm mit ihrer gewohnten Stimme ins Ohr, aber er gab kein Zeichen von sich. Die heldenmütige Frau
5 stand auf, faßte Mut; auch war keine Träne aus ihren Augen gekommen. Einige Nachbarn waren indessen hinzugekommen, vergossen alle Tränen, denn er war allgemein beliebt gewesen. Margarete machte geschwind in der Stube ein niedriges Bett zurecht; sie hatte ihre besten Bettücher, die sie vor etlich+ und vierzig Jahren als Braut
10 gebraucht hatte, übergespreitet.+ Nun kam sie ganz gelassen+ heraus, und rief: „Bringt nur meinen Eberhard herein aufs Bett!" Die Männer faßten ihn an, Mariechen trug am Kopf, und Heinrich hatte beide Füße in seinen Armen: sie legten ihn aufs Bett, und Margarete zog ihn aus und deckte ihn zu. Er lag da, ordentlich wie ein gesunder
15 Mensch, der schläft. Nun wurde Heinrich beordert,+ nach Florenburg zu laufen, um einen Wundarzt+ zu holen. Der kam auch denselben Abend, untersuchte ihn, ließ ihm zur Ader+ und erklärte sich, daß zwar nichts zerbrochen sei, aber doch sein Tod binnen dreien Tagen gewiß sein würde, indem sein Gehirn ganz zerrüttet+ wäre.

GOETHE

Goethe's *Dichtung und Warheit* ("Fiction and Truth") is one of the great autobiographies of world literature. It set an example of a new type of personal history. Goethe wrote it when he was sixty years old, but it tells the story only of his formative years. He saw his own life and his own person as a historical phenomenon. In this work he passes in review everything that contributed to making him what he had become: his family background and the state of German literature when he entered it, as well as his own character and his most personal experiences—his love affairs and his friendships.

---

schluchzen to sob
etlich und (*obsolete*) some
über=spreiten to spread out
gelassen composed
beordern to order
der **Wundarzt, ⸗e** surgeon
die **Ader:** zur ∾ lassen to bleed
zerrütten to shatter

In *Dichtung und Wahrheit* Goethe describes the house of his parents, who belonged to the patrician circles of the old city of Frankfurt. He tells of his three years as a law student in Leipzig; of the lingering time back at Frankfurt when he was convalescing from a hemorrhage of the lungs; of the student days in Strassburg; of his life as a young lawyer at the imperial court in Wetzlar; and of the three years of youthful and creative exuberance spent in Frankfurt and on travels, until, at the age of twenty-six, he went to Weimar to begin his mature life of action and self-education.

While he was a student at Strassburg, Goethe liked to visit the beautiful Alsatian countryside, mostly on horseback. A friend of his, Weyland, once proposed to take him to a country parson's home in the village of Sesenheim. Goethe, a rich and brilliant young man, with inexhaustible vitality and always fond of play-acting, introduced himself in the garb and with the demeanor of a poor theology student. But the simple harmony of the family life and the cordial welcome that was offered him made his disguise and deceit weigh on Goethe. He was especially moved by his encounter with one of the pastor's daughters, Friedrike Brion, called Riekchen, for whom he later wrote some of his most beautiful poems and whom he abandoned in the end. The passage given below begins with the two young men in their room on the evening of the first day of the visit.

Sesenheim

So schwatzten wir zusammen tief in die Nacht, und ich war schon
wieder munter, als es tagte. Das Verlangen, sie wiederzusehen, schien
unüberwindlich; allein indem ich mich anzog, erschrak ich über die ver-
wünschte+ Garderobe,+ die ich mir so freventlich+ ausgesucht hatte.
Je weiter ich kam, meine Kleidungsstücke anzulegen, desto nieder- 5
trächtiger+ erschien ich mir: denn alles war ja auf diesen Effekt+ berech-
net. Mit meinen Haaren wäre ich allenfalls+ noch fertig geworden;
aber wie ich mich zuletzt in den geborgten,+ abgetragenen grauen Rock

---

verwünscht confounded
die Gardero'be, –n wardrobe
freventlich outrageous
niederträchtig abject, worthless
Effekt'. To look both poor and ridiculous, Goethe wore borrowed clothing and disarranged his hair, normally braided into a fashionable queue.
allenfalls' in case of need
borgen to borrow

einzwängte+ und die kurzen Ärmel+ mir das abgeschmackteste+ Ansehen gaben, fiel ich desto entschiedener in Verzweifelung, als ich mich in einem kleinen Spiegel nur teilweise betrachten konnte; da denn+ immer ein Teil lächerlicher aussah als der andre.

5 Über dieser Toilette+ war mein Freund aufgewacht und blickte, mit der Zufriedenheit eines guten Gewissens und im Gefühl einer freudigen Hoffnung für den Tag, aus der gestopften+ seidenen Decke. Ich hatte schon seine hübschen Kleider, wie sie über den Stuhl hingen, längst beneidet, und wäre er von meiner Taille+ gewesen, ich hätte sie ihm vor 10 den Augen weggetragen, mich draußen umgezogen und ihm meine verwünschte Hülle, in den Garten eilend, zurückgelassen; er hätte guten Humor genug gehabt, sich in meine Kleider zu stecken, und das Märchen wäre bei frühem Morgen zu einem lustigen Ende gelangt. Daran war aber nun gar nicht zu denken, so wenig als wie an irgend eine 15 schickliche+ Vermittelung.+ In der Figur, in der mich mein Freund für einen zwar fleißigen und geschickten, aber armen Studiosen+ der Theologie ausgeben+ konnte, wieder vor Friedriken+ hinzutreten, die gestern abend an mein verkleidetes Selbst so freundlich gesprochen hatte, das war mir ganz unmöglich. Ärgerlich und sinnend stand ich da und 20 bot+ all mein Erfindungsvermögen auf; allein es verließ mich. Als nun aber gar der behaglich Ausgestreckte, nachdem er mich eine Weile fixiert+ hatte, auf einmal in ein lautes Lachen ausbrach und ausrief: „Nein! es ist wahr, du siehst ganz verwünscht+ aus!" versetzte ich heftig: „Und ich weiß, was ich tue; leb' wohl+ und entschuldige mich!"—„Bist 25 du toll!" rief er, indem er aus dem Bette sprang und mich aufhalten wollte. Ich war aber schon zur Türe hinaus, die Treppe hinunter,

---

ein=zwängen to squeeze in
der **Ärmel, –** sleeve
abgeschmackt absurd
da denn whereby
die **Toilet'te** act of dressing
stopfen to stuff
die **Taille** waist
schicklich seemly
die **Vermittelung, –en** explanation
der **Studio'sus** = der **Student**
aus=geben to pass off
Friedri'ken. The ending –(e)n (archaic today) indicates the direct or indirect object case of proper names.
auf=bieten to summon
fixie'ren to stare at
verwünscht confounded
leb' wohl good-bye

aus Haus und Hof, nach der Schenke;+ im Nu+ war mein Pferd gesattelt, und ich eilte in rasendem+ Unmut+ galoppierend nach Drusenheim,+ den Ort hindurch und immer weiter.

Da ich mich nun in Sicherheit glaubte, ritt ich langsamer und fühlte nun erst, wie unendlich ungern ich mich entfernte. Ich ergab 5 mich aber in mein Schicksal, vergegenwärtigte+ mir den Spaziergang von gestern abend mit der größten Ruhe und nährte die stille Hoffnung, sie bald wiederzusehn. Doch verwandelte sich dieses stille Gefühl bald wieder in Ungeduld, und nun beschloß ich, schnell in die Stadt zu reiten, mich umzuziehen, ein gutes frisches Pferd zu nehmen; da+ ich denn 10 wohl allenfalls,+ wie mir die Leidenschaft vorspiegelte,+ noch vor Tische oder, wie es wahrscheinlicher war, zum Nachtische+ oder gegen Abend gewiß wieder eintreffen+ und meine Vergebung erbitten konnte.

Eben wollte ich meinem Pferde die Sporen geben, um diesen Vorsatz auszuführen, als mir ein anderer und, wie mich deuchte,+ sehr 15 glücklicher Gedanke durch den Geist+ fuhr. Schon gestern hatte ich im Gasthofe zu Drusenheim einen sehr sauber gekleideten Wirtssohn bemerkt, der auch heute früh, mit ländlichen Anordnungen+ beschäftigt, mich aus seinem Hofe begrüßte. Er war von meiner Gestalt und hatte mich flüchtig+ an mich selbst erinnert. Gedacht, getan! Mein 20 Pferd war kaum umgewendet, so befand ich mich in Drusenheim; ich brachte es in den Stall und machte dem Burschen kurz und gut den Vortrag:+ er solle mir seine Kleider borgen,+ weil ich in Sesenheim etwas Lustiges vorhabe.+ Da brauchte ich nicht auszureden;+ er nahm

---

die **Schenke, -n** inn
(das) **Nu:** im ~ in an instant
rasend frantic
der **Unmut** ill-humor
Drusenheim. A village, about 20 miles northeast of Strassburg
sich **vergegenwär'tigen** to conjure up before one's eyes
da . . . denn whereby
allenfalls' at best
vor=spiegeln: wie . . . vorspiegelte as my passion fancied
der **Nachtisch** dessert
ein=treffen to arrive
deuchte: wie mich ~ as it seemed to me
der **Geist:** durch den ~ fahren to cross a person's mind
die **Anordnung, -en** order; assignment (of a task)
flüchtig for a moment
der **Vortrag** = der **Vorschlag**
borgen to loan
vor=haben to intend (to do)
aus=reden to finish speaking

den Vorschlag mit Freuden an und lobte mich, daß ich den Mamsells+ einen Spaß machen wolle; sie wären so brav und gut, besonders Mamsell Riekchen,+ und auch die Eltern sähen gerne, daß es immer lustig und vergnügt zuginge. Er betrachtete mich aufmerksam, und da er
5 mich nach meinem Aufzug+ für einen armen Schlucker+ halten mochte, so sagte er: Wenn Sie sich insinuieren wollen, so ist das der rechte Weg. Wir waren indessen schon weit in unserer Umkleidung gekommen, und eigentlich sollte er mir seine Festtagskleider gegen die meinigen nicht anvertrauen; doch er war treuherzig+ und hatte ja mein Pferd im
10 Stalle. Ich stand bald und recht schmuck+ da, warf mich in die Brust,+ und mein Freund schien sein Ebenbild+ mit Behaglichkeit zu betrachten.—„Topp,+ Herr Bruder!" sagte er, indem er mir die Hand hinreichte, in die ich wacker einschlug, „komme Er+ meinem Mädel nicht zu nah, sie möchte sich vergreifen."+

15 Meine Haare, die nunmehr+ wieder ihren völligen Wuchs+ hatten, konnte ich ungefähr wie die seinigen scheiteln,+ und da ich ihn wiederholt betrachtete, so fand ich's lustig, seine dichteren Augenbrauen mit einem gebrannten Korkstöpsel+ mäßig nachzuahmen und sie in der Mitte näher zusammenzuziehen, um mich bei meinem rätselhaften
20 Vornehmen+ auch äußerlich zum Rätsel zu bilden. „Habt Ihr nun", sagte ich, als er mir den bebänderten Hut reichte, „nicht irgend etwas in der Pfarre auszurichten,+ daß ich mich auf eine natürliche Weise

---

die Mamsell', -s Miss (18th century use for middle-class girls, when Fräulein was reserved for the nobility)
Riekchen. Form of endearment for Friedrike
der Aufzug attire
der Schlucker, – wretch
treuherzig openhearted
schmuck neat, elegant—**die Brust:** sich in die ~ werfen to give oneself airs
das Ebenbild likeness
topp! all right!
Er. Addressing Goethe playfully as a member of his own class, the farmer uses Er, then a common form of address among peasants and workers. He shifts to the polite Sie as soon as he speaks to Goethe as a member of the middle class, while the latter addresses him with Ihr, commonly used toward persons of lower social rank.
sich vergreifen to make a mistake
nunmehr by this time
der Wuchs: ihren völligen ~ their natural appearance
scheiteln to part (hair)
der Korkstöpsel, – cork stopper
das Vornehmen undertaking
aus=richten to deliver a message

Photo Marburg

Goethe im Alter von 30 Jahren
Gemalt von G. O. May

dort anmelden könnte!"—„Gut!" versetzte er, „aber da müssen Sie noch zwei Stunden warten. Bei uns ist eine Wöchnerin;+ ich will mich erbieten, den Kuchen+ der Frau Pfarrin zu bringen, den mögen Sie dann hinübertragen. Hoffart+ muß Not leiden, und der Spaß denn
5 auch."—Ich entschloß mich zu warten; aber diese zwei Stunden wurden mir unendlich lang, und ich verging+ vor Ungeduld, als die dritte verfloß, ehe der Kuchen aus dem Ofen kam. Ich empfing ihn endlich ganz warm und eilte bei dem schönsten Sonnenschein mit meinem Kreditiv+ davon, noch eine Strecke von meinem Ebenbild begleitet,
10 welches gegen Abend nachzukommen und mir meine Kleider zu bringen versprach, die ich aber lebhaft ablehnte und mir vorbehielt, ihm die seinigen wieder zuzustellen.+

Ich war nicht weit mit meiner Gabe gesprungen, die ich in einer sauberen zusammengeknüpften Serviette+ trug, als ich in der Ferne
15 meinen Freund mit den beiden Frauenzimmern+ mir entgegenkommen sah. Mein Herz war beklommen,+ wie sich's eigentlich unter dieser Jacke nicht ziemte. Ich blieb stehen, holte Atem und suchte zu überlegen, was ich beginnen solle; und nun bemerkte ich erst, daß das Terrain+ mir sehr zustatten+ kam: denn sie gingen auf der andern Seite
20 des Baches, der, so wie die Wiesenstreifen, durch die er hinlief, zwei Fußpfade ziemlich auseinander hielt. Als sie gegen+ mir über waren, rief Friedrike, die mich schon lange gewahrt hatte: „George,+ was bringst du?"—Ich war klug genug, das Gesicht mit dem Hute, den ich abnahm, zu bedecken, indem ich die beladene Serviette+ hoch in die
25 Höhe hielt.—„Ein Kindtaufkuchen!" rief sie dagegen, „wie gehts der Schwester?"—„Guet,+ sagte ich, indem ich, wo+ nicht elsässisch+, doch

---

die **Wöchnerin, –en** woman in childbed
der **Kuchen.** That is, as a payment in kind for the baptism of the new-born child
die **Hoffart:** ∼ muß Not leiden (*proverb*) "pride will have a fall"
vergehen. Translate here: to die
das **Kreditiv', –e** credentials
zu=stellen to transmit
die **Serviet'te, –n** napkin
das **Frauenzimmer, –** woman (today only derogative)
beklommen oppressed
das **Terrain'** ground
zustat'ten: ∼ kommen to be useful
gegen . . . über = gegenüber
George. Note the French form of the German Georg: Alsace is bilingual.
guet (*dialect*) = **gut**
wo if—**elsässisch** in Alsatian dialect

fremd zu reden suchte.—„Trag' ihn nach Hause!" sagte die Älteste, „und wenn du die Mutter nicht findest, gib ihn der Magd; aber wart' auf uns, wir kommen bald wieder, hörst du!" Ich eilte meinen Pfad hin, im Frohgefühl[+] der besten Hoffnung, daß alles gut ablaufen[+] müsse, da der Anfang glücklich war, und hatte bald die Pfarrwohnung erreicht. Ich fand niemand weder im Haus noch in der Küche; den Herrn, den ich beschäftigt in der Studierstube vermuten konnte, wollte ich nicht aufregen,[+] ich setzte mich deshalb auf die Bank vor der Türe, den Kuchen neben mich, und drückte den Hut ins Gesicht.

Ich erinnere mich nicht leicht einer angenehmern Empfindung. Hier an dieser Schwelle wieder zu sitzen, über die ich vor kurzem in Verzweiflung hinausgestolpert[+] war; sie schon wieder gesehn, ihre liebe Stimme schon wieder gehört zu haben, kurz nachdem mein Unmut[+] mir eine lange Trennung vorgespiegelt[+] hatte; jeden Augenblick sie selbst und eine Entdeckung zu erwarten, vor der mir das Herz klopfte, und doch, in diesem zweideutigen Falle, eine Entdeckung ohne Beschämung; dann, gleich zum Eintritt, einen so lustigen Streich, als keiner derjenigen, die gestern belacht worden waren! Liebe und Not sind doch die besten Meister; hier wirkten sie zusammen, und der Lehrling war ihrer nicht unwert geblieben.

Die Magd kam aber aus der Scheune[+] getreten.—„Nun! sind die Kuchen geraten?" rief sie mich an: „Wie geht's der Schwester?"—„Alles guet", sagte ich und deutete auf den Kuchen, ohne aufzusehen. Sie faßte die Serviette und murrte:[+] „Nun, was hast du heute wieder? Hat Bärbchen[+] wieder einmal einen andern angesehn? Laß es uns nicht entgelten![+] Das wird eine saubere Ehe werden, wenn's so fortgeht."—Da sie ziemlich laut sprach, kam der Pfarrer ans Fenster und fragte, was es gebe? Sie bedeutete[+] ihn; ich stand auf und kehrte mich

---

das Frohgefühl. A typical Goethean compound, meaning happy feeling
ab=laufen to go off
auf=regen to excite, disturb
hinaus'=stolpern to stumble out
der Unmut ill-humor
vor=spiegeln to present to one's mind
die Scheune, –n barn
murren to grumble
Bärbchen. Diminutive of Barbara
entgelten to pay for; to suffer for
bedeuten. Translate here: to inform

nach ihm zu, doch hielt ich den Hut wieder übers Gesicht. Als er etwas Freundliches gesprochen und mich zu bleiben geheißen hatte, ging ich nach dem Garten und wollte eben hineintreten, als die Pfarrin, die zum Hoftore hereinkam, mich anrief. Da mir die Sonne gerade ins
5 Gesicht schien, so bediente ich mich abermals des Vorteils, den mir der Hut gewährte, grüßte sie mit einem Scharrfuß;+ sie aber ging in das Haus, nachdem sie mir zugesprochen+ hatte, ich möchte nicht weggehen, ohne etwas genossen+ zu haben. Ich ging nunmehr+ in dem Garten auf und ab; alles hatte bisher den besten Erfolg gehabt, doch holte ich
10 tief Atem, wenn ich dachte, daß die jungen Leute nun bald herankommen würden. Aber unvermutet+ trat die Mutter zu mir und wollte eben eine Frage an mich tun, als sie mir ins Gesicht sah, das ich nicht mehr verbergen konnte, und ihr das Wort im Munde stockte.—„Ich suche Georgen", sagte sie nach einer Pause, „und wen finde ich! Sind Sie
15 es, junger Herr? Wie viel Gestalten haben Sie denn?"—„Im Ernst nur *eine*", versetzte ich, „zum Scherz so viel Sie wollen."—„Den will ich nicht verderben", lächelte sie: „Gehen Sie hinten zum Garten hinaus und auf der Wiese hin, bis es Mittag schlägt; dann kehren Sie zurück, und ich will den Spaß schon eingeleitet haben." Ich tat's; allein, da
20 ich aus den Hecken+ der Dorfgärten heraus war und die Wiesen+ hingehen wollte, kamen gerade einige Landleute den Fußpfad her, die mich in Verlegenheit setzten. Ich lenkte deshalb nach einem Wäldchen, das ganz nah eine Erderhöhung bekrönte, um mich darin bis zur bestimmten Zeit zu verbergen. Doch wie wunderlich ward mir zumute, als
25 ich hineintrat: denn es zeigte sich mir ein reinlicher Platz mit Bänken, von deren jeder man eine hübsche Aussicht in die Gegend gewann. Hier war das Dorf und der Kirchturm, hier Drusenheim und dahinter die waldigen Rheininseln, gegenüber die Vogesischen Gebirge+ und

---

der **Scharrfuß, ⸗e** ceremonious bow (executed with a scraping of the foot)
zu⸗sprechen to exhort
genießen. Translate here: to take food and drink
nunmehr now
unvermutet unexpected
die **Hecke, –n** hedge
die **Wiesen hin = über die Wiesen hin**
die **Voge'sischen Gebirge** Vosges Mountains

zuletzt der Straßburger Münster.+ Diese verschiedenen himmel-
hellen Gemälde waren durch buschige Rahmen eingefaßt, so daß man
nichts Erfreulicheres und Angenehmeres sehen konnte. Ich setzte mich
auf eine der Bänke und bemerkte an dem stärksten Baum ein kleines
längliches Brett mit der Inschrift „Friedrikens Ruhe." Es fiel mir 5
nicht ein, daß ich gekommen sein könnte, diese Ruhe zu stören: denn
eine aufkeimende+ Leidenschaft hat das Schöne, daß, wie sie sich ihres
Ursprungs unbewußt ist, sie auch keinen Gedanken eines Endes haben
und, wie sie sich froh und heiter fühlt, nicht ahnen kann, daß sie wohl
auch Unheil stiften dürfte. 10

Kaum hatte ich Zeit gehabt, mich umzusehn, und verlor mich eben
in süße Träumereien, als ich jemand kommen hörte; es war Friedrike
selbst.—„George, was machst du hier?" rief sie von weitem.—„Nicht
George", rief ich, indem ich ihr entgegenlief, „aber einer, der tausendmal um Verzeihung bittet." Sie betrachtete mich mit Erstaunen, 15
nahm sich aber gleich zusammen und sagte nach einem tieferen Atemholen: „Garstiger+ Mensch, wie erschrecken Sie mich!"—„Die erste
Maske hat mich in die zweite getrieben", rief ich aus; „jene wäre unverzeihlich gewesen, wenn ich nur einigermaßen+ gewußt hätte, zu wem
ich ging; diese vergeben Sie gewiß, denn es ist die Gestalt von Men- 20
schen, denen Sie so freundlich begegnen."+—Ihre bläßlichen Wangen
hatten sich mit dem schönsten Rosenrote gefärbt.—„Schlimmer sollen
Sie's wenigstens nicht haben als George! Aber lassen Sie uns sitzen!
Ich gestehe es, der Schreck+ ist mir in die Glieder gefahren."—Ich
setzte mich zu ihr, äußerst bewegt.—„Wir wissen alles bis heute früh 25
durch Ihren Freund", sagte sie, „nun erzählen Sie mir das Weitere."
Ich ließ mir das nicht zweimal sagen, sondern beschrieb ihr meinen
Abscheu+ vor der gestrigen Figur, mein Fortstürmen+ aus dem Hause
so komisch, daß sie herzlich und anmutig lachte; dann ließ ich das

---

das (*or*, *obsolete*, der) **Münster** cathedral, minster
auf-keimen to bud
garstig nasty
einigermaßen faintly
begegnen. Translate here: to treat
der **Schreck:** der . . . gefahren I am numb with fright
der **Abscheu** disgust
fort-stürmen to rush (furiously) away

übrige folgen, mit aller Bescheidenheit zwar, doch leidenschaftlich genug, daß es gar wohl für eine Liebeserklärung in historischer Form hätte gelten können. Das Vergnügen, sie wiederzufinden, feierte ich zuletzt mit einem Kuße auf ihre Hand, die sie in den meinigen ließ. Hatte
5 sie bei dem gestrigen Mondscheingang die Unkosten+ des Gesprächs übernommen, so erstattete ich die Schuld nun reichlich von meiner Seite. Das Vergnügen, sie wiederzusehn und ihr alles sagen zu können, was ich gestern zurückhielt, war so groß, daß ich in meiner Redseligkeit+ nicht bemerkte, wie sie selbst nachdenkend und schweigend war.
10 Sie holte einigemal tief Atem, und ich bat sie aber- und abermal um Verzeihung wegen des Schrecks, den ich ihr verursacht hatte. Wie lange wir mögen gesessen haben, weiß ich nicht, aber auf einmal hörten wir „Riekchen! Riekchen!" rufen. Es war die Stimme der Schwester. —„Das wird eine schöne Geschichte geben", sagte das liebe Mädchen,
15 zu ihrer völligen Heiterkeit wieder hergestellt. „Sie kommt an meiner Seite her", fügte sie hinzu, indem sie sich vorbog, mich halb zu verbergen: „Wenden Sie sich weg, damit man Sie nicht gleich erkennt." Die Schwester trat in den Platz, aber nicht allein, Weyland ging mit ihr, und beide, da sie uns erblickten, blieben wie versteinert.

20 Wenn wir auf einmal aus einem ruhigen Dache eine Flamme gewaltsam ausbrechen sähen oder einem Ungeheuer begegneten, dessen Mißgestalt zugleich empörend und fürchterlich wäre, so würden wir von keinem so grimmigen Entsetzen befallen werden, als dasjenige ist, das uns ergreift, wenn wir etwas unerwartet mit Augen sehen, das
25 wir moralisch unmöglich glaubten.—„Was heißt das?" rief jene mit der Hastigkeit eines Erschrockenen, „was ist das? Du mit Georgen! Hand in Hand! Wie begreif' ich das?"—„Liebe Schwester", versetzte Friedrike ganz bedenklich:+ „der arme Mensch, er bittet+ mir was ab, er hat dir auch was abzubitten, du mußt ihm aber zum voraus ver-
30 zeihen."—„Ich verstehe nicht, ich begreife nicht", sagte die Schwester, indem sie den Kopf schüttelte und Weylanden ansah, der, nach seiner stillen Art, ganz ruhig dastand und die Szene ohne irgend eine Äuße-

die **Unkosten** *pl.* expenses
die **Redseligkeit** loquacity
bedenklich hesitatingly
ab=bitten to apologize for

rung betrachtete. Friedrike stand auf und zog mich nach sich. „Nicht gezaudert!“+ rief sie: „Pardon gebeten und gegeben!“—„Nun ja!“ sagte ich, indem ich der Ältesten ziemlich nahe trat: „Pardon habe ich vonnöten!“+ Sie fuhr+ zurück, tat einen lauten Schrei und wurde rot über und über; dann warf sie sich aufs Gras, lachte überlaut und wollte sich gar nicht zufrieden+ geben. Weyland lächelte behaglich und rief: „Du bist ein exzellenter Junge!“ Dann schüttelte er meine Hand in der seinigen. Gewöhnlich war er mit Liebkosungen+ nicht freigebig,+ aber sein Händedruck hatte etwas Herzliches und Belebendes; doch war er auch mit diesem sparsam.

HANS CAROSSA

Hans Carossa (born, 1878) occupies a prominent place among contemporary German prose writers. He draws the material for his writings almost exclusively from the experiences of his own life. A physician by profession, he has put the events and the philosophy of his professional life into the novel *Der Arzt Gion* ("Doctor Gion"). Carossa's other writings are plainly autobiographical. In several volumes he has presented mainly his formative years: his childhood, his boyhood, the intellectual influences to which he was exposed. In beautiful language he rounds out a few symbolical events of his life and succeeds in showing, with these personal anecdotes, the steps of his own growth and at the same time the material conditions and the outlook on life of his generation.

In one of his latest volumes, *Das Jahr der schönen Täuschungen* ("The Year of the Beautiful Illusions"), which appeared in 1943, Carossa describes his freshman year at the University of Munich and the following summer vacation, which he spent on the Danube with his family. Before the passage quoted below he mentions that a newspaper for the first time published one of his poems. The poem expressed, on the occasion of Bismarck's death (in 1898), a tribute to the "Iron Chancelor," who had united Germany almost thirty years before.

---

zaudern to hesitate
vonnö'ten: ∾ haben to need
zurü'ck-fahren to start back
zufrie'den: sich ∾ geben to calm down
die **Liebkosung, -en** display of feeling; caress—**freigebig** generous

Unterricht im Dichten

Mir sandte die unbekannte Welt begreiflicherweise keinen Widerhall+ auf mein Gedicht; doch überraschte mich in hellem Sommerkleid mit rotem Sonnenschirmchen die Gattin unseres Herrn Postvorstandes+ mit einem Besuch und stellte mir ihre beiden wohlerzogenen
5 Knaben von zwölf und fünfzehn Jahren vor, wobei sie mit bedeutsamem Lächeln zu verstehen gab, sie komme in einer besonderen Angelegenheit. Zunächst brachte sie Grüße von ihrem Mann; er und einige seiner Stammtischfreunde+ hätten sich sehr über mein Bekenntnis zum Eisernen Kanzler gefreut. Niemand hört ungern ein Lob, doch
10 ließ ihre weitere Rede nicht zweifeln, daß es gerade jenen Stellen galt, deren ich mich nachträglich+ schämte, jenem Anekdotischen,+ hanebüchen Stofflichen, das ich für immer in mir ausmerzen+ wollte. Und welcher Schreck befiel mich nun, als die hübsche Frau sich gelassen+ erkundigte, welches Honorar+ ich ungefähr verlangen würde, wenn ich
15 ihren beiden Söhnen das Dichten beibrächte! Ein Blick in ihr Gesicht belehrte mich, daß dies keine Scherzfrage war. Es gebe doch allerlei Lagen im Leben, wo so etwas von Vorteil wäre, meinte sie und hatte nicht unrecht; gehörte es doch schon im alten China zur allgemeinen Bildung, daß man lernte, sich in Versen auszudrücken. Ich spürte
20 jedoch kein sonderliches Talent zur Unterweisung+ in mir, und zwei Tage später hätte ich sicherlich eine gefällige Form der Ablehnung gefunden; jetzt aber verfiel ich wieder einmal in die Schwäche, nicht sofort nein sagen zu können, die jungen und alten Menschen so viel Schaden

---

der **Widerhall** echo; response

der Herr **Postvorstand** postmaster. (It is customary to place „Herr" (or „Frau") before titles when addressing or politely referring to a person.)

der **Stammtischfreund, –e.** One of a group of friends who get together regularly at an inn where a table is especially reserved for them.

nachträglich subsequent

anekdo'tisch: jenem . . . Stofflichen that element in my poetry which was narrative and truly outrageously prosaic.

aus=merzen to weed out

gelassen calm, composed

das **Honorar', –e** (professional) fee

die **Unterwei'sung, –en** instruction

bringt. Es war vor allem der sichere, selbstverständliche+ Ton des Ansinnens,+ der mich zu keinem Einspruch+ kommen ließ. Nur so weit reichte meine Vorsicht, daß ich fragte, ob die zwei Buben denn überhaupt Lust zu der Sache hätten. Ja, nur von Lust erlaubte ich mir zu sprechen; denn zu betonen, daß man immerhin auch für das Erlernbare ein bescheidenes Maß von Sprachbegabung mitbringen müsse, wäre mir unhöflich vorgekommen. Als mir die rosige Besucherin dann unter Schmeichelblicken kräftig die Hand drückte, da tat ich noch ein übriges+ und behauptete, jede Vergütung+ zurückweisend, das Ganze sei für mich ein höchst nützliches Exerzitium+ und mache mir Vergnügen. Ich bestellte die beiden auf den nächsten Nachmittag, und sie trafen bestaubt und erhitzt im Garten ein. Die Stunde begann gar nicht unvernünftig; ich las ihnen verschiedene Gedichte vor, hielt+ sie zum Unterscheiden der Versfüße+ an, ließ sie ein paar Sätze niederschreiben und trug ihnen auf, den Inhalt so knapp wie möglich in gebundener Rede+ wiederzugeben. Vermutlich taugte meine Anleitung+ nicht viel; jedenfalls nagten+ die zwei Schüler vergeblich an ihren Aufgaben herum. Immerhin zeigten sie den besten Willen, waren auch keineswegs zimperlich,+ und wenn mich mein Eifer hinriß, sie mit hörnertragenden+ Geschöpfen zu vergleichen, dann lachten sie mich so freundlich zustimmend an, daß mich sogleich meine Unbeherrschtheit+ reute. Endlich war dem jüngeren unversehens+ ein Verslein gelungen, da schickte ich in meiner Herzensfreude ein Dorfkind mit Geld und mit unserem bauchigsten+ Krug+ zum Vetter Jakob hinauf und ließ bitten, das Gefäß mit jenem köstlichen Most+ zu füllen,

---

selbstverständlich natural, matter-of-course
das **Ansinnen,** – request
der **Einspruch,** ⸚e objection
übrig: ein ~es tun to do more than is necessary
die **Vergütung,** –en compensation
das **Exerzi'tium** (*pl.* Exerzitien) exercise
an=halten. Translate here: to invite
der **Versfuß,** ⸚e metrical foot
die **Rede:** gebundene ~ verse
die **Anleitung,** –en instruction; method
herum'=nagen to mull over (*literally:* to gnaw)
zimperlich touchy
hörnertragend bearing horns (that is, like an ox)
die **Unbeherrschtheit** lack of self-control
unversehens unexpectedly
bauchig pot-bellied
der **Krug,** ⸚e jug
der **Most** cider

an dessen gefährliche Eigenschaften ich wohl nicht mehr dachte. Der Krug kam zurück, von den singfreudigen+ Schwestern bis zum Rande gefüllt; sie sandten Grüße und nahmen für ihre Gabe so wenig eine Bezahlung an wie ich für meinen Unterricht, der nun eine andere Wendung nahm. Ich las Goethes Prometheusgedicht+ und erquickte+ dabei die durstigen Lehrlinge freigebig+ mit dem kühlen, grünlich trüben+ Trank, der sie für die trotzige Sprache des Feuerräubers bald über jedes Erwarten hinaus empfänglich machte. Der heiße Tag verführte mich selbst zu stärkerem Trinken, als mir zuträglich+ war; sonst hätte ich mich am Ende doch gehütet, ihnen auch noch jenes Gedicht von Dehmel+ zum besten zu geben,+ in dem es heißt: „Und wenn dir einst von Sohnespflicht, mein Sohn, dein alter Vater spricht, gehorch ihm nicht! Gehorch ihm nicht!"—Das war eine Lyrik, die den Knaben gewaltig einleuchtete.+ Bald kam in ihre Reden ein widersetzlicher+ Ton; sie hielten das ruhige Sitzen nicht mehr aus, liefen um die Bäume, und während der jüngere in einem fort+ lachte, schrie der ältere wie besessen:+ „Gehorch ihm nicht! Gehorch ihm nicht!" Unaufhaltsam+ entwuchsen sie der Poetenschule, und ich konnte nur froh sein, daß meine guten Eltern wieder einmal in Passau+ Wohnungen besichtigten,+—was hätte der Vater zu solchem Unterricht gesagt!

Nach dem Vortrag der Aufruhrgedichte+ stand+ es mir nicht mehr wohl an, den Zuchtmeister+ zu spielen; mit wachsender Beklemmung+ sah ich dem Treiben meiner Schüler zu; der jüngere entdeckte schließlich

---

singfreudig fond of singing

Prome'theusgedicht. A poem written by the young Goethe, which glorifies the struggle against higher authority and makes the Feuerräuber ("stealer of the fire") a symbol of man's reliance in his own strength.

erquicken to refresh

freigebig generous

trüb muddy; opaque

zuträglich beneficial, good

Dehmel: Richard Dehmel, German lyric poet (1863–1920)

geben: zum besten ~ to offer as a treat; to read *or* recite

ein=leuchten to be intelligible

widersetz'lich disobedient

fort: in einem ~ without interruption

besessen possessed (by a devil)

unaufhalt'sam irresistible

Passau. Bavarian city on the Danube

besichtigen to look at

(**Aufruhrgedicht**): der Aufruhr rebellion

an=stehen to become

der **Zuchtmeister, –** disciplinarian

die **Beklemmung, –en** anxiety

den Pflaumenbaum,+ an dem, rot gefärbten Eiern gleich, die früh gereiften Früchte hingen.—„Darf ich etliche holen?" fragte er, und schon wagte ich nichts mehr zu verweigern. Der Baum war aber nicht leicht zu erklettern, und als der Begehrliche bis zur Höhe des Astes gelangt war, der die schönsten Pflaumen trug, da hingen diese seinen Händen zu fern. Während ich mich jedoch darüber freute, ersannen die Knaben einen unglaublichen Frevel, und wie gelähmt, keiner Abwehr+ fähig, ließ ich ihn geschehen. Der ältere, nicht minder betrunken, hatte im Stadel+ eine Baumsäge+ gefunden; mit dieser kletterte er dem Bruder nach und reichte sie ihm hinauf. Die beiden Sünder verstanden sich ohne viel Worte; knirschend+ fuhr die Säge in das Holz. Jetzt schrie ich ein drohendes Verbot empor; sie hörten aber gar nicht mehr darauf, der üppige Ast rauschte nieder, und rasend+ stürzten die Wildlinge+ über die seltenen Früchte her, die für das Namensfest+ der Mutter bestimmt gewesen. Ein erzwungenes Lächeln auf den Lippen, aber Unheilsgedanken im Herzen, sagte ich mir, daß Apfelmost+ und kaum gereifte Pflaumen+ sich in menschlichen Eingeweiden+ schwerlich gut vertragen würden, und spornte+ sie zu immer kräftigerem Trinken an. Die erwartete Wirkung blieb+ nicht aus; bald wurde der jüngere, dann der ältere ernst, still und kreideweiß, und auf einmal empfahlen sie sich ohne Danksagung. In welchem Zustand sie zu Hause eingetroffen sind, habe ich nie genau erfahren; jedenfalls blieb diese erste Metrikstunde+ zugleich ihre letzte, und wenn ich später ihrer Frau Mama begegnete, hielt sie ihren Sonnen- oder Regenschirm jedesmal gerade so über ihr rosiges Antlitz, daß es mir nicht möglich war, den höflichen Gruß, den ich für sie bereit hielt, anzubringen.+

(**Pflaumenbaum**): die Pflaume, -n plum
die **Abwehr** preventive move
der **Stadel**, - (*dialect*) shed
(**Baumsäge**): die Säge, -n saw
knirschen to creak
rasend mad
der **Wildling**, -e unruly fellow
das **Namensfest** In Catholic countries, anniversary of the saint after whom a person is named
(**Apfelmost**): der Most cider
die **Eingeweide** *pl.* bowels
an-spornen to spur
aus-bleiben to fail to take place
(**Metrikstunde**): die Metrik versification
an-bringen to use

Aus einem Roman

GOTTFRIED KELLER

The German novel of the nineteenth century cannot compare with the best French, English, or Russian novels in respect to observation and re-creation of the world around us. The wealth and truth of social realities, of psychological situations, of observation of manners, that we find in Tolstoi, Balzac, or Jane Austen, have no counterpart of equal greatness in German letters. The Germans of this period were more interested in an attempt to observe their own inner selves and at the same time to penetrate intellectually the situations that life offers, in order to understand what these situations could yield to build up a worth-while human existence and to develop a personality. This direction toward the inner life, which other nations consider so typically German, has found its best expression in the German *Bildungsroman*, the novel that shows the formation and education of a person through all his different stages to the moment when he is in full, mature possession of his powers. The German tendency to interpret the events of life as contributing to a person's inner development can be observed as far back as the medieval German version of the Percival romance. The form of the modern novel of character development, however, dates from Goethe's *Wilhelm Meister's Lehrjahre* ("Wilhelm Meister's Apprenticeship"), 1796. Its greatest representatives in the nineteenth century are Adalbert Stifter's *Nachsommer* ("Indian Summer"), 1857, and Gottfried Keller's *Grüner Heinrich* ("Green Henry"), 1880.

Gottfried Keller (1819–1890), a native of Zürich in Switzerland, is considered by most critics to be the greatest master of German prose in the nineteenth century. The first characteristic of Keller's style which strikes the reader is its irony. In his *Novellen* Keller satirizes folly, bigotry, and vice; but he does so in order to prove that human misery can be overcome by love alone. In the novel, "green" Heinrich Lee is educated by making a fool of himself time and time again. He sets out with the wish to be an artist, in the tradition of the hero of Goethe's character novel, but is finally educated simply to be an active member of the community. The passage given below is taken from Keller's first version of the novel, written at a time when the simple recollection of a beautiful past had not yet yielded to the author's interest in the educational ideal. This explains the magic charm and serenity of the passage.

Heinrich und Anna

Nun wurde verabredet, daß die Tanzübungen mehrere Male wieder-holt werden sollten und Anna denselben beiwohnen.+ Für jetzt aber war es notwendig, da es dunkel geworden, daß jemand sie nach Hause begleite, und dazu wurde ich auserſehen.+ Dieſe Kunde klang mir
5 zwar wie Muſik, doch drängte+ ich mich nicht ſonderlich vor und ſtellte+ mich eher, als ob es mir verdrießlich und unbequem wäre; denn es erwachte ein Stolz in mir, der es mir faſt unmöglich machte, gegen das junge Ding freundlich zu tun, und je lieber+ ich es in meinem Herzen gewann, deſto mürriſcher+ und unbeholfener+ wurde mein
10 Äußeres. Das Mädchen aber blieb immer gleich, ruhig, beſcheiden und fein, und band gelaſſen+ ſeinen breiten Strohhut um, auf welchem einige Kornblumen und eine brennend rote Mohnblüte+ lagen; der Nachtkühle wegen brachte die Muhme+ einen prachtvollen weißen Staatsſhawl+ aus alter Zeit mit Aſtern und Roſen beſäet,+ den man
15 um ihr blaues, halb ländliches Kleid ſchlug, daß ſie mit ihren Gold-haaren und dem feinen Geſichtchen ausſah wie eine junge Engländerin aus den neunziger Jahren. So wandte ſie ſich nun anſcheinend ganz ruhig zum Gehen, gewärtig,+ wer ſie begleiten würde, aber ſich des-wegen nicht unentſchloſſen aufhaltend. Sie lächelte, durch den Mut-
20 willen+ der Baſen belebt und gedeckt, über meine Ungeſchicklichkeit, ohne ſich nach mir umzublicken, und vermehrte ſo meine Verlegenheit, da ich gegenüber den zuſammenhaltenden und verſchworenen Mädchen

---

bei=wohnen to take part in
aus=erſehen to choose
ſich vor=drängen to put oneself forward
ſich ſtellen (als ob) to pretend (that)
lieb: ∼ gewinnen to become fond of
mürriſch grumpy
unbeholfen awkward
gelaſſen calm, composed
(**Mohnblüte**): der Mohn poppy
die **Muhme, –n** aunt
der **Staatsſhawl** gala scarf
beſäet strewn, ornamented
gewärtig curious
der **Mutwille** playfulness

allein dastand und fast willens war, im Saale zurückzubleiben. Doch erbarmte sich die älteste Base meiner und rief mich noch einmal entschieden heran, so daß es mit meiner Ehre verträglich war, mich wenigstens dem Zuge anzuschließen, der sich vor das Haus bewegte. Wir gingen gemeinschaftlich bis an das Ende des Dorfes, wo der Berg anhub,+ über welchen Anna zu gehen hatte. Dort wurde Abschied genommen; ich stand im Hintergrunde und sah, wie sie ihr Tuch zusammenfaßte und sagte: „Ach, wer will nun eigentlich mit mir kommen?" indessen die Mädchen schalten und sagten: „Nun, wenn der Herr Maler+ so unartig ist, so muß eben jemand anders dich begleiten!" und ein Bruder rief: „Ei,+ wenn es sein muß, so gehe ich schon mit, obgleich der Maler ganz recht hat, daß er nicht den Jungfernknecht spielt, wie ihr es immer gern einführen möchtet!" Ich trat aber hervor und sagte barsch:+ „Ich habe gar nicht behauptet, daß ich es nicht tun wolle, und wenn es der Anna recht ist, so begleite ich sie schon." „Warum sollte es mir nicht recht sein?" erwiderte sie und ich schickte+ mich an, neben ihr herzugehen. Allein die Übrigen riefen, ich müßte sie durchaus am Arme führen, da wir so feine Stadtleutchen seien, ich glaubte dies und schob meinen Arm in den ihrigen, sie zog ihn rasch zurück und faßte mich unter den Arm, sanft, aber entschieden, indem sie lächelnd nach dem spottenden Volke zurücksah; ich merkte meinen Fehler und schämte mich dergestalt,+ daß ich ohne zu sprechen den Berg hinanstürmte und das arme Kind mir beinahe nicht folgen konnte. Sie ließ sich dies nicht ansehen, sondern schritt+ tapfer aus, und sobald wir allein waren, fing sie ganz geläufig+ und sicher an zu plaudern über die Wege, welche sie mir zeigen mußte, über das Feld, über den Wald, wem diese und jene Parzelle+ gehöre und wie es hier und dort vor wenigen Jahren noch gewesen sei. Ich wußte wenig zu erwidern, während ich aufmerksam zuhörte und jedes Wort wie einen Tropfen Muskatwein ver-

---

an=hub. *Archaic past of* an-heben to begin
Herr Maler. See note on page 160
Ei why!
barsch brusque
sich an=schicken to get ready
dergestalt to such a degree
aus=schreiten to take vigorous strides
geläufig fluent
die **Parzel'le, -n** lot (of land)

schlang;+ meine Eile hatte schon nachgelassen,+ als wir die Höhe des Berges erreichten und auf seiner Ebene gemächlich+ dahingingen. Der funkelnde Sternhimmel hing weit gebreitet über dem Lande und doch war es dunkel auf dem Berge, und die Dunkelheit band uns näher zusammen, da wir, unsere Gesichter kaum sehend, einander auch besser zu hören glaubten, wenn wir uns fest zusammenhielten. Das Wasser rauschte vertraulich im fernen Tale, hier und da sahen wir ein mattes Licht auf der dunklen Erde glimmen, welche sich massenhaft+ mit ihrem schwarzen Schatten vom Himmel sonderte,+ der sie am Rande mit einem blassen Dämmergürtel umgab. Ich beachtete dieses alles, lauschte den Worten meiner Begleiterin und bedachte zugleich für mich meine Freude und meinen Stolz, eine Geliebte am Arme zu führen, als welche ich sie ein für allemal betrachtete. Wir sprachen nun ganz munter und aufgeräumt+ von tausend Dingen, von gar nichts, dann wieder mit wichtigen Worten von unseren gemeinsamen Verwandten und ihren Verhältnissen, wie alte kluge Leute. Je näher wir ihrer Wohnung kamen, deren Licht bereits in der Tiefe glühte wie ein Leuchtwurm, desto sicherer und lauter wurde Anna, ihre Stimme bimmelte+ unaufhörlich und fein, gleich einem fernen Vesperglöckchen, ich setzte ihren artigen+ Einfällen+ die besten meiner eigenen Erfindung entgegen, und doch hatten wir uns den ganzen Abend noch nie unmittelbar angeredet und das Du+ war seit jenem einen Male nie mehr zwischen uns gefallen.+ Wir hüteten es, wenigstens ich, im Herzen gleich einem goldenen Sparpfennige, den man auszugeben gar nicht nötig hat; oder es schwebte wie ein Stern weit vor uns in neutraler Mitte, nach welchem sich unsere Reden und Beziehungen+ richteten+

---

verschlingen, a, u to gulp down
nach=lassen to slacken
gemächlich comfortable
massenhaft as a mass
sondern to separate
aufgeräumt cheerful
bimmeln to tinkle
artig clever—der **Einfall, ⸚e** sally
Du. Anna is a distant cousin of Heinrich's; the other cousins had obliged them to use the familiar Du as the country-like form of address among young folks instead of the city people's formal Sie.
fallen. Translate here: to be used
die **Beziehungen** *pl.* ways of dealing with each other
sich richten nach to be guided by

Photo Marburg

Albrecht Dürer (1741–1528): Die Drahtzieher-
mühle (wire factory) bei Nürnberg

und sich dort vereinigten, wie zwei Linien in einem Punkte, ohne sich vorher unzart zu berühren. Erst als wir in der Stube waren und ihren sie erwartenden Vater begrüßt hatten, nannte sie, die Ereignisse des Abends froh erzählend, beiläufig+ ganz unbefangen meinen Namen, 5 sooft es erforderlich war, und nahm, unter dem Schutze ihres Vaterhauses, wo sie sich geborgen fühlte wie eine Taube+ im Neste, unbesehens+ das Wörtchen Du hervor und warf es unbekümmert+ hin, daß ich es nur aufzunehmen und ebenso arglos zurückzugeben brauchte. Der Schulmeister machte mir Vorwürfe über mein langes Ausbleiben, und 10 um sicher zu gehen, forderte er mich zu dem Versprechen auf, gleich am nächsten Morgen früh zu kommen und den ganzen Tag an seinem See zuzubringen. Anna übergab mir den Shawl, den ich wieder zurücktragen sollte, dann leuchtete sie mir vor das Haus und sagte Adieu mit jenem angenehmen Tone, der ein anderer ist nach einer stillschwei- 15 gend geschlossenen Freundschaft als vorher. Kaum war ich aus dem Bereiche+ des Hauses, so schlug ich das blumige weiche Tuch, das mir eine Wolke des Himmels zu sein dünkte, um Kopf und Schultern und tanzte darin wie ein Besessener+ über den nächtlichen Berg. Als ich auf seiner Höhe war unter den Sternen, schlug es unten im Dorfe 20 Mitternacht, die Stille war nun nah und fern so tief geworden, daß sie in ein geisterhaftes Getöse+ überzugehen schien, und nur, wenn sich diese Täuschung zerstreute und man gesammelt+ horchte, rauschte und zog der Fluß immer vernehmlich, doch leise, wie ein im Traume klagendes Kind. Ein seliger Schauer schien, als ich einen Augenblick stand 25 wie festgebannt,+ rings vom Gesichtskreise heranzuzittern+ an den Berg, in immer engeren Zirkeln bis an mein Herz heran. Das Glück des Lebens schien seinen Rundgang über die schlafende Welt zu machen und, mich auf dem Berge wachend findend, mich an die Hand und für

---

beiläufig casually
die **Taube, –n** pigeon, dove
unbesehens suddenly
unbekümmert unconcerned
der **Bereich** range
der **Besessene, –n** madman
das **Getöse** roaring
gesammelt collected, attentive
festgebannt rooted to the spot; spellbound
heran'=zittern to move with a trembling motion toward the observer

immer an seine Seite zu nehmen. Ich entledigte mich andächtig meiner närrischen Umhüllung, legte sie zusammen, stieg träumend den Abhang hinunter und fand den Weg durch stockfinstere+ Waldwege nach Hause, ohne zu wissen wie.

Am nächsten Morgen legte ich denselben Weg, der von Tau und Sonne funkelte und blitzte, mit meinem Geräte beladen, zurück und sah bald den See unter dem Morgendufte+ hervorleuchten. Haus und Garten waren vom jungen Tag übergoldet und warfen ein reizendes Farbenbild in die unbewegte Flut, zwischen den Beeten+ bewegte sich eine blaue Gestalt, so fern und klein wie in einem Nürnberger Spielzeuge,+ das Bild verschwand wieder hinter den Bäumen, um bald desto größer und näher hervorzutreten und mich in seinen Rahmen mit aufzunehmen. Schulmeisters+ hatten mit dem Frühstücke auf mich gewartet, ich war sehr eßlustig geworden durch den weiten Weg und sah mich daher mit großer Zufriedenheit hinter dem Tische, während Anna die Tugenden eines angehenden+ Hausmütterchens aufs lieblichste spielen ließ und sich endlich neben mich setzte und so zierlich und mäßig an dem Essen nippte wie eine Elfe und als ob sie keine irdischen Bedürfnisse hätte. Ich sah sie indes kaum eine Stunde nachher mit einem mächtigen Stück Brot in der Hand und, mir auch ein solches bringend, unbefangen und tüchtig dreinbeißen mit ihren kleinen weißen Zähnen, und dies begierige+ Essen im Gehen und Plaudern stand+ ihr ebenso wohl an wie vorher der bescheidene Anstand am Tische und reizte mich, meinen Pferdekopf, wie wir die großen Brotstücke nannten, ebenso schnell und lustig zu verzehren, trotz des reichlich genossenen Frühstückes.

Nach diesem war der Vater mit der alten Magd in seinen Weinberg gestiegen, um von den reifenden Trauben+ das Laub+ zu brechen,

---

stockfinster pitch dark
(**Morgenduft**): der **Duft** haze
das **Beet, –e** flower bed
Nürnberger Spielzeug. These famous Nurnberg toys are miniature wooden houses, men and animals
der **Schulmeister, –.** The profession being here used like a proper name, its colloquial plural in –s, like English "the Millers," denotes the whole household.
angehend budding
begierig eager—**an=stehen** to suit
die **Traube, –n** grape—das **Laub** foliage

welches den Sonnenstrahlen den Zugang versperrte. Die Besorgung des Weinberges war, nebst dem Schlagen und Kleinmachen des Holzes, seine Hauptarbeit in seinem beschaulichen+ Leben. Ich hingegen+ sah mich nach einem Gegenstande meiner Tätigkeit um. Anna hatte
5 eine mächtige Wanne+ voll grüner Bohnen der Schwänzchen+ und Fäden zu entledigen und an lange Fäden zu reihen, um sie zum Dörren+ vorzubereiten. Damit ich in ihrer Nähe bleiben konnte, gab+ ich vor, ich müßte nun zur Abwechslung einmal Blumen nach der Natur malen, und bat sie, mir einen Strauß+ derselben zu brechen. Der
10 Zusammenstellung wegen begleitete ich sie in den Garten, und nach einer guten halben Stunde hatten wir endlich ein hübsches Bouquet beisammen und setzten es in ein altmodisches Prunkglas,+ dieses auf einen Tisch, der in einer Weinlaube+ hinter dem Hause stand, Anna schüttete ihre Bohnen rings darum her und wir setzten uns einander
15 gegenüber, bis zur Mittagsstunde arbeitend und von unseren gegenseitigen Lebensläufen,+ Eltern und Familien erzählend. Ich war nun ganz erwärmt und heimisch geworden und begann bald mit der Überlegenheit eines Bruders dem guten Kinde mit wichtigen Urteilen, eingestreuten+ Bemerkungen und Belehrungen zu imponieren,+ in-
20 dessen ich meine Blumen mit verwegenen+ bunten Farben anlegte+ und sie mir erstaunt und vergnügt zuschaute, über den Tisch gebeugt und ein Büschel+ Bohnen in der einen, das kleine Taschenmesserchen in der anderen Hand. Ich zeichnete den Strauß in natürlicher Größe auf einen Bogen und gedachte+ damit ein rechtes Prunkstück im Hause
25 zurückzulassen. Inzwischen kam die Magd vom Berge und forderte meine Gespielin+ auf, ihr zum Bereiten des Essens behilflich zu sein.

---

beschaulich easy-going and detached
hinge'gen for my part
die **Wanne, -n** tub
die **Schwänzchen** "little tail", that is, either end of the green bean
dörren to dry
vor=geben to pretend
der **Strauß, ⸗e** bouquet
(**Prunkglas**): der Prunk show
(**Weinlaube**): die Laube, -n arbor
die **Lebenslauf, ⸗e** life story
eingestreut occasional
imponie'ren (**jemandem**) to impress
verwegen daring
an=legen. Translate here: to sketch
das **Büschel, -,** bunch
gedenken to intend
die **Gespielin, -nen** playmate

Diese kurze Trennung, dann das Wiedersehen am Tische, die Ruhestunde nach demselben, das aufrichtige Bewundern meiner vorgeschrittenen Arbeit von seiten des Schulmeisters, gewürzt mit weisen Sprüchen, und endlich die Aussicht auf ein abermaliges Zusammensein bis zum Abend in der Laube+ veranlaßten ebenso viele angenehme Bewegungen und Zwischenspiele.+ Anna schien auch meines Sinnes+ zu sein, da sie eben wieder einen ansehnlichen Haufen Bohnen auf den Tisch schüttete, welcher bis zum Abend auszureichen schien. Allein die Haushälterin erschien plötzlich und erklärte, daß Anna mit in den Weinberg müßte, damit man heute mit demselben noch fertig würde und eines kleinen Überbleibsels+ wegen nicht am andern Tage hinzugehen brauche. Diese Erklärung betrübte mich und ich ward sehr ärgerlich über die alte Frau, Anna hingegen brach+ sogleich willig und freundlich auf und bezeigte weder Freude noch Verdruß über die Änderung ihres Planes. Die Alte, als sie mich bleiben sah, sagte, ob ich nicht auch mitkomme, ich werde doch nicht allein hier sein wollen und es sei recht schön im Weinberge. Allein ich war nun schon zu tief betrübt und unwillig und erklärte, ich müßte meine Zeichnung zu Ende führen. Demgemäß wurde mir ein kleines Fläschchen Wein und Brot in der Stube zurechtgesetzt für die Vesperzeit+ und der Hausschlüssel übergeben, den ich neben mich legte. Bald war ich allein in der einsamen Gegend und der Nachmittagsstille und fühlte mich nun doch wieder zufrieden. Auch kam dies Alleinsein meinem Machwerke+ zu gut,+ indem ich mir mehr Mühe gab, die natürlichen Blumen vor mir wirklich zu benutzen und an ihnen zu lernen, während ich am Vormittage mehr nach meiner früheren Kindermanier drauf losgepinselt+ hatte. Ich mischte die Farben genauer und verfuhr reinlicher und aufmerksamer mit den Formen und Schattierungen,+ und dadurch ent-

---

die **Laube, –n** arbor
das **Zwischenspiel, –e** interlude; entertainment—der **Sinn:** eines ~es sein to agree with a person
das **Überbleibsel** remainder
auf=brechen to start out
die **Vesper** afternoon snack
das **Machwerk, –e** poor piece of work
gut: zu ~ kommen to profit
pinseln: drauf los~ to paint with enthusiasm, but without plan
die **Schattierung, –en** shading (that is, the distribution of light and dark tones in painting)

stand ein Bild, welches an der Wand unschuldiger Landbewohner etwas vorstellen+ konnte.

Darüber verfloß die Zeit schnell und leicht und brachte den Abend, indessen ich mit Liebe die Zeichnung nach meiner Einsicht vervollkomm-
5 nete und überall ein Blatt oder einen Blumenstiel+ ausbesserte und einen Schatten verstärkte, dort einen vergessenen Staubfaden+ hinzufügte. Die Neigung für das Mädchen lehrte mich dies gewissenhafte Fertigmachen und Durchgehen der Arbeit, welches ich bis dahin noch nicht gekannt, und als ich gar nichts mehr anzubringen+ sah, schrieb
10 ich in eine Ecke des Blattes „Heinrich Lee fecit",+ was ich mir anderswo schon gemerkt hatte, und unter den Strauß+ mit schöner Schrift den Namen der künftigen Eigentümerin.

Der Weinberg mußte inzwischen noch ein großes Stück Arbeit gegeben haben, denn schon schwebte die Sonne dicht über dem Waldrande
15 und warf ein feuerfarbenes Band über das dunkelnde Gewässer her, und noch hörte ich nichts von meinen Gastfreunden. Ich setzte mich auf die Stufen vor dem Hause, den Wein und das Brot neben mir, wie ein Arbeiter, der seines Lohnes+ wert ist. Die Sonne ging hinab und ließ eine hohe Rosenglut zurück, welche auf alles einen sterbenden
20 Nachglanz warf und die Zeichnung auf meinen Knieen samt meinen Händen wunderbar rötete und etwas Rechtem gleichsehen ließ. Da ich sehr früh aufgestanden war und in diesem Augenblicke auch sonst nichts Besseres zu tun wußte, schlief ich allmählig ein, und als ich erwachte, standen die Zurückgekehrten in der vorgerückten Dämmerung
25 vor mir und am dunkelblauen Himmel wieder die Sterne. Meine Malerei wurde nun in der Stube bei Licht besehen, die Magd schlug+ die Hände über dem Kopf zusammen und hatte noch nie etwas Ähnliches erblickt, der Schulmeister fand mein Werk gut und belobte meine Artigkeit gegen sein Töchterchen mit schönen Worten und freute sich

---

vor=stellen: etwas ~ to look representable
(**Blumenstiel**): der Stiel, –e stem
der Staubfaden, ¨– filament, stamen
an=bringen to add
fecit (*Latin*) made (this picture)
der Strauß, ¨–e bouquet
der Lohn: der ... ist who earns his pay well, "is worthy of his hire" (Luke 10:7)
schlagen: die Hände über dem Kopf zusammen= ~ to throw up one's hands in astonishment

darüber, Anna lächelte vergnügt auf+ das Geschenk, wagte aber nicht, es anzurühren, sondern ließ es auf dem flachen Tische liegen und guckte+ nur hinter den Anderen hervor darüber hin. Wir nahmen nun das Nachtmahl ein, nach welchem ich aufbrechen+ wollte; aber der Schulmeister verhinderte mich daran und gab Befehl, mir ein Lager zu be- 5
reiten, da ich mich auf dem dunklen Berge unfehlbar+ verirren würde. Obgleich ich einwandte, daß ich den nächtlichen Weg ja schon einmal zurückgelegt+ hätte, ließ ich mich doch leicht bereden,+ aus bloßer Freundschaft da zu bleiben, worauf wir in den kleinen Saal mit der Orgel+ gingen. Der Schulmeister spielte und Anna und ich sangen 10
dazu einige Abendlieder und, der Magd zu Gefallen, welche gern mitsang, einen Psalm, den sie mit heller Stimme beherrschte.+ Dann ging der Alte zu Bette. Doch jetzt begann erst die Herrschaft der alten Katherine, welche unten in der Stube einen ungeheuren Vorrat von Bohnen aufgetürmt+ hatte, welche heute Nacht noch sämtlich bearbeitet 15
werden sollten. Denn da sie nachts nicht viel schlafen konnte, beharrte+ sie hartnäckig auf der ländlichen Sitte, dergleichen Dinge bis tief in die Nacht hinein vorzunehmen. So saßen wir bis um ein Uhr um den grünen Bohnenberg herum und trugen+ ihn allmählig ab, indem jedes einen tiefen Schacht+ vor sich hineingrub und die Alte den ganzen 20
Vorrat ihrer Sagen und Schwänke+ heraufbeschwor+ und uns beide, die wir wach und munter blieben wie Wieselchen,+ so lachen machte, daß uns die Tränen über die Wangen liefen. Anna, welche mir gegenüber saß, baute ihren Hohlweg+ in die Bohnen hinein mit vieler Kunst, eine Bohne nach der anderen herausnehmend, und grub unver- 25
merkt einen unterirdischen Stollen,+ so daß plötzlich ihr kleines Händchen in meiner Höhle zu Tage+ trat, als ein Bergmännchen, und von

---

auf at
gucken to look
auf-brechen to start on one's way
unfehl'bar without fail
zurück'-legen. Translate here: to walk
bereden to talk into, persuade
die **Orgel, -n** organ
beherrschen. Translate here: to lead
auf-türmen to heap up
beharren to insist upon
ab-tragen to level off
der **Schacht, ⸚e** pit
der **Schwank, ⸚e** funny story
herauf-beschwören, o, o to conjure up
Wieselchen: das Wiesel, – weasel
der **Hohlweg, -e** deep and narrow path
der **Stollen,** – tunnel
der **Tag:** zu ~ treten to come to light

meinen Bohnen wegschleppte in die grauliche+ Finsternis hinein. Katherine belehrte mich, daß Anna der Sitte gemäß verpflichtet sei, mich zu küssen, wenn ich ihre Finger erwischen+ könne, jedoch dürfe der Berg darüber nicht zusammenfallen, und ich legte mich deshalb auf die Lauer.+ Nun grub sie sich noch verschiedene Wege und begann mich auf die listigste Weise zu necken;+ die Hand in der Tiefe des Bohnengebirges versteckt, sah sie mich über dasselbe her mit ihren blauen Augen neckisch an, indessen sie hier eine Fingerspitze hervorgucken+ ließ, dort die Bohnen bewegte, wie ein unsichtbarer Maulwurf,+ dann plötzlich mit der ganzen Hand hervorschoß und wieder zurückschlüpfte,+ wie ein Mäuschen ins Loch, ohne daß es mir je gelang, sie zu haschen.+ Sie trieb es so weit, mir immer auf die Augen sehend, daß sie plötzlich eine Bohne, die ich eben ergreifen wollte, meinen Fingern entzog, ohne daß ich wußte, wo dieselbe hingekommen. Katherine bog sich zu mir herüber und flüsterte mir ins Ohr: „Laßt sie nur machen, wenn ihr der Bau endlich zusammenbricht über den vielen Löchern, so muß sie Euch auf jeden Fall küssen!" Anna wußte jedoch sogleich, was die Alte zu mir sagte; sie sprang auf, tanzte dreimal um sich selbst herum, klatschte+ in die Hände und rief: „Er bricht nicht! er bricht nicht! er bricht nicht!" Beim dritten Male gab Katherine mit ihrem Fuße dem Tische schnell einen Stoß, und der unterhöhlte+ Berg stürzte jammervoll zusammen. „Gilt+ nicht, gilt nicht!" rief Anna so laut und sprang so ausgelassen+ im Zimmer umher, wie man es gar nicht hinter+ ihr vermutet hätte. „Ihr habt an den Tisch gestoßen, ich hab' es wohl gesehen!"

„Es ist nicht wahr", behauptete Katherine, „Heinrich bekommt einen Kuß von dir, du Hexe!"+

---

graulich awesome
erwischen to get hold of
die **Lauer:** sich auf die ~ legen to lie in ambush
necken to tease
hervor'=gucken to peek out
der **Maulwurf, ⁼e** mole
zurück'=schlüpfen to slip back
haschen to catch
klatschen: in die Hände ~ to clap one's hands
unterhöhlt' undermined
gelten: Gilt nicht That doesn't count!
ausgelassen frolicsome
hinter. Translate here: hidden in
die **Hexe, –n** witch

„Ei+ schäme dich doch, so zu lügen, Katherine", sagte das verlegene Kind, und die unerbittliche+ Magd erwiderte: „Sei dem wie ihm wolle,+ der Berg ist gefallen, ehe du dich dreimal gedreht hast, und du bist dem Herrn Heinrich einen Kuß schuldig!"

„Den will ich auch schuldig bleiben", rief sie lachend, und ich, selbst froh der feierlichen Zeremonie entflohen zu sein und doch die Sache zu meinem Vorteile lenkend, sagte: „Gut, so versprich mir, daß du mir immer und jederzeit einen Kuß schuldig sein willst!"

„Ja, das will ich", rief sie und schlug leichtsinnig und mutwillig+ auf meine dargebotene+ Hand, daß es schallte. Sie war jetzt überhaupt ganz lebendig, laut und beweglich wie Quecksilber und schien ein ganz anderes Wesen zu sein als am Tage. Die Mitternacht schien sie zu verwandeln, ihr Gesichtchen war ganz gerötet und ihre Augen glänzten vor Freude. Sie tanzte um die unbehilfliche+ Katherine herum, neckte sie und wurde von ihr verfolgt, es entstand eine Jagd in der Stube umher, in welche ich auch verwickelt wurde. Die alte Katherine verlor einen Schuh und zog sich keuchend+ zurück, aber Anna ward immer wilder und behender.+ Endlich haschte ich sie und hielt sie fest, sie legte ohne weiteres+ ihre Arme um meinen Hals, näherte ihren Mund dem meinigen und sagte leise, vom hastigen Atmen unterbrochen:

„Es wohnt ein weißes Mäuschen
Im grünen Bergeshaus;
Das Häuslein wollte fallen,
Das Mäuslein floh daraus";

worauf ich in gleicher Weise fortfuhr:

„Man hat es noch gefangen,
Am Füßchen angebunden
Und um die Vordertätzchen+
Ein rotes Band gewunden";

Ei why!
unerbitt'lich inexorable, pitiless
wollen: sei . . . wolle be it as it may
mutwillig playful
dar=bieten to offer, hold out
unbehilflich clumsy
keuchen to pant
behend nimble
weit: ohne ~eres without further ado
(**Vordertätzchen**): die Tatze, –n paw

dann sagten wir beide im gleichen Rhythmus und indem wir uns geruhig hin und her wiegten:

„Es zappelte+ und schrie:
Was hab ich denn verbrochen?
Da hat man ihm ins Herzlein
Ein+ goldnen Pfeil gestochen.“

Und als das Liedchen zu Ende war, lagen unsere Lippen dicht aufeinander, aber ohne sich zu regen; wir küßten uns nicht und dachten gar nicht daran, nur unser Hauch vermischte sich auf der neuen, noch ungebrauchten Brücke und das Herz blieb froh und ruhig.

Am andern Morgen war Anna wieder wie gewöhnlich, still und freundlich; der Schulmeister begehrte die Zeichnung bei Tage zu besehen, und da ergab+ es sich, daß sie von Anna schon in den unzugänglichsten+ Gelassen+ ihres Kämmerchens verwahrt+ und begraben worden. Sie mußte dieselbe aber wieder hervorholen, was sie ungern tat, der Vater nahm einen Rahmen von der Wand, in welchem eine vergilbte+ und verdorbene Gedächtnistafel der Teuerung von 1817 hing, nahm sie heraus und steckte den frischen bunten Bogen hinter das Glas. „Es ist endlich Zeit, daß wir dies traurige Denkmal von der Wand nehmen“, sagte er, „da es selber nicht länger vorhalten+ will. Wir wollen es zu anderen verschollenen+ und verborgenen Denkzeichen+ legen und dafür dieses blühende Bild des Lebens aufpflanzen,+ das uns unser junger Freund geschaffen. Da er dir die Ehre erwiesen hat, liebes Ännchen, deinen Namen unter die Blumen zu setzen, so mag die Tafel zugleich deine Ehren- und Denktafel in unserm Hause sein und ein Vorbild, immer heiter, mit geschmückter Seele und schuldlos zu leben wie diese zierlichen und ehrbaren Werke Gottes!“

Nach Tisch machte ich mich endlich bereit zur Rückkehr; Anna erin-

---

zappeln to kick, toss
ein = einen
sich ergeben to come to light
unzugänglich inaccessible—das **Gelaß, -e** receptacle (as a cupboard or chest)
verwahren to put in safekeeping
vergilben to turn yellow (from age)
vor-halten to last; to withstand disintegration
verschollen long forgotten
das **Denkzeichen, -** memorial
auf-pflanzen to set up, raise (like a flag)

nerte sich, daß heute wieder Tanzübung stattfinde, und erbat sich die Erlaubnis, gleich mit mir gehen zu dürfen. Zugleich verkündete sie, daß sie bei ihren Basen übernachten+ würde, um nicht wieder so spät über den Berg zu müssen. Wir wählten den Weg längs des Flüßchens, um im Schatten zu gehen, und da dieser Pfad vielfach feucht war 5 und von tiefen Kräutern und Gesträuchen+ beengt, schürzte+ sie das hellgrüne, mit roten Punkten besetzte Kleid, nahm den Strohhut der überhängenden Zweige wegen in die Hand und schritt anmutig neben mir her durch das Helldunkel,+ durch welches die heimlich leuchtenden Wellen über rosenrote, weiße und blaue Steine rieselten.+ Ihre 10 Goldzöpfe+ hingen tief über den Nacken hinab, ihr Gesicht war von einer allerliebsten+ weißen Krause+ von eigener Erfindung eingefaßt und dieselbe bedeckte noch die jungen schmalen Schultern. Sie sagte nicht viel und schien sich ein wenig der vergangenen Nacht zu schämen; überall, wo ich nichts gewahrte, sah sie verborgene Blüten und brach 15 dieselben, daß sie bald alle Hände voll zu tragen hatte. An einer Stelle, wo das Wasser sich in einer Erweiterung des Bettes sammelte und stille stand, warf sie ihre sämtliche Last zu Boden und sagte: „Hier ruht man aus!" Wir setzten uns an den Rand des Teiches;+ Anna flocht einen feinen Kranz aus den kleinen vornehmen Waldblumen und 20 setzte ihn auf. Nun sah sie ganz aus wie ein holdseliges+ Märchen, aus der tiefen, dunkelgrünen Flut schaute ihr Bild lächelnd herauf, das weiß und rote Gesicht wie durch ein dunkles Glas fabelhaft+ überschattet. Aus der gegenüberliegenden Seite des Wassers, nur zwanzig Schritte von uns, stieg eine Felswand empor, beinahe senkrecht und 25 nur mit wenigem Gesträuche+ behangen. Ihre Steile+ verkündete, wie tief hier das kleine Gewässer sein müsse, und ihre Höhe betrug diejenige einer großen Kirche. An der Mitte derselben war eine Vertiefung

---

übernach'ten to spend the night
das **Gesträuch, –e** shrubbery
schürzen to tuck up
das **Helldunkel** twilight
rieseln to ripple
(Goldzopf): der Zopf, ⸗e braid
allerliebst' most charming
die **Krause, –n** ruffle
der **Teich, –e** pond
holdselig most lovely, enchanting
fabelhaft mysterious, as from a fairy-tale
das **Gesträuch** shrubbery
die **Steile** steepness

sichtbar, die in den Stein hineinging und zu welcher man durchaus keinen Zugang entdeckte. Es sah aus wie ein recht breites Fenster an einem Turme. Anna erzählte, daß diese Höhle die Heidenstube genannt würde. „Als das Christentum in das Land drang", sagte sie,
5 „da mußten sich die Heiden verbergen, welche nicht getauft sein wollten. Eine ganze Haushaltung mit vielen Kindern flüchtete+ sich in das Loch dort oben, man weiß gar nicht auf welche Weise. Und man konnte nicht zu ihnen gelangen, aber sie fanden den Weg auch nicht mehr heraus. Sie hausten+ und kochten eine Zeitlang und ein Kindlein
10 nach dem andern fiel ihnen über die Wand herunter ins Wasser hier und ertrank.+ Zuletzt waren nur noch Vater und Mutter übrig und hatten nichts mehr zu essen und nichts zu trinken und zeigten sich als zwei Jammergerippe+ am Eingange und starrten auf das Grab ihrer Kinder, zuletzt fielen sie vor Schwäche auch herunter, und die ganze
15 Familie liegt in diesem tiefen, tiefen Wasser; denn hier geht es so weit hinunter als der Stein hoch ist!"

Wir schauten, in tiefem Schatten sitzend, in die Höhe, wo der obere Teil des grauen Felsens im Sonnenscheine glänzte und die seltsame Vertiefung erhellt war. Wie wir so hinschauten, sahen wir einen blauen
20 glänzenden Rauch aus der Heidenstube dringen und längs der Wand hinsteigen, und wie wir länger hinstarrten, sahen wir ein fremdartiges Weib, lang und hager,+ in der webenden+ Rauchwolke stehen, herabblicken aus hohlen Augen und wieder verschwinden. Sprachlos sahen wir hin, Anna schmiegte+ sich dicht an mich und ich legte meinen Arm
25 um sie, wir waren erschreckt und doch glücklich, und das Bild der Höhle schwamm verwirrt und verwischt+ vor unseren emporgerichteten Augen, und als es wieder klar wurde, standen ein Mann und ein Weib in der Höhe und schauten auf uns herab. Eine ganze Orgelpfeifenreihe+ von Knaben und Mädchen, halb oder ganz nackt, saß unter dem Loche und

---

sich flüchten to take refuge
hausen to dwell
ertrinken to drown
das **Jammergerippe, –** pitiful skeleton
hager thin, gaunt
weben. Translate here: float, hover
schmiegen: schmiegte . . . mich nestled close to me
verwischt blurred
die **Orgelpfeifenreihe.** Row of persons or objects gradually increasing in size like organ pipes

hing die Beine über die Wand herunter. Alle Augen starrten nach uns, sie lächelten schmerzlich und streckten die Hände nach uns aus, wie wenn sie um etwas flehten. Es ward uns bange, wir standen eilig auf, Anna flüsterte, indem sie perlende Tränen vergoß: „Oh, die armen, armen Heidenleute!" Denn sie glaubte fest, die Geister derselben zu sehen, besonders da man in der Gegend überzeugt war, daß kein menschlicher Weg zu jener Stelle führe. „Wir wollen ihnen etwas opfern", sagte das Mädchen leise zu mir, „damit sie unser Mitleid gewahr werden!" Sie zog eine Münze aus ihrem Beutelchen, ich ahmte ihr nach und wir legten unsere Spende auf einen Stein, der am Ufer lag. Noch einmal sahen wir hinauf, wo die seltsame Erscheinung uns fortwährend beobachtete und mit dankenden Gebärden nachschaute.

Als wir im Dorfe anlangten,+ hieß es, man habe eine Bande+ Heimatloser in der Gegend gesehen und man würde dieselben nächster Tage aufsuchen, um sie über die Grenze zu bringen. Anna und ich konnten uns nun die Erscheinung erklären, es mußte doch ein geheimer Weg dorthin führen, welcher nur unter dem unglücklichen Volke, das solche Schlupfwinkel+ braucht, bekannt sein mochte. Wir gaben uns in einem einsamen Winkel feierlich das Wort, den Aufenthalt der Armen nicht zu verraten, und hatten nun ein artiges+ Geheimnis zusammen.

So lebten wir, unbefangen und glücklich, manche Tage dahin, bald ging ich über den Berg, bald kam Anna zu uns, und unsere Freundschaft galt schon für eine ausgemachte+ Sache, an der niemand ein Arges fand, und ich war am Ende der Einzige, welcher heimlich ihr den Namen Liebe gab, weil mir einmal+ nach alter Weise alles sich zum entschiedenen Romane gestaltete.+

Um diese Zeit erkrankte meine Großmutter, nach und nach, doch immer ernstlicher, und nach wenigen Wochen sah man, daß sie sterben würde. Sie hatte genug gelebt und war müde; solange sie noch bei

---

an=langen to arrive—die **Bande, –n** gang
der **Schlupfwinkel, –** hiding-place
artig nice, pretty
ausgemacht settled
einmal. Translate here: inevitably
gestalten: mir gestaltete sich alles zu . . . (in my mind) everything took the shape of . . .

guten Sinnen war,+ sah sie gern, wenn ich eine Stunde oder zwei an ihrem Bette verweilte, und ich fügte mich willig dieser Pflicht, obgleich der Anblick ihres Leidens und der Aufenthalt in der dumpfen Krankenstube mir ungewohnt und trübselig waren. Als sie aber in
5 das eigentliche Sterben kam, welches mehrere Tage dauerte, wurde mir diese Pflicht zu einer ernsten und strengen Übung. Ich hatte noch nie jemanden sterben sehen und sah nun die bewußtlose, oder wenigstens so scheinende Greisin mehrere Tage röchelnd+ im Todeskampfe liegen, denn ihr Lebensfunke mochte fast nicht erlöschen. Die Sitte
10 verlangte, daß immer mindestens drei Personen in dem Gemache sich aufhielten, um abwechselnd zu beten und den fremden Besuchern, welche unablässig+ eintraten, die Ehren zu erweisen und Nachricht zu geben. Nun hatten aber die Leute, bei dem goldenen Wetter, gerade viel zu arbeiten, und ich, der ich nichts zu tun hatte und geläufig+ las, war
15 ihnen daher willkommen und wurde den größten Teil des Tages am Todesbette festgehalten. Die Weiber hatten zudem insbesondere ein großes Bedürfnis, die Traurigkeit und den Schrecken des Todes recht auszubeuten,+ und da die Männer sich niemals lange in der Kammer aufhielten, waren sie froh, mich für Alle büßen zu lassen, und erklärten,
20 der Tod meiner Großmutter müsse sich mir recht einprägen, dies würde mir für immer nützlich sein. Auf einem Schemel+ sitzend, ein Buch auf den Knieen, mußte ich mit vernehmlicher Stimme Gebete, Psalmen und Sterbelieder lesen, erwarb mir zwar durch meine Ausdauer+ die Gunst der Frauen, wofür ich aber den schönen Sonnenschein
25 nur von ferne und den Tod beständig+ in der Nähe betrachten durfte.

Ich konnte mich gar nicht mehr nach Anna umsehen, obschon sie mein süßester Trost in meiner asketischen Lage war; da erschien sie, schüchtern und manierlich, unversehens+ auf der Schwelle der Krankenstube, um die ihr sehr entfernt Verwandte zu besuchen. Das junge

---

der **Sinn**: bei guten ~en fully conscious
röcheln to rattle (that is, to breathe with difficulty, as in a coma)
unablässig continually
geläufig fluent
aus=beuten to exploit
der **Schemel,** – stool
die **Ausdauer** perseverance
beständig continuous
unversehens unexpectedly

Caspar David Friedrich (1774–1840): Böhmische Landschaft

Mädchen war beliebt und geehrt unter den Bäuerinnen und daher jetzt willkommen geheißen, und als sie sich, nach einigem stillen Aufenthalte, anbot, mich im Gebete abzulösen,[+] wurde ihr dies gern gestattet, und so blieb sie die noch übrige Sterbenszeit an meiner Seite und sah mit mir die ringende Flamme verlöschen. Wir sprachen selten mit einander, nur wenn wir uns die geistlichen Bücher übergaben, flüsterten wir einige Worte, oder wenn wir beide frei waren, ruhten wir behaglich neben einander aus und neckten uns im Stillen, da die Jugend einmal ihr Recht geltend machte. Als der Tod eingetreten und die Frauen laut schluchzten,[+] da zerfloß auch Anna in Tränen und konnte sich nicht zufrieden geben, da[+] sie doch der Todesfall weniger berührte als mich, der ich als Enkel der Toten, obgleich ernst und nachdenklich, trockenen Auges blieb. Ich ward besorgt für das arme Kind, welches immer heftiger weinte, und fühlte mich sehr niedergeschlagen[+] und unglücklich noch zu der Trauer über den Tod hinzu; denn ich konnte das zarte Mädchen nicht leiden sehen. Ich führte sie in den Garten, streichelte[+] ihr die Wangen und bat sie inständigst,[+] doch nicht so sehr zu weinen. Da erheiterte sich ihr Gesicht, wie die Sonne durch Regen, sie trocknete die Augen und sah mich urplötzlich[+] lächelnd an.

Wir genossen nun wieder freie Tage und ich begleitete Anna zur Erholung sogleich nach Hause, um dort zu bleiben bis zum Leichenbegängnisse.[+]

(There follows a description of the funeral and the meal that is served at the widower's house.)

Auf einmal fing es über unseren Köpfen an zu brummen[+] und zu quieken.[+] Geige,[+] Baß[+] und Klarinette wurden angestimmt[+] und ein Waldhorn[+] erging[+] sich in schwülen,[+] verliebten Tönen. Während

---

ab=lösen to relieve, take turns
schluchzen to sob
da . . . doch although
niedergeschlagen downcast
streicheln to stroke
inständig urgent
urplötzlich all at once
das **Leichenbegängnis, –se** funeral
brummen to drone
quieken to squeak
die **Geige, –n** violin
der **Baß, ⸗e** contrabass
an=stimmen to strike up
das **Waldhorn, ⸗er** French horn
sich ergehen to indulge
schwül voluptuous, sultry

der rüstige+ Teil der Versammlung aufbrach und nach dem geräumigen Boden hinaufstieg, sagte der Schulmeister: „So muß es also doch getanzt sein? Ich glaubte, dieser Gebrauch wäre endlich abgeschafft,+ und gewiß ist dies Dorf das einzige weit und breit, wo er noch manchmal geübt wird! Ich ehre das Alte, aber alles, was so heißt, ist doch nicht ehrwürdig und tauglich! Indessen mögt ihr einmal zusehen, Kinder, damit ihr später noch davon sagen könnt; denn hoffentlich wird das Tanzen auf Leichenbegängnissen endlich doch verschwinden!"

Wir huschten+ sogleich hinaus, wo auf der Flur und der Treppe, die nach oben führte, die Menge sich zu einem Zuge ordnete und paarte,+ denn ungepaart durfte niemand hinaufgehen. Ich nahm daher Anna bei der Hand und stellte mich in die Reihe, welche sich, von den Musikanten angeführt, in Bewegung setzte. Man spielte einen elendiglichen Trauermarsch, zog nach seinem Takte+ dreimal auf dem Boden herum, der zum Tanzsaal umgewandelt war, und stellte sich dann in einen großen Kreis. Hierauf traten sieben Paare in die Mitte und führten einen schwerfälligen+ alten Tanz auf von sieben Figuren mit schwierigen Sprüngen, Kniefällen+ und Verschlingungen,+ wozu schallend in die Hände geklatscht+ wurde. Nachdem dieses Schauspiel seine gehörige+ Zeit gedauert hatte, erschien der Wirt, ging einmal durch die Reihen, dankte den Gästen für ihre Teilnahme an seinem Leid und flüsterte hier und dort einem jungen Burschen, daß es Alle sahen, in die Ohren, er möchte sich die Trauer nicht allzusehr zu Herzen gehen und ihn in seinem Schmerze jetzt nur allein und einsam lassen, er empföhle ihm viel mehr, sich nun wieder des Lebens zu freuen. Hierauf schritt er wieder gesenkten Hauptes von dannen+ und stieg die Treppe hinunter, als ob es direkt in den Tartarus+ ginge.

---

rüstig able-bodied
ab=schaffen to abolish
huschen to flit
sich paaren to be arranged in couples
der **Takt** beat
schwerfällig clumsy
die **Kniefall, ⸗e** genuflexion
die **Verschlingung, –en** complicated entwining movement
klatschen: in die Hände ~ to clap one's hands
gehörig due
von dannen away
der **Tartarus** nether world

Die Musik aber ging plötzlich in einen lustigen Hopser+ über, die Älteren zogen sich zurück und die Jugend brauste jauchzend+ und stampfend+ über den dröhnenden+ Boden hin. Anna und ich standen, noch immer Hand in Hand, verwundert an einem Fenster und schauten
5 dem dämonischen Wirbel zu. Auf der Straße sahen wir die übrige Jugend des Dorfes dem Geigenklange+ nachziehen; die Mädchen stellten sich vor die Haustür, wurden von den Knaben heraufgeholt, und wenn sie einen Tanz getan, hatten sie das Recht erworben, aus den Fenstern die Burschen, die noch unten waren, heraufzurufen. Es
10 wurde Wein gebracht und in allerhand Dachwinkeln kleine Trinkstätten hergestellt, und bald verschmolz+ alles in einen rauschenden+ und tobenden Wirbel der Lust, welche sich in ihrem Lärm umso sonderbarer ausnahm+ als es Werktag war und das Dorf ringsherum in gewöhnlicher stiller Arbeit begriffen.+

15 Nachdem wir lange Zeit zugeschaut, fortgegangen und wieder gekommen waren, sagte Anna errötend, sie möchte einmal probieren, ob sie in der großen Menge tanzen könne. Dieses kam mir sehr gelegen+ und wir drehten uns im selben Augenblicke in den Kreisen eines Walzers dahin. Von nun an tanzten wir mehrere Stunden ununter-
20 brochen, ohne müde zu werden, die Welt und uns selbst vergessend. Wenn die Musik eine Pause machte, so standen wir nicht still, sondern setzten unsern Weg durch die Menge fort in raschem Schritte und fingen mit dem ersten Tone wieder zu tanzen an, wir mochten gerade gehen, wo es war.

25 Mit dem ersten Tone der Abendglocke aber stand auf einmal der Tanz still mitten in einem Walzer, die Paare ließen ihre Hände fahren, die Dirnen+ wanden sich aus den Armen der Tänzer, und alles eilte, sich ehrbar begrüßend, die Treppe hinunter, setzte sich noch einmal hin, um Kaffee mit Kuchen zu genießen und dann ruhig nach Hause zu

---

der **Hopser, –** fast waltz
jauchzen to shout exultingly
stampfen to stamp—**dröhnen** to resound
(**Geigenklang**): die Geige, –n violin
verschmelzen, o, o to fuse
rauschend exuberant
sich aus=nehmen to appear
begriffen engaged
gelegen: ~ kommen to suit
die **Dirne, –n** girl

gehen. Anna stand, mit glühendem Gesichte, noch immer in meinem Arme und ich schaute verblüfft+ umher. Sie lächelte und zog mich fort; wir fanden ihren Vater nicht mehr im Hause und gingen weg, ihn beim Oheim aufzusuchen. Es war Dämmerung draußen und die allerschönste Nacht brach an. Als wir auf den Kirchhof kamen, lag 5 das frische Grab einsam und schweigend, vom aufgehenden goldfarbenen Monde bestreift. Wir standen vor dem braunen, nach feuchter Erde duftenden+ Hügel und hielten+ uns umfangen, zwei Nachtfalter+ flatterten durch die Büsche, die vielen Blüten gaben einen mächtigen Duft und Anna atmete erst jetzt schnell und stark. Wir gingen zwischen 10 den Gräbern umher, für dasjenige der Großmutter einen Strauß zu sammeln, und gerieten dabei, im tiefen tauigen Grase wandelnd,+ in die verworrenen Schatten der üppigen Grabgesträuche.+ Da und dort blinkte+ eine matte goldene Schrift aus dem Dunkel oder leuchtete ein Busch weißer Rosen wie Schnee hervor, Anna brach, da hier von ab- 15 gegrenztem+ Eigentume nicht die Rede+ war, ihr aufgeschürztes+ schwarzes Kleid ganz voll weißer und roter Rosen, und als sie, damit beladen und beide Hände beschäftigt, mit dem Köpfchen sich in den Zweigen eines dichten dunklen Holunderstrauches+ fing, ich sie befreien wollte und wir beide so in der stark duftenden Finsternis standen, da 20 flüsterte sie, sie möchte mir jetzt etwas sagen, aber ich müßte sie nicht auslachen und es verschweigen. Ich fragte: Was? und sie sagte, sie wollte mir jetzt den Kuß geben, den sie mir von jenem Abend her schuldig sei. Ich hatte mich schon zu ihr geneigt und wir küßten uns zwei oder drei Mal, aber höchst ungeschickt, wir schämten uns, eilten 25 zum Grabe, Anna warf die Blumenlast darauf hin, wir fielen+ uns um den Hals und küßten uns eine Viertelstunde lang unaufhörlich, zuletzt ganz vollendet und schulgerecht.+

---

verblüfft dumbfounded
duften (nach) to exhale fragrance (of)
halten: umfan'gen ~ to embrace
der **Nachtfalter, –** moth
wandeln to walk
(**Grabgesträuch**): das Gesträuch shrubbery
blinken to gleam
abgegrenzt separate
die **Rede:** von etwas die ~ sein to be a question of
auf-schürzen to tuck up
der **Holun'derstrauch, ¨-er** elderbush
fallen: sich um den Hals ~ to embrace one another
schulgerecht methodical

Gedichte

VOLKSLIEDER

Folk songs are those anonymous lyrical creations which are perpetuated by oral tradition, with the help of tunes, to which they are sung. At various times folk songs have strongly influenced the style of the great lyric poets; and folk songs, in their turn, often preserve and reflect the poetic diction of much older periods of literary production. Goethe, in his youth, instigated by Herder (1744–1803), collected and imitated the folk songs of Alsace. The best-known collection of the texts of German folk songs, entitled *Des Knaben Wunderhorn* ("The Boy's Magic Horn"), was made by the two romantic poets Clemens Brentano and Achim von Arnim and was published in 1805–1808.

The tunes of German folk songs, some of which are very beautiful, were not collected systematically until rather recently. These tunes were revived by the German young people who, between 1900 and 1935 approximately, in the so-called "Youth Movement," sought a new style of life, in which hiking through the countryside, group singing, and folk dancing played a major part.

Wenn ich ein Vöglein wär

Wenn ich ein Vöglein wär
Und auch zwei Flüglein hätt,
Flög ich zu dir.
Weils aber nicht kann sein,
Bleib ich allhier.+ 5

Bin ich gleich+ weit von dir,
Bin ich doch im Schlaf bei dir
Und red mit dir.
Wenn ich erwachen tu,
Bin ich allein. 10

---

allhier' = **hier** **gleich** even though

Es vergeht keine Stund in der Nacht,
Da+ mein Herze+ nicht erwacht
Und an dich gedenkt,
Daß du mir viel tausendmal
15 Dein Herz geschenkt.

Es fiel ein Reif in der Frühlingsnacht

Es fiel ein Reif+ in der Frühlingsnacht.
Er fiel auf die zarten Blaublümelein,+
Sie sind verwelket,+ verdorret.+

Ein Knabe hatte ein Mägdlein+ lieb,
5 Sie flohen beide von Hause fort,
Es wußten's nicht Vater noch Mutter.

Sie sind gewandert wohl hin und her,
Sie hatten nirgends Glück noch Stern,+
Sie sind verdorben, gestorben.

Da droben auf dem Berge da wehet der Wind

Da droben auf dem Berge da wehet der Wind,
Da sitzet Maria und wieget+ ihr Kind,

Sie wiegt es mit ihrer schlohweißen+ Hand
Dazu braucht sie kein Wiegenband.+

---

da when
Herze = **Herz**

der **Reif** hoarfrost
das **Blaublümelein.** The "blue flower" of the folk songs usually refers to the forget-me-not.
verwelken to wither
verdorren to parch

das **Mägdlein** = **Mädchen**
der **Stern.** That is, favorable star, good fortune

wiegen to rock
schlohweiß snow-white
das **Wiegenband, ⸗er.** String attached to the cradle so that its pulling will rock the cradle.

„Ach Josef, liebster Josef mein, 5
Ach hilf mir wiegen mein Kindelein!"

„Wie soll ich dir helfen dein Kindelein wiegen,
Ich kann ja vor Kälte die Finger kaum biegen."

Auf dem Berge da wehet der Wind
Da wieget Maria ihr Kind. 10

Es ist ein Reis entsprungen

Es ist ein Reis+ entsprungen
Aus einer Wurzel zart;
Als+ uns die Alten sungen,+
Aus Jesse+ kam die Art,
Das hat ein Röslein bracht,+ 5
Mitten im kalten Winter,
Wohl zu der halben Nacht.+

Das Röslein das ich meine,
davon Jesaias+ sagt,
Hat uns gebracht alleine 10
Marie die reine Magd,+
Aus Gottes ewigem Rat
Hat sie ein Kind geboren
ohn alle Missetat.+

---

das **Reis, -er** shoot
als as
sungen = sangen
Jesse. The father of David (cf. the picture of "The Root of Jesse" on p. 193).
bracht = gebracht
die **Nacht:** zu . . . Nacht at midnight
Jesa'ias. Cf. Isaiah XI, 1: "And there shall come forth a rod out of the stem of Jesse, and a branch [the Latin version of the Vulgate has *flower*] shall grow out of his roots."
die **Magd** maid, virgin (Marie is the subject)
die **Missetat, -en** sin

LUTHER

Martin Luther (1483–1546), who started the German Reformation, gave to German literature the impetus of its great religious lyric poetry. He himself wrote models for the hymns that were to be sung in German in the new church. *Ein feste Burg*, the anthem of the Reformation, elaborates on the words of the 46th Psalm: "God is our refuge and strength, a very present help in trouble. Therefore will not we fear . . ." The hymn stresses the trust in the new dogma, encouraging its followers and defying its enemies.

Ein Feste Burg

Ein feste Burg ist unser Gott,
Ein gute Wehr+ und Waffen.+
Er hilft uns frei+ aus aller Not,
Die uns jetzt hat betroffen.+
5 Der alt böse Feind,
Mit Ernst ers jetzt meint,
Groß Macht und viel List
Sein grausam Rüstung ist;
Auf Erd ist nicht seins gleichen.+

10 Mit unsrer Macht ist nichts getan,
Wir sind gar bald verloren;
Es streit+ für uns der rechte Mann,
Den Gott hat selbst erkoren.+
Fragst du, wer der ist?
15 Er heißt Jesus Christ,
Der Herr Zebaoth,
Und ist kein andrer Gott,
Das Feld muß er behalten.+

---

die Wehr defense
das Waffen = die **Waffe**
frei freely—**betreffen** to befall
seins gleichen his equal
streit = **streitet** (he) fights
erkoren chosen
behalten: das Feld ~ to hold the field, win the victory

Photo Marburg

Die „Wurzel Jesse", das heißt der Stammbaum Christi.
Gemälde von Hans Holbein dem Älteren (1460–1524)

Und wenn die Welt voll Teufel wär
20 Und wollt uns gar verschlingen,+
So fürchten wir uns nicht so sehr,
Es soll uns doch gelingen.
Der Fürst dieser Welt,
Wie saur er sich stellt,+
25 Tut er uns doch nicht.+
Das macht, er ist gericht;+
Ein Wörtlein+ kann ihn fällen.+

Das Wort+ sie sollen lassen stan+
Und kein Dank+ dazu haben.
30 Er ist bei uns wohl auf dem Plan+
Mit seinem Geist und Gaben.
Nehmen sie den Leib,
Gut, Ehr, Kind und Weib,
Laß fahren dahin!+
35 Sie habens kein Gewinn,+
Das Reich muß uns doch bleiben.

FLEMING

The manly self-exhortation to surrender to God's will which is contained in the poem of Paul Fleming (1609–1640) is representative of the attitude of some of the great poets of the seventeenth century, who united the religious trust of their Protestant faith with an admiration for the self-reliance of the ancient Stoics.

---

verschlingen, a, u to devour
sich stellen: wie . . . stellt however grimly he behaves
nicht = nichts
gericht = gerichtet
ein Wörtlein. That is, the name of Jesus Christ
fällen to fell
das Wort. That is, the Word of God, the Gospel—**stan = stehen**
der Dank: und . . . haben (*arch.*) and that against their will
der Plan battlefield
Laß fahren dahin! Do not regret!
der Gewinn: sie . . . Gewinn they will not profit by it

Laß dich nur nichts dauern

Laß dich nur nichts dauern+
Mit Trauern, sei stille:
Wie Gott es fügt,+
So sei vergnügt, mein Wille.

Was willst du heute sorgen 5
Auf morgen? der Eine
Steht+ allem für;
Der gibt auch dir das Deine.

Sei nur in allem Handel+
Ohn Wandel,+ steh feste:+ 10
Was Gott beschleußt,+
Das ist und heißt das Beste.

CLAUDIUS

Matthias Claudius (1740–1815), in this hymn, combines a tone of popular simplicity and moralizing teaching with the fervor of religious mysticism. The poet turns his devotion toward nature as God's work and thus learns to see the beauty of nature.

Abendlied

Der Mond ist aufgegangen,
Die goldnen Sternlein prangen+
Am Himmel hell und klar;
Der Wald steht schwarz und schweiget,
Und aus den Wiesen steiget 5
Der weiße Nebel wunderbar.

---

dauern to make feel sorry
fügen to will, ordain
für=stehen (einer Sache, *dat.*) to rule, control (something)
der Handel doings
der **Wandel** failing
feste = **fest**
beschleußt = **beschließt**
prangen to display one's splendor

Wie ist die Welt so stille,
Und in der Dämmrung Hülle
So traulich und so hold!
10 Als+ eine stille Kammer,
Wo ihr des Tages Jammer
Verschlafen+ und vergessen sollt.

Seht ihr den Mond dort stehen?
Er ist nur halb zu sehen,
15 Und ist doch rund und schön.
So sind wohl manche Sachen,
Die wir getrost+ belachen,
Weil unsre Augen sie nicht sehn.

Wir stolze Menschenkinder
20 Sind eitel+ arme Sünder,
Und wissen gar nicht viel;
Wir spinnen Luftgespinste,+
Und suchen viele Künste,
Und kommen weiter von dem Ziel.

25 Gott, laß uns dein Heil schauen,
Auf nichts Vergänglichs+ trauen,
Nicht Eitelkeit uns freun!
Laß uns einfältig werden,
Und vor dir hier auf Erden
30 Wie Kinder fromm und fröhlich sein!

Wollst+ endlich sonder+ Grämen
Aus dieser Welt uns nehmen
Durch einen sanften Tod,

---

als = **wie**
verschlafen to sleep away
getrost confidently
eitel mere
das **Luftgespinst, -e** vain fancy
vergänglich transitory
wollst I ask you would
sonder = **ohne**

Und, wenn du uns genommen,
Laß uns in Himmel kommen, 35
Du lieber treuer frommer Gott!

So legt euch denn, ihr Brüder,
In Gottes Namen nieder!
Kalt ist der Abendhauch.
Verschon uns, Gott, mit Strafen, 40
Und laß uns ruhig schlafen,
Und unsern kranken Nachbar auch!

NOVALIS

Novalis, whose real name was Friedrich von Hardenberg (1772–1801), was the great romantic mystic whose poetry and ideas have had a profound influence on German and even on French letters down to the present day. Among the religious hymns which he wrote in the Protestant tradition, to which he belonged, there are some addressed to the Virgin Mary.

Ich sehe dich in tausend Bildern

Ich sehe dich in tausend Bildern,
Maria, lieblich ausgedrückt,
Doch keins von allen kann dich schildern,
Wie meine Seele dich erblickt.
Ich weiß nur, daß der Welt Getümmel+ 5
Seitdem mir wie ein Traum verweht,+
Und ein unnennbar+ süßer Himmel
Mir ewig im Gemüte+ steht.

---

das Getümmel turmoil
verwehen to be blown away; to vanish
unnenn'bar ineffably
das Gemüt soul

The great German lyric poetry of the seventeenth century has long been overshadowed by the achievements of the age of Goethe and has only recently been evaluated. A number of the important poets, such as Christian Hofmann von Hofmannswaldau (1617–1679), were active at the small princely courts of Silesia. The poem offered here is very characteristic of the style of the period: it shows how a personal experience is reflected in meditation and is again and again led back to a universal truth.

Wo sind die Stunden der süßen Zeit

Wo sind die Stunden
Der süßen Zeit,
Da+ ich zuerst empfunden,
Wie deine Lieblichkeit
5 Mich dir verbunden?
Sie sind verrauscht,+ es bleibet+ doch dabei,
Daß alle Lust vergänglich sei.

Das reine Scherzen,+
So+ mich ergetzt+
10 Und in dem tiefen Herzen
Sein Denkmal eingesetzt,
Läßt mich in Schmerzen.
Du hast mir mehr als deutlich kundgetan,+
Daß Freundlichkeit nicht ankern+ kann.

15 Ich schwamm in Freude,
Der Liebe Hand
Spann mir ein Kleid von Seide—

---

da = **als**
verrauschen to die away completely, pass (literally: "to cease murmuring like a stream")
es bleibt dabei it cannot be denied
das Scherzen (*obsolete in this sense*) dalliance, attentions
so = **das** — **ergetzen** = **ergötzen**
kund-tun to show
ankern to anchor

Das Blatt hat sich gewandt,
Ich geh im Leide.
Ich wein itzund,+ daß Lieb und Sonnenschein 20
Stets voller Angst und Sorgen sein.+

SCHILLER

Friedrich Schiller's (1759–1805) contribution to the German heritage is to be found mainly in his plays, many of which center around the problem of freedom. During the last ten years of his life he was the intimate friend of Goethe. The influence they exerted on each other in poetry and their collaboration in critical theory brought forth the so-called "classical" period in German literature.

The poem below exemplifies the inspiration drawn by German writers of that period from Greek poetry. It was written when Schiller was twenty years old. The scene depicts Hector, the defender of Troy, taking leave of his wife, Andromache. In Schiller's treatment of the subject Hector has just killed Patroclus, although, according to the source, Homer's Iliad, Book VI, the leave-taking occurs before Patroclus enters the fight. The death of Patroclus is soon to be avenged by Achilles, the foremost of the Greeks, and Hector and Andromache show, in their farewell words, their realization of Hector's approaching doom.

Hektors Abschied

Andromache

Will sich Hektor ewig von mir wenden,
Wo Achill mit den unnahbar'n+ Händen
Dem Patroklus schrecklich Opfer bringt?
Wer wird künftig deinen Kleinen lehren
Speere werfen und die Götter ehren, 5
Wenn der finstre Orkus+ dich verschlingt?+

---

itzund = **jetzt**
sein = **sind**
unnah'bar not to be touched, invincible (an epithet that Homer uses for the hands of Achilles)
der **Orkus** nether world (this is properly a Latin word, but German classicism quite freely mixed Latin and Greek terminology)
verschlingen, a, u to devour

Hektor

Teures Weib, gebiete+ deinen Tränen!
Nach der Feldschlacht ist mein feurig Sehnen,
Diese Arme schützen Pergamus.+
10 Kämpfend für den heil'gen Herd der Götter
Fall' ich, und des Vaterlandes Retter
Steig' ich nieder zu dem styg'schen Fluß.+

Andromache

Nimmer+ lausch' ich deiner Waffen Schalle,
Müßig liegt dein Eisen in der Halle,
15 Priams+ großer Heldenstamm verdirbt.
Du wirst hingehn, wo kein Tag mehr scheinet,
Der Cocytus+ durch die Wüsten weinet,
Deine Liebe in dem Lethe+ stirbt.

Hektor

All mein Sehnen will ich, all mein Denken
20 In des Lethe stillen Strom versenken,
Aber meine Liebe nicht.
Horch! der Wilde tobt schon an den Mauern,
Gürte+ mir das Schwert um, laß das Trauern!
Hektors Liebe stirbt im Lethe nicht.

---

gebieten, o, o to master
Pergamus. Another name for Troy
der styg'sche Fluß. Styx (in Greek mythology an underworld river)
nimmer never again
Priam. Hector's father, king of Troy
der Cocy'tus. Another river of the underworld
der Lethe. River of the underworld, from which the shadows of the dead drink forgetfulness
um=gürten to gird on

HÖLDERLIN

In the poetry of Friedrich Hölderlin (1770–1843) the German enthusiasm for Greek culture and literature reaches its highest pitch. Language, in some of his creations, seems no longer to be intended primarily to express experience or ideas; it is rather as if it were simply voicing its own pure magic of beauty.

O Begeisterung . . .

O Begeisterung, so finden
Wir in dir ein selig Grab,
Tief in deine Wogen[+] schwinden,
Still frohlockend,[+] wir hinab,
Bis der Hore[+] Ruf wir hören 5
Und, mit neuem Stolz erwacht,
Wie die Sterne, wiederkehren
In des Lebens kurze Nacht.

Die Heimat

Froh kehrt der Schiffer heim an den stillen Strom
Von fernen Inseln, wo er geerntet hat.
Wohl möcht auch ich zur Heimat wieder;
Aber was hab ich, wie[+] Leid, geerntet?

Ihr holden Ufer, die ihr mich auferzogt, 5
Stillt ihr der Liebe Leiden? Ach gebt ihr mir,
Ihr Wälder meiner Kindheit! wann[+] ich
Komme, die Ruhe noch einmal wieder?

---

die Woge, -n wave
frohlo'cken to jubilate
die Hore, -n (from Latin *hora*) hour of prayer. The poet refers to the bells ringing an invitation (Ruf) to the nightly hours of prayer and thus awakening him from the trance of his enthusiasm back to the reality of life.
wie except
wann = **wenn**

GOETHE

Goethe's immense lyric production resulted mainly from two attitudes. One was the desire to express directly what life brought to him, especially his experiences of love. The immediacy and truth of this kind of poetry rank him above any other European poet. The other attitude was one of withdrawal and reflection, transforming experiences into wisdom through the process of meditation.

Neue Liebe, neues Leben

Herz, mein Herz, was soll das geben?+
Was bedränget+ dich so sehr?
Welch ein fremdes, neues Leben!
Ich erkenne dich nicht mehr.
5 Weg ist alles, was du liebtest,
Weg, warum du dich betrübtest,
Weg dein Fleiß und deine Ruh—
Ach, wie kamst du nur dazu!

Fesselt dich die Jugendblüte,
10 Diese liebliche Gestalt,
Dieser Blick voll Treu und Güte
Mit unendlicher Gewalt?
Will ich rasch mich ihr entziehen,
Mich ermannen,+ ihr entfliehen,
15 Führet mich im Augenblick,
Ach, mein Weg zu ihr zurück.

Und an diesem Zauberfädchen,
Das sich nicht zerreißen läßt,
Hält das liebe, lose+ Mädchen
20 Mich so wider Willen fest;

---

geben: was . . . geben? what is to come of this?
bedrängen to beset
sich ermannen to rouse oneself, pull oneself together
lose roguish, naughty

Hermann Eckert, Eisenach, Thüringen

Mitteldeutsche Landschaft

Muß in ihrem Zauberkreise
Leben nun auf ihre Weise.
Die Verändrung, ach, wie groß!
Liebe! Liebe! laß mich los!

Wanderers Nachtlied

Über allen Gipfeln
Ist Ruh,
In allen Wipfeln+
Spürest du
5 Kaum einen Hauch;
Die Vögelein schweigen im Walde.
Warte nur, balde
Ruhest du auch.

Nähe des Geliebten+

Ich denke dein, wenn mir der Sonne Schimmer
Vom Meere strahlt;
Ich denke dein, wenn sich des Mondes Flimmer+
In Quellen malt.

5 Ich sehe dich, wenn auf dem fernen Wege
Der Staub sich hebt;
In tiefer Nacht, wenn auf dem schmalen Stege+
Der Wandrer bebt.

Ich höre dich, wenn dort mit dumpfem Rauschen
10 Die Welle steigt.

---

der **Wipfel**, – tree top

der **Geliebte.** Goethe, by having a woman sing this poem, imitates one of the oldest types of popular lyric.
der **Flimmer** glimmer
der **Steg**, –e path

Im stillen Haine+ geh ich oft zu lauschen,
Wenn alles schweigt.

Ich bin bei dir, du seist auch noch so+ ferne,
Du bist mir nah!
Die Sonne sinkt, bald leuchten mir die Sterne. 15
O wärst du da!

Talisman+

Im Atemholen+ sind zweierlei+ Gnaden:
Die Luft einziehen, sich ihrer entladen;+
Jenes bedrängt, dieses erfrischt;
So wunderbar ist das Leben gemischt.
Du danke Gott, wenn er dich preßt, 5
Und dank ihm, wenn er dich wieder entläßt.

MARIANNE VON WILLEMER

Many of Goethe's most beautiful poems can be found in his *West-östlicher Divan* ("West-Eastern Divan"), 1819. Goethe, the Western poet, in these lyrics uses the Eastern forms and inspirations of Persian poetry and therefore gives his book of poems the Persian name *divan*, which means "collection of poems." The love poems of the collection are addressed to Marianne von Willemer (1784–1860). Goethe was more than sixty years old when he wrote them. He included among his own poems the verses given below, which Marianne is now generally acknowledged to have written to him.

---

der Hain, –e grove
auch noch so . . . no matter how . . .
der Talisman, –e. To some of the poems of the collection Westöstlicher Divan (see the following introductory note) Goethe gave the title "talisman", as if the wisdom expressed in these lines were like a protective charm inscribed on an amulet.
das Atemholen breathing
zweierlei two kinds of
sich entladen, u, a to be relieved

Ach um deine feuchten Schwingen

Ach, um deine feuchten Schwingen,+
West,+ wie sehr ich dich beneide:
Denn du kannst ihm Kunde bringen,
Was ich in der Trennung leide!

5 Die Bewegung deiner Flügel
Weckt im Busen stilles Sehnen;
Blumen, Augen, Wald und Hügel
Stehn bei deinem Hauch in Tränen.

Doch dein mildes, sanftes Wehen
10 Kühlt die wunden+ Augenlider;
Ach, für+ Leid müßt ich vergehen,
Hofft ich nicht zu sehn ihn wieder.

Eile denn zu meinem Lieben,
Spreche sanft zu seinem Herzen;
15 Doch vermeid, ihn zu betrüben,
Und verbirg ihm meine Schmerzen.

Sag ihm, aber sags bescheiden:
Seine Liebe sei mein Leben;
Freudiges Gefühl von beiden
20 Wird mir seine Nähe geben.

---

die Schwinge, -n (*poetic*) wing
der West. That is, west wind (Marianne lived near the Rhine, Goethe in Weimar, much farther east)
wund sore
für = vor

EICHENDORFF

Joseph von Eichendorff (1788–1857) is one of the great German romantic poets. In the poem given here he uses the style of a folk song to express his own favorite themes: a landscape, with its almost magic influence on the mood of the observer, and a nostalgic longing to wander into unknown distances. The scene he portrays here is a mill, which was frequently used as a subject by the romantic poets.

Das zerbrochene Ringlein

In einem kühlen Grunde
Da geht ein Mühlenrad,
Mein' Liebste ist verschwunden,
Die dort gewohnet hat.

Sie hat mir Treu versprochen, 5
Gab mir ein+ Ring dabei,
Sie hat die Treu gebrochen,
Das Ringlein sprang+ entzwei.

Ich möcht als Spielmann+ reisen,
Weit in die Welt hinaus, 10
Und singen meine Weisen,
Und gehn von Haus zu Haus.

Ich möcht als Reiter fliegen
Wohl in die blutge Schlacht,
Um stille Feuer liegen 15
Im Feld bei dunkler Nacht.

Hör ich das Mühlrad gehen:
Ich weiß nicht, was ich will—
Ich möcht am liebsten sterben,
Da wär's auf einmal still. 20

---

ein = **einen**
entzwei'=springen to break asunder
der **Spielmann** (*pl.* Spielleute) wandering musician

UHLAND

Ludwig Uhland (1787–1862) and Heinrich Heine (1797–1856) were, for former generations of readers, the two favorite German lyric poets of the nineteenth century. They have both lost this place in present-day critical opinion. Some of Uhland's poems, however, retain an unforgettable freshness and purity. Heine's undoubted greatness is to be found in some of his longer poems, with their witty allusions and their bitter irony.

Frühlingsglaube

Die linden+ Lüfte sind erwacht,
Sie säuseln+ und weben+ Tag und Nacht,
Sie schaffen an allen Enden.
O frischer Duft, o neuer Klang!
5 Nun, armes Herze, sei nicht bang!
Nun muß sich alles, alles wenden.

Die Welt wird schöner mit jedem Tag,
Man weiß nicht, was noch werden mag,
Das Blühen will nicht enden.
10 Es blüht das fernste, tiefste Tal:
Nun, armes Herz, vergiß der Qual!
Nun muß sich alles, alles wenden.

---

lind mild
säuseln to whisper gently
weben, o, o to stir

MÖRIKE

Eduard Mörike (1804–1875), in this poem, uses a theme that recurs in folk songs—the lament of the forsaken girl—to portray a situation of the poet's own inner life. In several of his important poems he tries to catch this same moment of the day's awakening, but at the same time of the soul's discouragement in facing the life of another day; the soul is wounded by memories of a bygone experience, which allure it back into the dreams of the night.

Das verlassene Mägdlein

Früh, wann+ die Hähne krähn,+
Eh' die Sternlein verschwinden,
Muß ich am Herde stehn,
Muß Feuer zünden.

Schön ist der Flammen Schein, 5
Es springen die Funken;
Ich schaue so drein,
In Leid versunken.+

Plötzlich da kommt es mir,
Treuloser Knabe, 10
Daß ich die Nacht von dir
Geträumet habe.

Träne auf Träne dann
Stürzet hernieder:
So kommt der Tag heran— 15
O ging' er wieder!

---

wann = **wenn**
krähen to crow
versunken lost

STORM

Many of Theodor Storm's (1817–1888) well-known *Novellen* start from the same inspiration as this, his most beautiful poem. The poet is moved by the weird fascination of a landscape, which he tries to conjure up with its realistic detail and its dreamlike overtones. The landscape of this poem is Storm's homeland, the shore of the North Sea.

Meeresstrand

Ans Haff+ nun fliegt die Möwe,+
Und Dämmrung bricht+ herein;
Über die feuchten Watten+
Spiegelt der Abendschein.

5 Graues Geflügel+ huschet+
Neben dem Wasser her;
Wie Träume liegen die Inseln
Im Nebel auf dem Meer.

Ich höre des gärenden+ Schlammes+
10 Geheimnisvollen Ton,
Einsames Vogelrufen—
So war es immer schon.

Noch einmal schauert+ leise
Und schweiget dann der Wind;
15 Vernehmlich werden die Stimmen,
Die über der Tiefe sind.

---

das **Haff, -e** bay, inlet
die **Möwe, -n** seagull
herein'=brechen to set in
das **Watt, -en.** Shallow part of the sea between the coast and nearby islands
das **Geflügel** birds
huschen to flit
gären to bubble
der **Schlamm** mud
schauern to shiver

MEYER

The vision of death had a great fascination for the mind of Conrad Ferdinand Meyer (1825–1898). Certain objects and landscapes recur in his poetry as symbols of his frightened longing for death. Many of the heroes of his poems and *Novellen* are martyrs of their religious faith, as, in this poem, is the Bohemian Johann Huss, who was burned at the stake for his heresy by the Council of Constance in 1415.

Hussens Kerker+

Es geht mit mir zu Ende,
Mein Sach und Spruch+ ist schon
Hoch über Menschenhände
Gerückt vor Gottes Thron,
Schon schwebt auf einer Wolke, 5
Umringt+ von seinem Volke,
Entgegen mir des Menschen Sohn.

Den Kerker will ich preisen,
Der Kerker, der ist gut!
Das Fensterkreuz von Eisen 10
Blickt auf die frische Flut
Und zwischen seinen Stäben
Seh' ich ein Segel schweben,
Darob+ im Blau die Firne+ ruht.

Wie nah die Flut ich fühle, 15
Als läg' ich drein versenkt,
Mit wundersamer Kühle
Wird mir der Leib getränkt+—
Auch seh' ich eine Traube+

---

der Kerker, – prison
mein . . . Spruch my cause and the judgment passed on me
umrin'gen to surround
darob' above which
die Firne. Snow on the high mountains
tränken to give to drink; to refresh
die Traube, –n (cluster of) grapes

20 Mit einem roten Laube,+
Die tief herab ins Fenster hängt.

Es ist die Zeit zu feiern!
Es kommt die große Ruh!
Dort lenkt ein Zug von Reihern+
25 Dem ew'gen Lenze+ zu,
Sie wissen Pfad und Stege,+
Sie kennen ihre Wege—
Was, meine Seele, fürchtest du?

GEORGE

Stefan George (1868–1933) gave to German lyric poetry an entirely new tone. He broke with the subjective lyricism that was characteristic of the nineteenth century. George's poems portray, in a harsh and chaste way, the great forces of life and of his time and show the poet as an educator and prophet of his nation. Some of his minor poems, like the present one, have the shades of a delicate painting.

Lied

An Baches Ranft+
Die einzigen frühen
Die Hasel+ blühen.
Ein Vogel pfeift
5 In kühler Au.
Ein Leuchten streift
Erwärmt uns sanft
Und zuckt und bleicht.+

---

das **Laub** foliage
der **Reiher, –** heron
der **Lenz** (*poetic*) spring
der **Steg, –e** trail
der **Ranft** = der **Rand**
die **Hasel, –** hazel
bleichen, i, i to grow pale

Das Feld ist brach.+
Der Baum noch grau . . . 10
Blumen streut vielleicht
Der Lenz+ uns nach!+

RILKE

Rainer Maria Rilke's (1875–1926) poetry has found an unparalleled response throughout Europe and America. There are numerous English translations of it. His poems portray attitudes and states of mind in which the modern reader recognizes his own spiritual longings and experiences. One of Rilke's main concerns, present in this poem, is to build up states of quasi-religious emotional intensity.

Lied

Du, der ichs nicht sage, daß ich bei Nacht
weinend liege,
deren Wesen mich müde macht
wie eine Wiege,
du, die mir nicht sagt, wenn sie wacht 5
meinetwillen:
wie,+ wenn wir diese Pracht
ohne zu stillen+
in uns ertrügen?
. . . . .
Sieh dir die Liebenden an, 10
wenn erst das Bekennen begann,
wie bald sie lügen.
. . . . .
Du machst+ mich allein. Dich einzig kann ich vertauschen.+
Eine Weile bist du's, dann wieder ist es das Rauschen,

---

brach fallow
der **Lenz** (*poetic*) spring
nach later
wie how would it be
stillen to quench (like thirst); to satisfy
machen to cause to be
vertauschen to exchange (that is, to identify, in one's imagination, with another beautiful manifestation of the world)

15 oder es ist ein Duft ohne Rest.+
Ach, in den Armen hab ich sie alle verloren,
du nur, du wirst immer wieder geboren:
weil ich niemals dich anhielt,+ halt ich dich fest.

RUDOLF ALEXANDER SCHRÖDER

Rudolf Alexander Schröder (born 1878) has enriched German letters with numerous excellent translations, mainly from Greek and Roman poetry. His own lyrics are full of reminiscences of different European poetic traditions. In the poem offered here he uses the manner of a church hymn to admonish a friend, showing him the right way of life.

Reisesegen

Setz leicht den Fuß, begehre kein Verweilen,
Am Rand der Straße schneide dir den Stab;
Bleib, der du bist, und durch bestaubte Meilen
Getröste dich der Pilgerschaft+ ans Grab.

5 Dir zugeteilt,+ gemeine+ Gift+ mit allen,
Brot, Früchte, Wasser, sollst du nicht verschmähn.+
Den bunten Raub,+ mit dem sie sich gefallen,
Laß hinter dir: er hindert dich am Gehn.

Brich nicht das Herz, wo du das Brot gebrochen,
10 Das deine nicht und das der andern nicht;

---

der Rest dregs (that is, bad component or aftertaste)
an=halten to hold
sich getrösten: Getröste . . Pilgerschaft take consolation from the thought that our life is nothing but a pilgrimage
zu=teilen: dir zugeteilt your share
gemein in common (with)
die Gift = die Gabe
verschmähen to disdain
der Raub prey, booty (said here of the earthly possessions for which people toil and fight)

Ein freundlich Wort, zur rechten Zeit gesprochen;
Ein Händedruck, der nicht zu viel verspricht:

Und dennoch Treue, die sich schickt+ zu dienen,
Und Glaube, der nicht fordert und nicht schilt;
So wird die Welt, die Wüste dir geschienen, 15
Zu deinem Werk und deinem Bild.

---

sich schicken to be willing

Briefe

Briefe Lessings beim Tode seiner Frau und seines Kindes

Gotthold Ephraim Lessing (1729–1781) was one of the great educators of German thought and letters. With his critical and philosophical writings and his plays he helped to initiate the classical period of German literature. He represents the typical virtues of the eighteenth century: he fights against prejudice and upholds the cause of reason, tolerance, and humanity. Reading his letters we are in close and moving touch with the simplicity and courage of one who wanted to be above all a man.

AN JOHANN JOACHIM ESCHENBURG

Dem Herrn Professor Eschenburg in Braunschweig.
Wolfenbüttel,+ 31. Dezember 1777.
Mein lieber Eschenburg,

Ich ergreife den Augenblick, da meine Frau ganz ohne Besonnenheit+ liegt, um Ihnen für Ihren gütigen Anteil+ zu danken. Meine 5
Freude war nur kurz: Und ich verlor ihn so ungern, diesen Sohn! denn er hatte so viel Verstand! so viel Verstand!—Glauben Sie nicht, daß die wenigen Stunden meiner Vaterschaft mich schon zu so einem Affen+ von Vater gemacht haben! Ich weiß, was ich sage.—War es nicht Verstand, daß man ihn mit eisernen Zangen+ auf die Welt ziehen 10
mußte?—daß er so bald Unrat+ merkte?—War es nicht Verstand, daß er die erste Gelegenheit ergriff, sich wieder davon zu machen?+—Freilich zerrt+ mir der kleine Ruschelkopf+ auch die Mutter mit fort!—

Wolfenbüttel. Town in central Germany, near Braunschweig. Here Lessing was librarian of the famous library of the Duke of Brunswick
die **Besonnenheit** = die **Besinnung**
der **Anteil** interest
der **Affe, –n** monkey; here: fool
die **Zange, –n** forceps
der **Unrat:** ∾ merken to suspect foul play
machen: sich davon ∾ to decamp
zerren to drag
der **Ruschelkopf** fuzzy head

Denn noch ist wenig Hoffnung, daß ich sie behalten werde.—Ich wollte es auch einmal so gut haben, wie andere Menschen. Aber es ist mir schlecht bekommen.+

Lessing

AN KARL LESSING

5 Wolfenbüttel, den 5. Januar 1778.

Mein lieber Bruder,

Bedaure mich, daß ich dasmal+ so eine gültige Ursache habe, Dir während der Zeit, da Du so viel Güte für meinen Stiefsohn+ hast, noch nicht geschrieben zu haben. Ich habe nun eben die traurigsten 10 vierzehn Tage erlebt, die ich jemals hatte. Ich lief Gefahr, meine Frau+ zu verlieren, welcher Verlust mir den Rest meines Lebens sehr verbittert haben würde. Sie ward entbunden,+ und machte mich zum Vater eines recht hübschen Jungen, der gesund und munter war. Er blieb es aber nur vier und zwanzig Stunden, und ward hernach das 15 Opfer der grausamen Art, mit welcher er auf die Welt gezogen werden mußte. Oder versprach+ er sich von dem Mahle nicht viel, zu welchem man ihn so gewaltsam einlud, und schlich sich von selbst wieder davon? Kurz, ich weiß kaum, daß ich Vater gewesen bin. Die Freude war so kurz, und die Betrübnis ward von der größten Besorgnis so über- 20 schrien! Denn die Mutter lag ganzer+ neun bis zehn Tage ohne Verstand,+ und alle Tage, alle Nächte jagte man mich ein paarmal von ihrem Bette, mit dem Bedeuten,+ daß ich ihr den letzten Augenblick nur saurer mache. Denn mich kannte sie noch bei aller Abwesen-

---

bekommen: Aber . . . bekommen But I have had to suffer for it

dasmal = diesmal

der Stiefsohn stepson. Theodor König, born 1757, wanting to be a soldier, had gone to Berlin to see whether he liked the Prussian Army service.

Frau. Lessing had been married slightly over one year to Mrs. Eva König, whom he had known for nine years. She had been a widow for seven years. Economic difficulties delayed their marriage.

entbinden to deliver

sich versprechen to set hopes on, expect

ganzer = volle

der Verstand = die Besinnung

das Bedeuten suggestion

heit des Geistes. Endlich hat sich die Krankheit auf einmal umgeschlagen,+ und seit drei Tagen habe ich die zuverlässige Hoffnung, daß ich sie diesmal noch behalten werde, deren Umgang+ mir jede Stunde, auch in ihrer gegenwärtigen Lage, immer unentbehrlicher wird.

Wie Du mir verzeihest, daß ich Dir seit vierzehn Tagen nicht ge- 5 schrieben: so verzeihest Du mir auch, daß ich Dir jetzt nicht mehr schreibe. Ich denke ungern daran, daß Dir jetzt unser Stiefsohn mancherlei Incommodität+ verursacht. Gott lasse Dich unter ähnlichen Umständen eine freudigere Szene erleben!

Gotthold. 10

AN JOHANN JOACHIM ESCHENBURG

An den Herrn Professor Eschenburg in Braunschweig.

Lieber Eschenburg,

Meine Frau ist tot: und diese Erfahrung habe ich nun auch gemacht. Ich freue mich, daß mir viel dergleichen Erfahrungen nicht mehr übrig sein können zu machen; und bin ganz leicht.—Auch tut es mir 15 wohl, daß ich mich Ihres, und unsrer übrigen Freunde in Braunschweig, Beileids+ versichert halten darf.

Der Ihrige
Lessing.

Wolfenbüttel, den 10. Jenner+ 1778.

---

sich um-schlagen to take a different turn
der Umgang association, company
die **Incommodität** = die **Unbequemlichkeit**
das **Beileid** sympathy
Jenner = **Januar**

AN KARL LESSING

Wolfenbüttel, den 12. Januar 1778.

Mein lieber Bruder,

Zu was für einem traurigen Boten an meinen Stiefsohn muß ich Dich machen!—Und gleichwohl+ weiß ich, daß dein gutes Bruderherz
5 selbst nötig haben dürfte, vorbereitet zu werden.—Seine gute Mutter, meine Frau, ist tot. Wenn Du sie gekannt hättest!—Aber man sagt, es sei nichts als Eigenlob, seine Frau zu rühmen. Nun gut, ich sage nichts weiter von ihr. Aber wenn Du sie gekannt hättest! Du wirst mich, fürchte ich, nie wieder so sehen, als+ unser Freund Moses+ mich
10 gefunden hat: so ruhig, so zufrieden, in meinen vier Wänden! Gib den Einschluß+ nicht eher in die Hände des jungen Menschen, als bis Du ihn so gut vorbereitet hast, als Dir möglich. Laß ihn auch nicht eher abreisen, als bis er sich beruhigt hat. Er kann seine Mutter auch tot nicht mehr sehen; denn sie ist diesen Morgen schon begraben worden.
15 Sollte er zu seiner Rückreise Geld brauchen: so schieße+ es ihm vor. Du sollst es mit der nächsten Post bar zurückhaben, wie auch die letzte Auslage,+ die ich so schändlich vergessen habe. Lebe wohl, und laß mich von Dir und Deiner lieben Frau bald eine Nachricht hören, wie ich Dir von mir und meiner Frau zu geben hoffte, aber wirklich zu geben,
20 unstreitig+ nicht verdiente.

Gotthold.

AN JOHANN JOACHIM ESCHENBURG

Herrn Professor Eschenburg in Braunschweig.

Mein lieber Eschenburg,

Gestern Morgen ist mir der Rest von meiner Frau vollends aus
25 dem Gesichte gekommen.—Wenn ich noch mit der einen Hälfte

---

gleichwohl = dennoch
als = wie
Moses. The philosopher Moses Mendelssohn (1729–1786), who is portrayed as the wise and tolerant Jew in Lessing's drama Nathan der Weise
der Einschluß, ⸗̈e enclosed letter
vor⸗schießen to advance
die Auslage, –n advance (of money)
unstrei'tig undoubtedly

meiner übrigen Tage das Glück erkaufen könnte, die andre Hälfte in Gesellschaft dieser Frau zu verleben, wie gern wollte ich es tun. Aber das geht nicht: und ich muß nur wieder anfangen, meinen Weg allein so fort zu duseln.+ Ein guter Vorrat vom Laudano+ literarischer und theologischer Zerstreuungen wird mir einen Tag nach dem andern schon ganz leidlich+ überstehen helfen.—Haben Sie, zum Behuf+ der letztern, doch die Güte, liebster Freund, und lassen Sie mir aus Ihrem großen Johnson+ den ganzen Artikel "Evidence" mit allen Beweisstellen+ abschreiben. Ich erinnere mich einmal da etwas gelesen zu haben, dessen ich mich doch nicht recht erinnern kann. Lassen Sie es nur von der nämlichen Hand abschreiben, welche den Götzischen+ Artikel abgeschrieben. Wenn ich nach Braunschweig komme, will ich für beides bezahlen.

Der Ihrige
Lessing.

Wolfenbüttel, den 14. Jenner 1778.

Kleists Brief aus St. Omer

Heinrich von Kleist (1777–1811), whom many critics consider the greatest German dramatist, was a Prussian army officer, following the tradition of his family, before he became aware of his genius. The letter to his sister Ulrike shows how Kleist had staked his whole existence on the successful fulfillment of his poetic vocation and believed he had lost. There is an intoxication of death in it. He wanted to enlist in the expedition with which Napoleon, the enemy of Kleist's

---

duseln: seinen Weg fort ∾ to continue on one's way as in a dream—**Laudano.** Latin dative of *Laudanum*, opium

leidlich tolerable

der **Behuf:** zum . . . letztern to further the latter (that is, the theological "diversions")

großer Johnson. Samuel Johnson's famous *Dictionary of the English Language*, 1755, was the standard English dictionary before the *Oxford English Dictionary*

die **Beweisstelle, -n** passage quoted to furnish documentary proof

Götzischer Pastor Goeze (Lessing misspelled the name) in Hamburg was Lessing's chief adversary in theological quarrels.

country, Prussia (therefore this letter "can cost you your life"), in 1803 intended to invade England from Boulogne near St. Omer. In 1811, when Napoleon had subjugated Prussia, Kleist, in a hopeless political and personal situation, committed suicide.

Meine teure Ulrike!

Was ich dir schreiben werde, kann dir vielleicht das Leben kosten; aber ich muß, ich muß, ich muß es vollbringen.+ Ich habe in Paris mein Werk, so weit es fertig war, durchlesen, verworfen, und verbrannt: 5 und nun ist es aus. Der Himmel versagt mir den Ruhm, das größte der Güter der Erde; ich werfe ihm, wie ein eigensinniges Kind, alle übrigen hin. Ich kann mich deiner Freundschaft nicht würdig zeigen, ich kann ohne diese Freundschaft doch nicht leben: ich stürze mich in den Tod. Sei ruhig, du Erhabene, ich werde den schönen Tod der 10 Schlachten sterben. Ich habe die Hauptstadt dieses Landes verlassen, ich bin an seine Nordküste gewandert, ich werde französische Kriegsdienste nehmen, das Heer wird bald nach England hinüber rudern, unser aller Verderben lauert+ über den Meeren, ich frohlocke+ bei der Aussicht auf das unendlich-prächtige Grab. O du Geliebte, du wirst 15 mein letzter Gedanke sein!

Heinrich von Kleist.

St. Omer, den 26. Oktober 1803.

---

vollbrin'gen to carry out
lauern to lurk
frohlo'cken to exult

Theodor Körner an seinen Vater

When Napoleon was defeated in Russia in 1812, the nations that he had conquered earlier began to rise against him. A wave of national enthusiasm swept through Germany. The young poet Theodor Körner (1791–1813) stands as the symbol of the spirit which brought about the liberation of Europe from the domination of Napoleon. He joined one of the battalions of volunteers, the famous *Lützowsche Freischar,* named after its commander, Major Lützow, which gathered at Breslau, in Silesia, in 1813. Körner was killed in action the same year. His father, Christian Gottfried Körner, was an important literary critic and friend of Schiller.

Wien,+ am 10. März 1813.

Liebster Vater!

Ich schreibe dir diesmal in einer Angelegenheit, die, wie ich das feste Vertrauen zu Dir habe, Dich weder befremden noch erschrecken wird. Neulich schon gab ich Dir einen Wink über mein Vorhaben,+ 5 das jetzt zur Reife gediehen ist.—Deutschland steht auf; der preußische Adler+ erweckt in allen treuen Herzen durch seine kühnen Flügelschläge die große Hoffnung einer deutschen, wenigstens norddeutschen Freiheit. Meine Kunst seufzt nach ihrem Vaterlande,—laß mich ihr würdiger Jünger+ sein!—Ja, liebster Vater, ich will Soldat werden, 10 will das hier gewonnene glückliche und sorgenfreie Leben mit Freuden hinwerfen, um, sei's auch mit meinem Blute, mir ein Vaterland zu erkämpfen.—Nenn's nicht Übermut,+ Leichtsinn, Wildheit!—Vor zwei Jahren hätte ich es so nennen lassen, jetzt, da ich weiß, welche Seligkeit in diesem Leben reifen kann, jetzt, da alle Sterne meines 15 Glückes in schöner Milde auf mich niederleuchten, jetzt ist es bei Gott ein würdiges Gefühl, das mich treibt, jetzt ist es die mächtige Überzeugung, daß kein Opfer zu groß sei für das höchste menschliche Gut,

---

Wien. Körner was at that time official dramatic author of the Imperial Court Theater in Vienna

das **Vorhaben** intention

der **Adler,** – eagle (the emblem of Prussia)

der **Jünger,** – disciple, follower

der **Übermut** bravado

für seines Volkes Freiheit. Vielleicht sagt Dein bestochenes+ väterliches Herz: Theodor ist zu größeren Zwecken da, er hätte auf einem anderen Felde Wichtigeres und Bedeutendes leisten können, er ist der Menschheit noch ein großes Pfund+ zu berechnen schuldig. Aber,
5 Vater, meine Meinung ist die: Zum Opfertode für die Freiheit und für die Ehre seiner Nation ist keiner zu gut, wohl aber sind viele zu schlecht dazu!—Hat mir Gott wirklich etwas mehr als gewöhnlichen Geist eingehaucht, der unter Deiner Pflege denken lernte, wo ist der Augenblick, wo ich ihn mehr geltend machen kann?—Eine große Zeit
10 will große Herzen und fühl' ich die Kraft in mir, eine Klippe+ sein zu können in dieser Völkerbrandung,+ ich muß hinaus und dem Wogensturm die mutige Brust entgegendrücken.—Soll ich in feiger Begeisterung meinen siegenden Brüdern meinen Jubel nachleiern?+—Soll ich Komödien schreiben auf dem Spotttheater,+ wenn ich den
15 Mut und die Kraft mir zutraue, auf dem Theater des Ernstes mitzusprechen?—Ich weiß, du wirst manche Unruhe erleiden müssen, die Mutter wird weinen! Gott tröste sie! ich kann's Euch nicht ersparen. Des Glückes Schoßkind+ rühmt' ich mich bis jetzt, es wird mich jetzo+ nicht verlassen.—Daß ich mein Leben wage, das gilt nicht viel; daß
20 aber dies Leben mit allen Blütenkränzen der Liebe, der Freundschaft, der Freude geschmückt ist, und daß ich es doch wage, daß ich die süße Empfindung hinwerfe, die mir in der Überzeugung lebte, Euch keine Unruhe, keine Angst zu bereiten, das ist ein Opfer, dem nur ein solcher Preis entgegengestellt werden darf.—Sonnabends oder Montags
25 reise ich von hier ab, wahrscheinlich in freundlicher Gesellschaft, vielleicht schickt mich auch Humboldt+ als Kurier. In Breslau, als dem

---

bestechen to bribe, prejudice
das Pfund: ein . . . schuldig liable to account for a great pound (that is, his special gifts, Luke XIX, 12-26)
die Klippe, -n cliff
(**Völkerbrandung**): die Brandung surge
nach-leiern: meinen siegenden . . . ∾ write my songs of triumph in uninspired imitation of my victorious brethren
das Spotttheater mock theater (that is, the stage where actions are only "mocked" in opposition to the "stage" of real life)
das Schoßkind, -er darling, favorite
jetzo = jetzt
Humboldt. Wilhelm von Humboldt (see introductory note on p. 269) was at that time Prussian ambassador in Vienna

Sammelplatze, treffe ich zu den freien Söhnen Preußens, die in schöner Begeisterung sich zu den Fahnen ihres Königs gesammelt haben. Ob zu Fuß oder zu Pferd, darüber bin ich noch nicht entschieden, und kommt[+] einzig auf die Summe Geldes an, die ich zusammenbringe.— Toni[+] hat mir auch bei dieser Gelegenheit ihre große edle Seele bewiesen. Sie weint wohl, aber der geendigte Feldzug wird ihre Tränen schon trocknen. Die Mutter soll mir ihren Schmerz vergeben, wer mich liebt, soll mich nicht verkennen, und Du wirst mich Deiner würdig finden.

Dein Theodor.

Stifter an seine Frau

Adalbert Stifter (1805–1868), whose exact descriptions of nature, in his *Novellen* and novels, are unrivaled in German letters, spent the last years of his life as a school inspector at Linz on the Danube in Upper Austria. North of Linz, in the foothills of the Bohemian Forest, lies the village of Kirchschlag, overlooking the valley of the Danube and the whole chain of the Alps south of it. From there Stifter wrote, on March 18, 1866, a letter to his wife in Linz, adding, on the next day, the large postscript which is reprinted on the following pages.

N.S.[+] Ich habe gestern, als ich diesen Brief schon geschrieben hatte, noch in Erfahrung gebracht, daß am Dienstage der Knecht nach Linz beichten[+] geht, und er hat sich erboten, etwas an dich mitzunehmen. Ich beschloß also, um die Kosten einer eigenen Sendung zu ersparen, das Schreiben und die Quittung[+] und das Geld mit zu geben. Du erhältst also Alles um einen Tag später, und erhältst noch mehrere Zeilen dazu, und ich genieße die Freude, dir noch Manches schreiben zu können. Es wird wohl kein Schaden aus der Verzögerung erwachsen. Das Schreiben an dich aber ist mir immer ein Fest. Hätte ich nicht Berufs-dinge zu schreiben, ich schriebe hier oben immer nur an dich. So tief,

---

an-kommen: auf etwas ~ to depend on
Toni. His fiancée, the actress Antonia Adamberger
N.S. = **Nachschrift** postscript
beichten to confess
die **Quittung, -en** receipt

so unüberwindlich fast schon die Sehnsucht nach dir in meinem Herzen wird, so hatte ich doch heute Morgens ein herrliches Gefühl. Ich ging nach 6 Uhr ins Freie, es war ein ganz wolkenloser Himmel und stille warme Luft. Nie in meinem Leben aber habe ich die Alpen in so
5 sanfter Hoheit+ gesehen wie heute. Die Schneefelder schimmernd in der Morgensonne, das Blau der Felsenschatten so mild von dem weichen milchicht+ grünlichen Himmel abgehend+ und doch Alles so deutlich, daß man meinte, darnach greifen zu können. Ein so edles Gefühl kam in meine Seele, daß ich dir es nicht beschreiben kann. Ich
10 dachte an Gott, der das Alles gemacht hat, und es war wie ein heiliges Gebet in meinem Innern. Ich dachte dann an dich, die du mir nach Gott das Höchste bist, und wie eine lichte Wolke, war es mir, schwebe Liebe von mir zu dir ins Tal hinab. Ich wandte mich wieder zu Gott, und dankte ihm, daß er mir aufs Neue nach langer Seelenumschat-
15 tung+ der Krankheit diese Empfindungen gegeben hat. Ich habe die Natur wieder, ich habe dich, du meines Lebens Freude, wieder. Ja, ich kann sagen, du teures Weib, du bist mir gleichsam neu wieder gegeben. Das sind lauter gute Zeichen, und wenn noch Schwankungen kommen mögen, der Zauber, der meine Seele umschnürt hatte, ist
20 gebrochen. Ich dachte auch noch an den treuen Freund Schaller, der heute seinen Namenstag+ hat.

Dann ging ich in mein Zimmer, um zu malen. Es kam aber nach kurzem Haslinger, und sagte, er hätte die Berge nie so gesehen wie heute, ich möge zu ihm kommen, und sie durch das Fernrohr betrachten.
25 Ich warf Pinsel+ und Palette weg, und ging zu ihm. Mit dem Fernrohr strich+ ich von seinem Fenstergange+ langsam an den Bergen hin von Tirol bis Ungarn.+ Welche wundervolle Gestalten! Wie ich dir

---

die **Hoheit** majesty
milchicht milky
ab=gehen. Translate here: to contrast
die **Seelenumschattung** mental depression (Stifter suffered from a liver ailment which prompted him to commit suicide two years after this letter.)
der **Namenstag.** The day of the saint after whom a person is named
der **Pinsel,** – paint brush
hin=streichen to move along
der **Fenstergang** verandah which runs around the entire house
Ungarn Hungary

Photo Marburg

Bad Ischl in den österreichischen Alpen. Gemälde von Ferdinand Waldmüller (1793–1865)

einmal aus Ischl[+] schrieb: im Schneekleide sind die Alpen weit schöner und erhabener als im Sommer. Wenn wieder ein ähnlicher Tag wird, zeichne ich Berggestalten durch das Fernrohr. Dann richtete ich das Rohr[+] auf das Haus unserer Wohnung, und zwar auf die Fenster unseres Speisezimmers. Alles war so deutlich, daß man die Schrift auf dem Schilde sah. Dort, dachte ich, schlägt das gute Herz, das dein ist, wie es leibt und lebt,[+] dein für dieses ganze Erdenwallen[+] und dein vielleicht für die ganze Ewigkeit. Wie hat Gott den Menschen beglückt, daß er ihm gab, Liebe empfinden und Liebe schenken zu können! Aber was sage ich: dem Menschen? Die ganze Welt ist auf Liebe gebaut, ein Meer von Liebe ist Alles. Liebt uns nicht unser Hündchen, ist es nicht glücklich in dieser Liebe, und ist es nicht glücklich, wenn es von uns Zeichen der Neigung empfängt?

Ich blieb bis Mittag bei Haslinger, und ging mit ihm am Walde und in dem Walde herum. Dann trübte sich der Himmel, und ein unfreundlicher Ostwind kam, der auch den ganzen Nachmittag anhielt. Aber die Luft war so durchsichtig, daß man jedes Haus in Linz und Ebelsberg,[+] ja jeden Baum sehen konnte. Ich habe die Ebene nie so deutlich erblickt. Das ist aber auch ein Zeichen, daß sehr schlechtes Wetter kommen wird. Sei es, dann ist es schön, wenn ich zu dir hinab komme.

Richte mir bis Samstag wieder etwas Strizel[+] und Braten, es ist die letzte Sendung. Morgen sind nur mehr[+] 10 Äpfel. Gute Nacht, liebes, liebes Herz.

Schone deine Gesundheit, erhitze und erkühle dich nicht. Streichle[+] unsere Puzi[+] ein wenig für mich.

Adalbert Stifter.

Kirchschlag, 19ten März 1866.

Ischl. Mountain resort in Upper Austria
das **Rohr** = das **Fernrohr**
leben: wie . . . lebt just as it is
(**Erdenwallen**): das Wallen pilgrimage
Ebelsberg. A village near Linz
der **Strizel.** A kind of coffee-cake
nur mehr . . . only . . . left (that is, he eats one apple every day from a number of apples equal to the number of days he has planned to stay away)
streicheln to pat
Puzi. Stifter's dog

Hofmannsthal an seinen Vater

Of the three great German poets of the last generation, the Viennese Hugo von Hofmannsthal (1874–1929) has not received the international acclaim that has been accorded Rilke, nor did he become the teacher and spokesman of a definite group of followers in his own nation, as George did. Yet his rich work in poetry and poetic prose, in the drama and the essay, exerts an ever-deepening influence on the present generation. Outside Germany he is widely known for his comedy *Der Rosenkavalier* and other librettos for which Richard Strauss wrote the music.

The letter to his father is reprinted from the volume entitled *Hugo von Hofmannsthal: Briefe, 1900–1909*, by permission of the publisher, Bermann-Fischer, Amsterdam.

Fusch,+ den 15. Juli 1904

Liebster Papa,

Hier ist auf jedem Schritt und Tritt die Erinnerung an die gute Mama so lebendig, daß es schwer ist, an etwas anderes zu denken. Aber es tut mir sehr wohl, daß ich sie mir hier fast durchaus heiter 5 denken kann, immer lebhaft, und voll ihrer unglaublichen Teilnahme an der Existenz von wieviel Hunderten von Menschen! Daß ein solches Wesen verschwunden sein kann—und daneben halten sich die Bäume, ja die Sträucher unverändert und selbst ein solches Geschöpf, wie die Vefi,+ humpelt+ herum wie vor zwanzig Jahren, das Gesicht 10 als wäre es grotesk aus Holz geschnitten, nichts an ihr verändert, wenigstens für mein Auge, sie selbst wird sich vielleicht anders vorkommen, wenn sie sich je in einen Spiegel schaut. Es sind nun genau zwanzig Jahre, daß wir zum erstenmal hier waren, und mir ist, als wäre es vergangenes Jahr, so nahe, so lebhaft steht alles vor mir. 15 Damals war ich in der ersten Klasse, hab' öfters Nasenbluten gehabt und in den ersten Tagen hier hab' ich mich von den Schrecken der „Ahnfrau"+ noch nicht ganz erholen können. Dann ist mein Zeugnis

---

Fusch. A mountain resort in the Austrian province of Salzburg

Vefi. Diminutive of Genoveva

humpeln to hobble

die **„Ahnfrau"** "The Ancestress", a quite lurid play by the greatest Austrian playwright, Franz Grillparzer (1791–1877)

nachgekommen, das, auf welchem ich der Erste war, und der angeheiterte+ Pillmayr+ hat uns auf dem Platz vor der Kegelbahn+ dazu gratuliert. Damals war ich noch so klein, daß Du mich auf einem Spaziergang auf dem Plateau ein Stück getragen hast, weil ich sehr
5 müd geworden war.

Und dann bin ich Sommer auf Sommer hier herumgesprungen mit dem großen Bergstock und bin allmählich aus einem Kind ein junger Mensch geworden und dann allmählich ein nicht mehr ganz junger Mensch. Viele Jahre war ich ungeduldig hier. Es war die
10 Ungeduld der Jugend, die sich immer fort sehnt, nach neuen Gegenden, andern Menschen. Und seither habe ich vieles gesehen und manches erlebt, ich habe eher ein reicheres Gefühl von der Welt als damals, aber ich suche sie nicht mehr draußen, ich weiß, daß sie nur in mir selbst ist, und nur der Ruhe und innerer Harmonie bedarf, um hervorzusteigen,
15 und so ist mir die Stille hier und Abgeschlossenheit und Armut an Bildern jetzt wohltuend, wie sie mir früher manchmal wohltuend war.

Und die Traurigkeit über den Tod der guten, guten Mama löst sich in eine stille Wehmut auf: denn daß sie wegschwinden konnte, ist nicht befremdlicher, ist aus keiner andern Ordnung der Dinge, und ist nicht
20 unbegreiflicher, als daß ich selbst hier herumgehe, derselbe und doch so ein anderer als dieses Kind von damals.

Es hat sich seit gestern immer mehr bewölkt und regnet jetzt. Das ist auch gut, denn die Luft war schon ganz ohne Schärfe und Frische, das Moos im Wald dürr+ wie Stroh und alle Wasserläufe fadendünn.
25 Die Unterkunft+ ist ganz gut, beide Hotels sind mehr als halb leer.

Leb wohl, gib nur acht auf Dich. Innigst umarmt Dich

Dein Hugo

---

angeheitert slightly tipsy
Pillmayr. Proper name
die **Kegelbahn, -en** bowling alley
dürr dry
die **Unterkunft** accommodation(s)

Prosa

LUTHER

Martin Luther's translation of the Bible (done partly at the castle of the Wartburg; see the picture on page 233), until recently, was read by every German Protestant. Its poetic vigor inspired and fashioned the style of German prose and poetry through the centuries, since from the seventeenth to the nineteenth century the contribution of Protestant writers to German literature was predominant. It also gave Luther's language, the language of east-central Germany, an ascendancy over all other German dialects and thus served to stabilize the German literary language. Today the Luther Bible has begun to seem remote and difficult to understand to the modern reader and has been replaced in the service of many Protestant communities by various modern versions.

Aus der Bibelübersetzung

Es begab sich aber zu der Zeit, daß ein Gebot von dem Kaiser Augustus ausging, daß alle Welt geschätzt+ würde.

Und diese Schätzung war die allererste, und geschah zur Zeit, da Cyrenius Landpfleger+ in Syrien war.

Und jedermann ging, daß er sich schätzen ließe, ein jeglicher+ in seine Stadt.

Da machte sich auf auch Joseph aus Galiläa, aus der Stadt Nazareth, in das jüdische Land zur Stadt Davids, die da heißt Bethlehem, darum daß er von dem Hause und Geschlechte Davids war,

auf daß er sich schätzen ließe mit Maria, seinem vertrauten+ Weibe, die war schwanger.+

Und als sie daselbst+ waren, kam die Zeit, daß sie gebären+ sollte.

Und sie gebar ihren ersten Sohn, und wickelte+ ihn in Windeln,+ und

---

schätzen to tax
der **Landpfleger, –** governor
ein jeglicher = jeder
vertraut wedded – **schwanger** pregnant
daselbst' in that very place
gebären, a, o to give birth
wickeln to wrap
die **Windel, –n** swaddling clothes

legte ihn in eine Krippe,+ denn sie hatten sonst keinen Raum in der Herberge.+

Und es waren Hirten in derselbigen Gegend auf dem Felde bei den Hürden,+ die hüteten des Nachts ihrer Herde.

Und siehe, des Herrn Engel trat zu ihnen, und die Klarheit des Herrn leuchtete um sie; und sie fürchteten sich sehr.

Und der Engel sprach zu ihnen: Fürchtet euch nicht; siehe, ich verkündige euch große Freude, die allem Volk widerfahren wird;

denn euch ist heute der Heiland geboren, welcher ist Christus, der Herr, in der Stadt Davids.

Und das habt zum Zeichen: Ihr werdet finden das Kind in Windeln gewickelt und in einer Krippe liegen.

Und alsbald war da bei dem Engel die Menge der himmlischen Heerscharen,+ die lobten Gott und sprachen:

Ehre sei Gott in der Höhe, und Friede auf Erden, und den Menschen ein Wohlgefallen!

Und da die Engel von ihnen gen+ Himmel fuhren, sprachen die Hirten untereinander: Laßt uns nur gehen gen Bethlehem, und die Geschichte sehen, die da geschehen ist, die uns der Herr kundgetan hat.

Und sie kamen eilend, und fanden beide, Maria und Joseph, dazu das Kind in der Krippe+ liegen.

Da sie es aber gesehen hatten, breiteten sie das Wort aus, welches zu ihnen von diesem Kind gesagt war.

Und alle vor die es kam, wunderten sich der Rede, die ihnen die Hirten gesagt hatten.

Maria aber behielt alle diese Worte und bewegte sie in ihrem Herzen.

Und die Hirten kehrten wieder um, priesen und lobten Gott um alles, was sie gehört und gesehen hatten, wie denn zu ihnen gesagt war.

(Lucas+ II, 1–20)

---

die **Krippe, -n** manger
die **Herberge, -n** (country) inn
die **Hürde, -n** fold
die **Heerschar, -en** host
gen = gegen
Lucas Luke

Photogrammetrie G.M.B.H., Munchen

Die Wartburg: Vom Flugzeug gesehen

ECKERMANN

From the year 1823 to the end of Goethe's life, in 1832, Johann Peter Eckermann (1792–1854) lived close to Goethe as his assistant in literary matters. He faithfully recorded the many conversations which he had with Goethe and combined them into the biographical masterpiece of German letters. The reading of Eckermann's *Gespräche mit Goethe* is an excellent approach to the study of Goethe: here Goethe lives and shows the reader all the facets of his many-sided personality—his interest in all intellectual activities, especially in poetry and natural science, his intensity of feeling and exaltation, his simplicity and human warmth.

The conversation given here took place on October 8, 1827. Goethe and Eckermann had driven, on the previous day, from Weimar to Jena, which, situated on the river Saale, was the university city of the duchy of Weimar. At Jena several of the great German philosophers taught at the beginning of the nineteenth century, and here Schiller had lived in his earlier years.

Goethes Naturbetrachtung

Es war indes Mittag geworden. Wir saßen wieder im Wagen. „Ich dächte", sagte Goethe, „wir führen nicht zu Tisch nach dem Bären,+ sondern genössen den herrlichen Tag im Freien. Ich dächte wir gingen nach Burgau.+ Wein haben wir bei uns und dort finden
5 wir auf jeden Fall einen guten Fisch, den man entweder sieden+ oder braten mag."

Wir taten so und es war gar herrlich. Wir fuhren an den Ufern der Saale hinauf, an Gebüschen und Krümmungen vorbei, den anmutigsten Weg, wie ich ihn vorhin aus Schillers Mansarde+ gesehen.
10 Wir waren sehr bald in Burgau. Wir stiegen+ in dem kleinen Gasthofe ab, nahe am Fluß und an der Brücke, wo es hinüber nach Lobeda geht, welches Städtchen wir über Wiesen hin nahe vor Augen hatten.

Bären. Inns in Germany often have the names of animals
Burgau. Name of a village
sieden, sott, gesotten to boil
die **Mansarde, -n** attic
ab=steigen to stop (at an inn)

In dem kleinen Gasthofe war es so, wie Goethe gesagt. Die Wirtin entschuldigte sich, daß sie auf nichts eingerichtet+ sei, daß es uns aber an einer Suppe und an einem guten Fisch nicht fehlen solle.

Wir promenierten indes im Sonnenschein auf der Brücke hin und her und freuten uns des Flusses, der durch Flößer+ belebt war, die auf zusammengebundenen fichtenen+ Bohlen+ von Zeit zu Zeit unter der Brücke hinglitten und bei ihrem mühsamen, nassen Geschäft überaus heiter und laut waren. 5

Wir aßen unsern Fisch im Freien und blieben sodann noch bei einer Flasche Wein sitzen und hatten allerlei gute Unterhaltung. 10

Ein kleiner Falke+ flog vorbei, der in seinem Flug und seiner Gestalt große Ähnlichkeit mit dem Kuckuck+ hatte.

„Es gab eine Zeit", sagte Goethe, „wo das Studium der Naturgeschichte noch so weit zurück war, daß man die Meinung allgemein verbreitet fand, der Kuckuck sei nur im Sommer ein Kuckuck, im Winter aber ein Raubvogel." 15

„Diese Ansicht", erwiderte ich, „existiert im Volke auch jetzt noch. Ja, man dichtet+ dem guten Vogel auch an, daß, sobald er völlig ausgewachsen sei, er seine eigenen Eltern verschlucke. Und so gebraucht man ihn denn als ein Gleichnis des schändlichsten Undankes. Ich kenne noch im gegenwärtigen Augenblick Leute, die sich diese Absurditäten durchaus nicht wollen ausreden lassen und die daran so fest hängen wie an irgendeinem Artikel ihres christlichen Glaubens." 20

„Soviel ich weiß", sagte Goethe, „klassifiziert man den Kuckuck zu den Spechten."+ 25

„Man tut so mitunter", erwiderte ich, „wahrscheinlich aus dem Grunde, weil zwei Zehen seiner schwachen Füße eine Richtung nach hinten haben. Ich möchte ihn aber nicht dahin stellen. Er hat für die Lebensart der Spechte so wenig den starken Schnabel, der fähig wäre, irgendeine abgestorbene Baumrinde zu brechen, als die scharfen, 30

(sich) einrichten (auf) to prepare (for)
der **Flößer, –** raftsman
fichten made of spruce
die **Bohle, –n** plank
der **Falke, –n** hawk
der **Kuckuck, –s** cuckoo
an=dichten to ascribe fancifully
der **Specht, –e** woodpecker

sehr starken Schwanzfedern, die geeignet+ wären, ihn bei einer solchen Operation zu stützen. Auch fehlen seinen Zehen die zum Anhalten nötigen scharfen Krallen+ und ich halte daher seine kleinen Füße nicht für wirkliche Kletterfüße, sondern nur für scheinbare."

5 „Die Herren Ornithologen", versetzte Goethe, „sind wahrscheinlich froh, wenn sie irgendeinen eigentümlichen+ Vogel nur einigermaßen schicklich+ untergebracht+ haben; wogegen aber die Natur ihr freies Spiel treibt und sich um die von beschränkten+ Menschen gemachten Fächer wenig kümmert."

10 „So wird die Nachtigall", fuhr ich fort, „zu den Grasmücken+ gezählt, während sie in der Energie ihres Naturells,+ ihren Bewegungen und ihrer Lebensweise weit mehr Ähnlichkeit mit den Drosseln+ hat. Aber auch zu den Drosseln möchte ich sie nicht zählen. Sie ist ein Vogel, der zwischen beiden steht, ein Vogel für sich, sowie auch der 15 Kuckuck ein Vogel für sich ist mit so scharf ausgesprochener Individualität wie einer."+

„Alles was ich über den Kuckuck gehört habe", sagte Goethe, „gibt mir für diesen merkwürdigen Vogel ein großes Interesse. Er ist eine höchst problematische Natur, ein offenbares Geheimnis, das aber 20 nichtsdestoweniger schwer zu lösen, weil es so offenbar ist. Und bei wie vielen Dingen finden wir uns nicht in demselbigen Falle!—Wir stecken in lauter Wundern und das letzte und beste der Dinge ist uns verschlossen. Nehmen wir nur die Bienen. Wir sehen sie nach Honig fliegen, stundenweit und zwar immer einmal in einer anderen Richtung. 25 Jetzt fliegen sie wochenlang westlich nach einem Felde von blühendem Rübsamen.+ Dann ebenso lange nördlich nach blühender Heide.+ Dann wieder in einer anderen Richtung nach der Blüte des Buchwei-

---

geeignet suited
die **Kralle, –n** claw
eigentüm'lich strange
schicklich proper
unter=bringen to classify
beschränkt narrow-minded
die **Grasmücke, –n** warbler (*sylvia*). Actually, this Old World singing bird resembles more closely the American kinglets and gnat-catchers than the American warblers.
das **Naturell'** natural disposition
die **Drossel, –n** thrush
ein: wie ~ as any
der **Rübsamen** rapeseed
die **Heide** heather

Courtesy of German Section, Department of Modern Languages, Princeton University

Goethe im Jahre 1826.
Kreidezeichnung von Ludwig Sebbers, jetzt in Princeton, N. J.

zens.+ Dann irgendwohin auf ein blühendes Kleefeld.+ Und endlich wieder in einer anderen Richtung nach blühenden Linden. Wer hat ihnen aber gesagt: Jetzt fliegt dorthin, da gibt es etwas für euch! Und dann wieder dort, da gibt es etwas Neues! Und wer führt sie zurück
5 nach ihrem Dorf und ihrer Zelle? Sie gehen wie an einem unsichtbaren Gängelbande+ hierhin und dorthin; was es aber eigentlich sei, wissen wir nicht. Ebenso die Lerche.+ Sie steigt singend auf über einem Halmenfeld,+ sie schwebt über einem Meer von Halmen,+ das der Wind hin und her wiegt und wo die eine Welle aussieht wie die
10 andere; sie fährt wieder hinab zu ihren Jungen und trifft, ohne zu fehlen, den kleinen Fleck, wo sie ihr Nest hat. Alle diese äußeren Dinge liegen klar vor uns wie der Tag, aber ihr inneres geistiges Band ist uns verschlossen."

„Mit dem Kuckuck", sagte ich, „ist es nicht anders. Wir wissen
15 von ihm, daß er nicht selber brütet,+ sondern sein Ei in das Nest irgendeines anderen Vogels legt. Wir wissen ferner, daß er es legt: in das Nest der Grasmücke,+ der gelben Bachstelze,+ des Mönches;+ ferner in das Nest der Braunelle,+ in das Nest des Rotkehlchens+ und in das Nest des Zaunkönigs.+ Dieses wissen wir. Auch wissen wir
20 gleichfalls, daß dieses alles Insektenvögel sind und es sein müssen, weil der Kuckuck selber ein Insektenvogel ist und der junge Kuckuck von einem Samen fressenden Vogel nicht könnte erzogen werden. Woran aber erkennt der Kuckuck, daß dieses alles auch wirklich Insektenvögel sind, da doch alle diese genannten sowohl in ihrer Gestalt als in ihrer
25 Farbe voneinander so äußerst abweichen+ und auch in ihrer Stimme

---

der **Buchweizen** buckwheat
(**Kleefeld**): der Klee clover
das **Gängelband** leading-strings (with which children were taught to walk)
die **Lerche, –n** lark
das **Halmenfeld, –er.** Field of young wheat, rye, oats, or barley
der **Halm, –e** blade
brüten to brood
die **Grasmücke, –n** warbler
die **gelbe Bachstelze, –n** yellow wagtail (*motacilla flava*)
der **Mönch, –e** blackcap (*sylvia atricapilla*)
die **Braunel'le, –n** continental hedge-sparrow (*accentor modularis*)
das **Rotkehlchen, –** English robin (*erithacus rubeulus*)
der **Zaunkönig, –e** wren (*troglodytidae* family)
ab=weichen to be different

und in ihren Locktönen+ so äußerst abweichen!—Und ferner, wie kommt es, daß der Kuckuck sein Ei und sein zartes Junges Nestern anvertrauen kann, die in Hinsicht auf Struktur und Temperatur, auf Trockenheit und Feuchte, so verschieden sind wie nur immer möglich?—Das Nest der Grasmücke+ ist von den dürren Grashälmchen+ und einigen Pferdehaaren so leicht gebaut, daß jede Kälte eindringt und jeder Luftzug hindurchweht, auch von oben offen und ohne Schutz; aber der junge Kuckuck gedeiht darin vortrefflich. Das Nest des Zaunkönigs+ dagegen ist äußerlich von Moos, Halmen und Blättern dicht und fest gebaut und innen mit allerlei Wolle und Federn sorgfältig ausgefüttert, so daß kein Lüftchen hindurchdringen kann. Auch ist es oben gedeckt und gewölbt und nur eine kleine Öffnung zum Hinein- und Hinausschlüpfen des sehr kleinen Vogels gelassen. Man sollte denken, es müßte in heißen Junitagen in solcher geschlossenen Höhle eine Hitze zum Ersticken sein. Allein der junge Kuckuck gedeiht darin aufs beste. Und wiederum wie anders ist das Nest der gelben Bachstelze!+—Der Vogel lebt am Wasser, an Bächen und in allerlei Nassem. Er baut sein Nest auf feuchten Triften,+ in einem Büschel+ von Binsen.+ Er scharrt+ ein Loch in die feuchte Erde und legt es dürftig mit einigen Grashälmchen aus, so daß der junge Kuckuck durchaus im Feuchten und Kühlen gebrütet+ wird und heranwachsen muß. Und dennoch gedeiht er wiederum vortrefflich. Was ist das aber für ein Vogel, für den im zartesten Kindesalter Feuchtes und Trockenes, Hitze und Kälte, Abweichungen,+ die für jeden anderen Vogel tödlich wären, durchaus gleichgültige Dinge sind. Und wie weiß der alte Kuckuck, daß sie es sind, da er doch selber im erwachsenen Alter für Nässe und Kälte so sehr empfindlich ist?"—

„Wir stehen hier", erwiderte Goethe, „eben vor einem Geheimnis. Aber sagen Sie mir doch, wenn Sie es beobachtet haben, wie bringt

---

der **Lockton, ⸗e** call to attract
die **Grasmücke** warbler
(**Grashälmchen**): der Halm, –e stalk, blade
der **Zaunkönig** wren
die **gelbe Bachstelze** yellow wagtail
die **Trift, –en** pasture
das **Büschel, –** cluster
die **Binse, –n** reed
scharren to scratch
brüten to hatch
die **Abweichung, –en** difference

der Kuckuck sein Ei in das Nest des Zaunkönigs, da es doch nur eine so geringe Öffnung hat, daß er nicht hineinkommen und er sich nicht selber daraufsetzen kann?"

„Er legt es auf irgendeine trockene Stelle", erwiderte ich, „und 5 bringt es mit dem Schnabel hinein. Auch glaube ich, daß er nicht bloß beim Zaunkönig, sondern auch bei den übrigen Nestern so tut. Denn auch die Nester der anderen Insektenvögel, wenn sie auch oben offen, sind doch so klein oder so nahe von Zweigen umgeben, daß der große langschwänzige Kuckuck sich nicht daraufsetzen könnte. Dies ist sehr 10 wohl zu denken. Allein wie es kommen mag, daß der Kuckuck ein so außerordentlich kleines Ei legt, ja so klein, als wäre es das Ei eines kleinen Insektenvogels, das ist ein neues Rätsel, das man im stillen bewundert, ohne es lösen zu können.—Das Ei des Kuckucks ist nur um ein weniges größer als das der Grasmücke, und es darf im Grunde 15 nicht größer sein, wenn die kleinen Insektenvögel es brüten sollen. Dies ist durchaus gut und vernünftig. Allein daß die Natur, um im speziellen Fall weise zu sein, von einem durchgehenden+ großen Gesetz abweicht,+ wonach vom Kolibri+ bis zum Strauß+ zwischen der Größe des Eies und der Größe des Vogels ein entschiedenes Verhältnis statt- 20 findet, dieses willkürliche Verfahren, sage ich, ist durchaus geeignet,+ uns zu überraschen und in Erstaunen zu setzen."

„Es setzt uns allerdings in Erstaunen," erwiderte Goethe, „weil unser Standpunkt zu klein ist, als das wir es übersehen könnten. Wäre uns mehr eröffnet, so würden wir auch diese scheinbaren Abweichungen 25 wahrscheinlich im Umfange des Gesetzes finden. Doch fahren Sie fort und sagen Sie mir mehr. Weiß man denn nicht, wie viele Eier der Kuckuck legen mag?"

„Wer darüber etwas mit Bestimmtheit sagen wollte," antwortete ich, „wäre ein großer Tor. Der Vogel ist sehr flüchtig,+ er ist bald 30 hier und bald dort, man findet von ihm in einem einzigen Nest immer nur ein einziges Ei. Er legt sicherlich mehrere; allein wer weiß, wo sie

---

durchgehend general, universal
ab-weichen to deviate
der **Kolibri, -s** humming bird
der **Strauß, -e** ostrich
geeignet capable; such as
flüchtig transient, not settled

hingeraten und wer kann ihm nachkommen! — Gesetzt+ aber, er legte fünf Eier und diese würden alle fünf glücklich ausgebrütet+ und von liebevollen Pflegeeltern herangezogen, so hat man wiederum zu bewundern, daß die Natur sich entschließen mag, für fünf junge Kuckucks wenigstens f ü n f z i g Junge unserer besten Singvögel zu opfern." 5

„In dergleichen Dingen", erwiderte Goethe, „pflegt die Natur auch in andern Fällen nicht eben skrupulös zu sein. Sie hat einen großen Etat+ von Leben zu vergeuden+ und sie tut es gelegentlich ohne sonderliches Bedenken. Wie aber kommt es, daß für einen einzigen Kuckuck so viele junge Singvögel verloren gehen?" 10

„Zunächst", erwiderte ich, „geht die erste Brut verloren. Denn im Fall auch die Eier des Singvogels neben dem Kuckucksei, wie es wohl geschieht, mit ausgebrütet würden, so haben doch die Eltern über den entstandenen größeren Vogel eine solche Freude und für ihn eine solche Zärtlichkeit, daß sie nur an ihn denken und nur ihn füttern, worüber 15 denn ihre eigenen kleineren Jungen zugrunde gehen und aus dem Neste verschwinden. Auch ist der junge Kuckuck immer begierig und bedarf so viel Nahrung, als die kleinen Insektenvögel nur immer herbeischleppen können. Es dauert sehr lange, ehe er seine vollständige Größe und sein vollständiges Gefieder+ erreicht und ehe er fähig ist, das Nest 20 zu verlassen und sich zum Gipfel eines Baumes zu erheben. Ist er aber auch längst ausgeflogen, so verlangt er doch noch fortwährend gefüttert zu werden, so daß der ganze Sommer darüber hingeht und die liebevollen Pflegeeltern ihrem großen Kinde immer nachziehen und auch an eine z w e i t e Brut nicht denken. Aus diesem Grunde gehen 25 denn über einen einzigen jungen Kuckuck so viele andere junge Vögel verloren."

„Das ist sehr überzeugend", erwiderte Goethe. „Doch sagen Sie mir, wird denn der junge Kuckuck, sobald er ausgeflogen ist, auch von anderen Vögeln gefüttert, die ihn nicht gebrütet haben? Es ist mir, 30 als hätte ich dergleichen gehört."

---

gesetzt supposing
aus=brüten to hatch
der **Etat',** –s budget
vergeuden to squander
das **Gefieder** plumage

„Es ist so", antwortete ich. „Sobald der junge Kuckuck sein niederes Nest verlassen und seinen Sitz etwa in dem Gipfel einer hohen Eiche genommen hat, läßt er seinen lauten Ton hören, welcher sagt, daß er da sei. Nun kommen alle kleinen Vögel der Nachbarschaft, die ihn
5 gehört haben, herbei, um ihn zu begrüßen. Es kommt die Grasmücke, es kommt der Mönch,+ die gelbe Bachstelze fliegt hinauf, ja der Zaunkönig, dessen Naturell+ es ist, beständig in niederen Hecken+ und dichten Gebüschen zu schlüpfen, überwindet seine Natur und erhebt sich dem geliebten Ankömmling entgegen zum hohen Gipfel der Eiche. Das
10 Paar aber, das ihn erzogen hat, ist mit dem Füttern treuer, während die übrigen nur gelegentlich mit einem guten Bissen herzufliegen."

„Es scheint also", erwiderte Goethe, „zwischen dem jungen Kuckuck und den kleinen Insektenvögeln eine große Liebe zu bestehen."

„Die Liebe der kleinen Insektenvögel zum jungen Kuckuck", erwiderte
15 ich, „ist so groß, daß, wenn man einem Neste nahe kommt, in welchem ein junger Kuckuck gehegt wird, die kleinen Pflegeeltern vor Schreck und Furcht und Sorge nicht wissen, wie sie sich gebärden+ sollen. Besonders der Mönch drückt eine große Verzweiflung aus, so daß er fast wie in Krämpfen+ am Boden flattert."

20 „Merkwürdig genug", erwiderte Goethe; „aber es läßt sich denken. Allein etwas sehr problematisch erscheint mir, daß zum Beispiel ein Grasmückenpaar, das im Begriff ist, die eigenen Eier zu brüten, dem alten Kuckuck erlaubt, ihrem Neste nahe zu kommen und sein Ei hineinzulegen."

25 „Das ist freilich sehr rätselhaft", erwiderte ich; „doch nicht so ganz. Denn eben dadurch, daß alle kleinen Insektenvögel den ausgeflogenen+ Kuckuck füttern und daß ihn also auch die füttern, die ihn nicht gebrütet haben, dadurch entsteht und erhält sich zwischen beiden eine Art Verwandtschaft, so daß sie sich fortwährend kennen und als Glieder einer
30 einzigen großen Familie betrachten. Ja es kann sogar kommen, daß

---

der **Mönch** blackcap
das **Naturell'** natural disposition
die **Hecke, -n** hedge
sich gebärden to conduct oneself
der **Krampf, ⸗e** convulsion
ausgeflogen fledged

derselbige Kuckuck, den ein paar Grasmücken im vorigen Jahre ausgebrütet und erzogen haben, ihnen in diesem Jahre sein Ei bringt."

„Das läßt sich allerdings hören," erwiderte Goethe, „sowenig man es auch begreift. Ein Wunder aber bleibt es mir immer, daß der junge Kuckuck auch von solchen Vögeln gefüttert wird, die ihn nicht gebrütet und erzogen." 5

„Es ist freilich ein Wunder", erwiderte ich; „doch gibt es wohl etwas Analoges. Ja ich ahne in dieser Richtung sogar ein großes Gesetz, das tief durch die ganze Natur geht.

„Ich hatte einen jungen Hänfling+ gefangen, der schon zu groß war, um sich von Menschen füttern zu lassen, aber noch zu jung, um allein zu fressen. Ich gab mir mit ihm einen halben Tag viel Mühe; da er aber durchaus nichts annehmen wollte, so setzte ich ihn zu einem alten Hänfling hinein, einem guten Sänger, den ich schon seit Jahr und Tag im Käfig+ gehabt und der außen vor meinem Fenster hing. Ich dachte, wenn der Junge sieht, wie der Alte frißt, so wird er vielleicht auch ans Futter+ gehen und es ihm nachmachen. Er tat aber nicht so, sondern er öffnete seinen Schnabel gegen den alten und bewegte mit bittenden Tönen die Flügel gegen ihn, worauf denn der alte Hänfling sich seiner sogleich erbarmte und ihn als Kind annahm und ihn fütterte, als wäre es sein eigenes. 10 15 20

„Ferner brachte man mir eine graue Grasmücke und drei Junge, die ich zusammen in einen großen Käfig tat und die die Alte fütterte. Am andern Tag brachte man mir zwei bereits ausgeflogene junge Nachtigallen, die ich auch zu der Grasmücke tat und die von ihr gleichfalls adoptiert und gefüttert wurden. Darauf nach einigen Tagen setzte ich noch ein Nest mit beinahe flüggen,+ jungen Müllerchen+ hinein und ferner noch ein Nest mit fünf jungen Plattmönchen.+ Diese alle nahm die Grasmücke an und fütterte sie und sorgte für sie als treue Mutter. Sie hatte immer den Schnabel voll Ameiseneier+ und 25 30

---

der **Hänfling** linnet (*linnote cannabina*)
der **Käfig, –e** cage
das **Futter**: ans ∾ gehen to take food
flügge fledged
das **Müllerchen,** – lesser white throat (*sylvia cirruca*)
der **Plattmönch** blackcap
(**Ameiseneier**): die Ameise, –n ant

war bald in der einen Ecke des geräumigen Käfigs und bald in der andern und wo nur immer eine hungrige Kehle+ sich öffnete, da war sie da.—Ja, noch mehr!—Auch das eine, indes herangewachsene Junge der Grasmücke fing an, einige der Kleineren zu füttern, zwar noch
5 spielend und etwas kinderhaft, aber doch schon mit entschiedenem Trieb, es der trefflichen Mutter nachzutun."

„Da stehen wir allerdings vor etwas Göttlichem," sagte Goethe, „das mich in ein freudiges Erstaunen setzt. Wäre es wirklich, daß dieses Füttern eines Fremden als etwas allgemein Gesetzliches durch
10 die Natur ginge, so wäre damit manches Rätsel gelöst und man könnte mit Überzeugung sagen: daß Gott sich der verwaisten+ jungen Raben+ erbarme,+ die ihn anrufen."

„Etwas allgemein Gesetzliches", erwiderte ich, „scheint es allerdings zu sein; denn ich habe auch im wilden Zustande dieses hilfreiche Füttern
15 und dieses Erbarmen gegen Verlassene beobachtet.

„Ich hatte im vorigen Sommer in der Nähe von Tiefurt+ zwei junge Zaunkönige gefangen, die wahrscheinlich erst ganz kürzlich ihr Nest verlassen hatten; denn sie saßen in einem Busch auf einem Zweig nebst+ sieben Geschwistern in einer Reihe und ließen sich von ihren
20 Alten füttern. Ich nahm die beiden jungen Vögel in mein seidenes Taschentuch und ging in der Richtung nach Weimar bis ans Schießhaus,+ dann rechts nach der Wiese an der Ilm+ hinunter und an dem Badeplatz vorüber und dann wieder links in das kleine Gehölz. Hier, dachte ich, hast du Ruhe, um einmal nach deinen Zaunkönigen zu sehen.
25 Als ich aber das Tuch öffnete, entschlüpften sie mir beide und waren sogleich im Gebüsch und Grase verschwunden, so daß mein Suchen nach ihnen vergebens war. Am dritten Tage kam ich zufällig wieder an dieselbige Stelle und da ich die Locktöne+ eines Rotkehlchens+ hörte, so vermutete ich ein Nest in der Nähe, welches ich nach einigem Umher-

---

die **Kehle, -n** throat
verwaist orphaned
der **Rabe, -n** raven
sich **erbarmen** to take pity
Tiefurt. Manor house and park near Weimar
nebst together with
das **Schießhaus** rifle range
die **Ilm.** River on which Weimar is situated
der **Lockton, ⸗e** call to attract
das **Rotkehlchen** English robin

spähen+ auch wirklich fand. Wie groß aber war mein Erstaunen, als ich in diesem Nest, neben beinahe flüggen,+ jungen Rotkehlchen auch meine beiden jungen Zaunkönige fand, die sich hier ganz gemütlich untergetan+ hatten und sich von den alten Rotkehlchen füttern ließen. Ich war in hohem Grade glücklich über diesen höchst merkwürdigen Fund. Da ihr so klug seid, dachte ich bei mir selber und euch so hübsch habt zu helfen gewußt und da auch die guten Rotkehlchen sich eurer so hilfreich angenommen,+ so bin ich weit entfernt, so gastfreundschaftliche Verhältnisse zu stören, im Gegenteil wünsche ich euch das allerbeste Gedeihen."

„Das ist eine der besten ornithologischen Geschichten, die mir je zu Ohren gekommen", sagte Goethe. „Stoßen+ Sie an, Sie sollen leben+ und Ihre glücklichen Beobachtungen mit! Wer das hört und nicht an Gott glaubt, dem helfen nicht Moses und die Propheten. Das ist es nun, was ich die Allgegenwart Gottes nenne, der einen Teil seiner unendlichen Liebe überall verbreitet und eingepflanzt hat und schon im Tiere dasjenige als Knospe+ andeutet,+ was im edlen Menschen zur schönsten Blüte kommt. Fahren Sie ja in ihrem Studium und Ihren Beobachtungen fort! Sie scheinen darin ein besonderes Glück zu haben und können noch ferner zu ganz unschätzbaren Resultaten kommen."

Indes wir nun so an unserm Tische in freier Natur uns über gute und tiefe Dinge unterhielten, neigte sich die Sonne den Gipfeln der westlichen Hügel zu und Goethe fand es an der Zeit, unsern Rückweg anzutreten. Wir fuhren rasch durch Jena und nachdem wir im „Bären" bezahlt+ und noch einen kurzen Besuch bei Frommanns+ gemacht, ging es im scharfen Trab nach Weimar.

---

umher'=spähen to spy, look about
flügge fledged
sich unter=tun to find a refuge
sich jemandes an=nehmen to take care of someone
an=stoßen to clink glasses
leben: Sie sollen ~ I drink to your health—die **Knospe, -n** bud
an=deuten to suggest; to indicate faintly
bezahlt. That is, for their rooms; they had spent the previous night there
Frommann. A friend of Goethe's

GREGOROVIUS

Ever since the Middle Ages, Italy has been, for the Germans, the country of their longing. They have sought there an experience of exalted living. They have found in Italy art, either the art of antiquity or that of the Renaissance, a southern landscape, and the life and customs of the simple people. In Goethe's Italian journey, which he undertook in 1786–1788 and the account of which he published in 1817, the educational value of a journey to Italy was definitely established, and such a journey became a desideratum for every educated German.

Ferdinand Gregorovius (1821–1891) devoted the major part of his life to studies in Italian history, centering around the history of the city of Rome in the Middle Ages, and to the exploration of the country. His writings still, today, inspire many a German traveler.

Italienisches Volksleben

Die Gefühle dieses Landvolks drücken sich in primitiver Weise aus, und vielfach sind die ältesten Naturzustände hier bestehen geblieben.

Auffallend war mir stets die fast an den Orient erinnernde Zurückhaltung beider Geschlechter von einander. Es gilt dort der Grund-
5 satz: Männer haben mit Männern, Frauen mit Frauen zu verkehren. Man findet es lächerlich, wenn der Ehemann seine Frau am Arm führt, und das Mädchen hält seinen Ruf für gefährdet, wenn es von einem jungen Mann auf öffentlicher Straße angesprochen oder gar von ihm des Wegs begleitet wird. Dem Geliebten wird nur der "discorso"+
10 gestattet, das heißt das Zwiegespräch am Fenster oder an der Haustür, jenes alte Liebesgeschwätz, die "lenes sub noctem susurri"+ des Horaz. Man bringt Serenaden auf der Gitarre; und oft hörte ich Schäferständchen+ von Gesang und klagenden Tönen der Sackpfeife,+ welche des Nachts melodisch und trauervoll die Luft durchschweben. In
15 schönen Weisen singt das Volk hier die einfachen, langausgedehnten Ritornelli,+ und es ist angenehm im Weinberg Frage und Antwort

---

"discor'so" (*Italian*) conversation
"lenes sub noctem susurri" (*Latin*) "the soft whisperings by nightfall" (Horace, Odes, I, 9)
das **Schäferständchen,** – pastoral serenade
die **Sackpfeife, –n** bagpipe
die **Ritornel'li** *pl.* (*Italian*) refrains

zweier Liebenden zu hören, welche unermüdlich, wie die Zikaden+ des Sommers, sich singend zurufen.

Man heiratet hier sehr früh, der junge Mann von 21 Jahren nimmt ein Weib, das oft nicht mehr als 15 Jahre zählt. Ein wirkliches Liebesverhältnis+ und Verkehr längerer Zeit (was man überall far amore+ nennt) ist eher bei dem gemeinen Manne als bei den wohlhabenden und höhern Ständen zu finden, wo die Heirat gewöhnlich ein Geschäft ist. Ich erlebte davon ein Beispiel. Ein junger Abbate+ von 21 Jahren, Sohn einer begüterten+ Familie des Orts, ging mit dem Gedanken um, in den weltlichen Stand zurückzutreten. Eines Tags kam ein Franziskanermönch von Civitella+ (die Franziskaner sind hier die Mittler in allen Familienangelegenheiten) zur Mutter desselben und sagte ihr: in dem Ort Pisciano befinde sich ein Mädchen von ungefähr achtundzwanzig Jahren, welches einen Mann suche: es habe 1000 Skudi+ Mitgift+ und sei aus der besten Familie. Wenn nun sie, die Mutter, zu dieser Partie zustimme, möge sie den Sohn befragen. Der junge Mensch ging+ auf den Vorschlag ohne Besinnung ein; er setzte sich am folgenden Tag in seiner geistlichen Kleidung aufs Pferd und ritt nach dem Wohnort des Mädchens. Nach geschlossener Verlobung wurde der Schneider gerufen, aus dem geistlichen Rock einen weltlichen zu machen; die Schwester nähte in Eile ein Paar graue heiratsfähige, weltliche Hosen, und weil dem jungen Mann eine Weste fehlte, so schickte dessen Mutter in der Heimlichkeit zu mir, mich um eine solche für ihren Sohn zu ersuchen.+ Also ausgerüstet, präsentierte er sich zum zweitenmal seiner Braut in einem Winzerhaus,+

---

die **Zika'de, -n** cicada, locust
das **Liebesverhältnis, -se** love intrigue
far amo're (*Italian*) "to make love"
der **Abba'te** (*Italian*). A priest, or simply a person designated, or preparing, for the ministry, who wears a priest's robe
begütert well-to-do
Civitel'la. Civitella, and other place names that follow, belong to small cities in the neighborhood of Rome. Gregorovius himself was staying about 30 miles east of Rome, at Genazzano, when he wrote this account.
der **Skudo,** *pl.* Skudi. Monetary unit, no longer in use today
die **Mitgift** dowry
ein=gehen auf to agree to
ersuchen to ask for
das **Winzerhaus, ⸗er** grape-picker's pavilion

wo der Ehekontrakt gezeichnet+ wurde. Nach Verfluß+ von drei Wochen kam sie in einem Wagen angefahren, zwei große Säcke voll von Kupfermünzen mit sich führend, und die Trauung wurde auf der Stelle vollzogen. Der junge Ehemann hatte seine Lebensgefährtin vor dieser Zeit nur zweimal, und zwar nur auf Stunden gesehen. Ein Stübchen im Hause der Eltern war dem Paar eingerichtet, oder vielmehr nur ein kolossales Ehebett darin aufgestellt worden, sonst aber hatte dieses Ereignis keine Veränderung hervorgebracht.

Ich will bei dieser Gelegenheit einer sonderbaren Sitte Latiums+ nicht vergessen. Eines Abends erhob sich auf dem Platz der Stadt ein fremdartiges, ohrenzerreißendes Getöse+ von allerhand nicht bestimmbaren Instrumenten; ich trat hinaus und fand die große wie die kleine Jugend Genazzanos vor einem Hause versammelt, wo sie allem Anschein+ nach eine Katzenmusik+ darbrachte. Nie, selbst nicht auf deutschen Universitäten, hörte man eine genialer+ erfundene Disharmonie von Instrumenten. Denn diese stießen schauderhafte Töne aus der gewölbten Meermuschel,+ die aus dem Kuhhorn, jene klapperten+ mit Winzermessern,+ Spaten,+ eisernen Pfannen;+ dieser hielt ein Bündel von allerhand eisernen Dingen an einem Faden, welches er mächtig schüttelte, und jener rasselte+ über dem Straßenpflaster+ mit einer alten Kasserolle,+ die er im Halbkreis an einem Strick+ hin und her schleifte.+ Ihrer zehn oder zwölf läuteten+ mit Kuhglocken auf das allervergnüglichste. „Sagt", so fragte ich einen Herrn, welcher dem lärmenden Haufen lachend zuhörte, „was bedeutet dieses sonderbare Wesen?" „In dem Hause dort", so antwortete er, „wohnt ein Wit-

---

zeichnen. Translate here: to sign
der **Verfluß** lapse (of time)
Latium. Latin name of the province, in Italian Lazio
das **Getöse** din
der **Anschein** appearance
die **Katzenmusik** tin kettle serenade (literally: "cat-music")
genial' ingenious
die **Meermuschel, –n** marine shell, conch
klappern to rattle
(**Winzermesser**): der Winzer, – grape-picker—der **Spaten,** – spade
die **Pfanne, –n** frying-pan
rasseln to clank
(**Straßenpflaster**): das Pflaster pavement
die **Kasserol'le** stew-pan
der **Strick, –e** rope
schleifen to drag
läuten to ring

wer, welcher eben geheiratet hat; man bringt ihm die Scampanellata.+"
So heißt der ziemlich barbarische Gebrauch von dem Ausläuten+ der
Kuhglocken. In ganz Latium herrscht diese alte Sitte, einem Ehepaar,
dessen einer oder der andere Teil vorher verwitwet war, durch drei
Abende vor dem Haus eine Katzenmusik zu bringen. Und so taten 5
sie's dreimal in Genezzano, indem sie nach vollbrachtem infernalischen
Spektakel+ durch den Ort zogen, voran auf einer Stange eine Kür-
bislaterne+ tragend; die Prozession setzte so ungestört durch alle Straßen diese höllische Musik fort, nicht anders, als zöge eine Schar Dä-
monen, die Nacht durchschwärmend, durch dieses friedliche Städtchen. 10

Denn friedlich ist Genazzano wahrlich; seine Bewohner, sanftmü-
tiger und auch abergläubischer+ als die Nachbarn, scheinen diese Ge-
mütsart+ der Bedeutung der Stadt mit zu verdanken, welche ein so
berühmter Wallfahrtsort+ ist, daß ihre reiche Kirche heute in Latium
die Stelle des Tempels der Fortuna+ in Pränеste vertritt. Ich habe 15
das berühmte Fest der Madonna in Genazzano am 8. September+
miterlebt und kann daher davon erzählen. Vorher jedoch berichte ich
von der fabelhaften+ Geschichte ihres Bildes, welche ein Seitenstück zu
der Sage vom heiligen Hause in Loreto+ ist.

Zu Skutari in Albanien erschien in derselben Zeit, als die Casa 20
Santa von Nazareth nach Loreto durch die Luft getragen wurde, ein
heiliges Bild der Muttergottes, sei es vom Himmel herab, oder aus
einem unbekannten Ort, vor den Türken flüchtig. Man nannte es
die Madonna del buon Officio, das heißt vom guten Dienst. Nun geschah es, daß im Jahr 1467 zwei Pilger, welche den Türken entweichen 25

---

die **Scampanella'ta** (*Italian*) merry "bell-serenade"
das **Ausläuten** violent ringing
der **Spekta'kel** din
(**Kürbislaterne**): der Kürbis, –se pumpkin
abergläubisch superstitious
die **Gemütsart** character, turn of mind
der **Wallfahrtsort, –e** place of pilgrimage
Fortu'na. Cicero mentions the fame of the Temple of Fortune in ancient Praeneste, today Palestrina.
8. September. Feast of the birth of the Virgin Mary
fabelhaft fabulous
Lore'to. According to legend, the Casa Santa, the house of the mother of Jesus, was in the thirteenth century carried by angels from Nazareth to Loreto, near Ancona on the East coast of Italy.

und nach Italien gehen wollten, vor dieses Heiligenbild traten, um für ihre Wanderung Glück zu erflehen. Aber zu ihrem Erstaunen sahen sie an Stelle des Bildes eine weiße Wolke und diese sich gegen Abend fortbewegen. Sie folgten ihr bis an die Küste des Adriatischen
5 Meeres, und weil das Gewölk seine Reise über Meer fortsetzte, überschritten auch die Pilger trocknen Fußes die Wellen, weiter und weiter nachfolgend, bis die glänzende Wolke in der Nähe Roms ihren Blicken entschwand. Dort hörten sie alsbald, es sei in Genazzano ein Bildnis der Madonna erschienen; sie eilten nach dieser Stadt und fanden hier
10 das Bild von Skutari wieder.

Seit dieser Zeit begann die Madonna in Genazzano, welche „vom guten Rat" genannt wurde, Wunder zu tun; eine Kirche wurde ihr erbaut, nebst daranstoßendem Kloster; der Orden der Augustiner+ setzte sich in Besitz dieses heiligen Schatzes, der nicht minder, wenn
15 nicht mehr einträglich+ ist als die Madonna des Augustinerklosters in Rom. Denn diese Gottheit von Genazzano genießt durch ganz Latium eines Rufs, welcher demjenigen alter Orakel der Heiden gleichkommt. Zweimal im Jahre, im Frühling und Sommer, wird ihr Fest gefeiert und so eine doppelte Ernte von Opfergaben gehalten; nicht zu zählen
20 sind außerdem die Geschenke an Geld und Kostbarkeiten,+ welche Gläubige ihr darbringen. Weil auch der ärmste Landmann sein Scherflein+ auf den Altar der Jungfrau niederlegt, so darf man sagen, daß dieses eine Heiligenbild die ganze lateinische Campagna+ so gut besteuert,+ wie der Staat selbst es tut. Man sagte mir, daß die Opfer-
25 gaben durch Genossenschaften+ aufgebracht+ werden; jeder Teilnehmer legt in die gemeinschaftliche Kasse monatlich fünf Bajocci,+ und so geschieht es, daß eine wandernde Kompanie bisweilen 100 Skudi mit-

---

die **Augusti'ner** *pl.* (order of) the Augustinians
einträglich profitable
die **Kostbarkeiten** *pl.* valuables, jewelry
das **Scherflein** mite
lateinische Campag'na. The Campagna, synonymous with *Latium*, therefore "Latin" Campagna, is the district around Rome
besteuern to tax
die **Genossenschaft, -en** association
auf=bringen to collect
der **Bajoc'co,** *pl.* **Bajoc'ci** hundredth part of a Skudo

Photo Marburg

Goethe in der römischen Campagna, 1787.
Gemälde von H. W. Tischbein (1751–1829)

bringt. Die jährliche Rente+ der Wallfahrtskirche+ schätzt man auf 7500 Taler.+

Das Bild steht in einer sauber geschmückten Kirche, in einer Kapelle, welche Lampen erhellen. Den unmittelbaren Zutritt verwehrt ein Gitter+ von Eisenstäben, und auch sonst ist es für gewöhnlich mit einer Decke von gelber Seide verschleiert. Man rühmt von ihm, daß es, von Engeln durch die Lüfte getragen, auch in jener Kirche nicht ausruhe, sondern von unsichtbaren Händen schwebend erhalten werde. Ich sah es mehrmals enthüllt, konnte indes seinen überirdischen Zustand nicht erkennen.

Schon zur Vigilie+ des Festes kommen die Pilgerscharen; dann beginnt sowohl der Ort als die ganze Landschaft sich seltsam zu beleben und die Luft vom Gesange der Litaneien+ unablässig+ zu erschallen. Alle Straßen zieht es entlang, bunte Schwärme, doch geordnet; sie kommen von den Abruzzen,+ aus dem Sandalenlande,+ von Sora, vom Liris+ her, die meisten aus dem Gebiet der lateinischen Campagna. Es scheint sich das Fest des Jupiter Latialis+ vor unsern Augen zu erneuern, so viel sind diese Tausende, die heranziehen, so verschiedenartig ihre Kleidung und ihr Dialekt. Sie mit dem Gesange des "Ora"+ von den Hügeln herabwandern zu sehen und zu hören, in so großartiger Landschaft, dort die breite Straße herab, hier am Fluß entlang, auf Feldpfaden, und drüben und dorten+ wieder und wieder

---

die **Rente, –n** income

(**Wallfahrtskirche**): die Wallfahrt, –en pilgrimage

der **Taler, –**. A German silver coin; as monetary unit no longer in use today

das **Gitter, –** railing

die **Vigi'lie** vigil, eve

die **Litanei'** litany, a prayer consisting of invocations by the person who leads the prayer and alternate responses by the congregation

unablässig incessantly

die **Abruz'zen** *pl.* The high region of the Apennine Mountains east of Genazzano

das **Sanda'lenland.** The "sandal country" is the region of Frosinone, where leather soles, tied to the foot and leg by straps, are worn by the farm population.

der **Liris.** Name of a river, southeast of Genazzano

Jupiter Latia'lis. The "Latin Feast" of Jupiter in Roman times was the greatest yearly solemnity celebrated outside of the city of Rome in honor of the father of the gods; the festivities took place on the Alban Mount, only a few miles west of Genazzano

"Ora." That is, Ora pro nobis (*Latin*), meaning "pray for us." It is the burden of a litany addressed to a saint

drüben: ∼ und dorten on this and on that side

andere Pilgerscharen in roten, grünen und blauen Farben, die hohen Pilgerstäbe (bordoni) in den Händen, ist ein Schauspiel, welches dem Künstler, dem Poeten oder dem Historiker gleich merkwürdig sein wird.

Ich war hinausgeritten an dem Tage, da die ersten Scharen ankommen sollten, um mir für die geschichtliche Anschauung+ des Mittelalters diese große und alte Szene zu gewinnen. Die Comarca+ von Rom, in welcher noch Genazzano liegt, endigt zwei Millien+ weit ostwärts von der Stadt an einem Arm des Sacco,+ über welchen eine steinerne Brücke, der Ponte Orsini+ führt, ehedem+ berüchtigt+ als Räuberstation. Jenseits beginnt die Legation+ Frosinone. Hier senken sich Hügel gegen den Fluß, sanft und anmutig niedersteigend, und vor den Augen entfaltet sich das herrlichste Gemälde der Ebene, der Volskerberge,+ der Serra+ und der Höhen von Olevano, zu deren Füßen im Vorgrunde schöne Baumpartien+ die Landschaft kraftvoll durchgliedern.+ An jener Brücke ist es ein passender Ort, die Pilger zu erwarten: indem sie mit ihr das Weichbild+ des Wallfahrtsorts+ betreten, halten sie dort eine kleine Rast, und sie überschreiten sie mit inbrünstigem+ Chorgesange und auf den Knien rutschend.+ So sah ich ungezählte Scharen über die Brücke ziehen; die Weiber kniend an der einen, die Männer kniend an der andern Seite derselben. Als Chorführerin diente häufig eine alte Frau, und sie erhob, wenn sie das Ende der Brücke erreicht hatte und nun aufstand, ein helles "Evviva Maria"+ worin der Chor einstimmte. Dann zog die Prozession

---

die **Anschauung** understanding
die **Comar'ca.** The territory around Rome
die **Millie, –n.** Former Italian measure of distance, approximating one American mile
der **Sacco.** Name of a river
Ponte Orsi'ni. Orsini Bridge, named after one of the great families of medieval and Renaissance Rome
ehedem in times past
berüchtigt notorious
die **Legation'.** A "legation," before 1870, was a province of the Pontifical State
die **Volskerberge** *pl.* The Volsci, or Lepini Mountains, southwest of the valley of the Sacco
die **Serra.** A mountain chain
(**Baumpartie**): die Partie, –n. Translate here: group
durchglie'dern to divide into harmonious parts
das **Weichbild** environs, area
(**Wallfahrtsort**): die Wallfahrt, –en pilgrimage
inbrünstig fervent
rutschen to shuffle
"Evvi'va Maria" "Long live Mary!"

weiter, und obwohl sie der anhaltende Gesang ermüdet haben mußte, hob doch wieder entweder ein Mann oder ein Weib die Litanei zu singen an. Dieser einförmige Gesang, einfachster Ausdruck des religiösen Gefühls in der klagenden Tonart des Volks, und hin und her strömend wie das monotone Rauschen der Wellen, übt eine bezaubernde Gewalt auf die wandernden Menschen aus. Die Prozession scheint sich in dieser trauervollen Harmonie ruhig und sicher fortzutragen.[+] Sie[+] scheint dieselbe[+] wie ein sittliches Element zu durchdringen und sowohl die Schritte der Füße wie die Empfindungen der Seele zu leiten, indem sie dieselbe[+] beständig auf das Wanderziel gerichtet hält. Ich habe bei allen jenen Zügen bemerkt, daß die Pausen nach dem Gesange ziemlich kurz waren, und daß, wenn sich durch das Schweigen die Gemüter[+] herabspannten und die Wandernden durcheinander zu reden begannen, die Chorführerin sofort wieder den Gesang erhob.

Eine Wallfahrt wird stets auf denjenigen, der sich nicht zur Kirche bekennt, mit welcher sie zusammenhängt, einen Reiz ausüben, zumal wenn die Illusion nicht durch die Übel gestört wird, die von einem gemischten Wanderzuge immer unzertrennlich bleiben. Ihrer sind weniger bei den Wallfahrten im Süden, als bei denen im Norden; der heitere Himmel, die Nüchternheit und Bedürfnislosigkeit des Südländers entfernen von selbst viele Unordnungen; die Schönheit der Form, in welcher die südliche Prozession auftritt, die herrlichen Gewänder der Frauen, ihre Wohlgestalt und natürliche Grazie erhöhen sie[+] und scheinen sie der Gemeinheit zu entrücken; endlich findet die Sitte in dem angeborenen Takt des Wohlanständigen, welcher dem italienischen Volk eigen ist, ihre beste Schutzwehr. Unter all diesen Tausenden, die an mir vorübergingen, unter allen Prozessionen, denen ich mich bei der Rückkehr nach vollendetem Fest anschloß,[+] strecken-

---

tragen: sich fort-∾ to be carried onward
Sie. That is, the harmony
diesel'be (wie ein . . .). That is, the procession
diesel'be (beständig . . .). The soul
das **Gemüt, -er** mind, soul
sie. That is, the procession
sich an=schließen to join

weise mitwandernd, um das Volk, sein Vaterland, seine Gestalt und Sprache kennen zu lernen, bemerkte ich nie einen Zug+ von Roheit.

Man denke ferner, daß dieses Volk, in solcher Form des religiösen Lebens erzogen, nichts Höheres hat als eine Wallfahrt nach einem seiner Heiligtümer. Wenn es ein langes Jahr in Mühe geduldet, und 5 alle solche Schicksale und Verschuldungen sich jahrdurch ihm aufgehäuft haben, welche seine moralische Welt verwirren und sein Gemüt belasten, dann greift es für ein paar Festtage nach dem Wanderstab. Von seiner harten Scholle+ in den Bergen sich lostrennend und von schwerer Arbeit ausruhend, bewegt es sich einmal wieder und fühlt sich 10 frei in Gemeinschaft seiner Dorf- und Stadtgenossen,+ mit denen es ein gleicher Zweck vereinigt.

NIETZSCHE

The influence of no other recent thinker has been so strong on German intellectual life of the first half of the twentieth century as Friedrich Nietzsche's (1844–1900). He represents that type of thinker and writer, recurrent in German history, who breaks away from all traditions, sets up a revolutionary system of thoughts and values, and, by the impact of his convictions, gives a new direction to the course of German letters and ideas.

Nietzsche's last work, *Ecce Homo* ("Behold the Man") (John xix, 5), was written in 1888, just before he became insane. In it Nietzsche sets himself up as the founder of a new religion in opposition to Christ, the founder of what he regards as a religion of morals and weak compassion. This new religion extols man's strength and creativeness. With Nietzsche's own life as an example, *Ecce Homo* teaches how man can make the best use of physical conditions to achieve the highest degree of creative vigor. In the chapter from which the following pages are taken, Nietzsche shows, as an example of self-observation for others to follow, how his own mind is conditioned by the food he takes.

---

der **Zug, ⸗e** trait
die **Scholle, –n** (native) soil
Dorf- und Stadtgenossen *pl.* fellow villagers and fellow citizens

Warum ich so klug bin

In der Tat, ich habe bis zu meinen reifsten Jahren immer nur schlecht gegessen,—moralisch ausgedrückt+ „unpersönlich", „selbstlos", „altruistisch", zum Heil+ der Köche und andrer Mitchristen. Ich verneinte zum Beispiel durch Leipziger Küche,+ gleichzeitig mit meinem
5 ersten Studium Schopenhauers+ (1865), sehr ernsthaft meinen „Willen zum Leben". Sich zum Zweck unzureichender+ Ernährung auch noch den Magen verderben—dies Problem schien mir die genannte+ Küche zum Verwundern glücklich zu lösen. (Man sagt, 1866+ habe darin eine Wendung hervorgebracht). Aber die deutsche
10 Küche überhaupt—was hat sie nicht alles auf dem Gewissen!+ Die Suppe vor der Mahlzeit (noch in venetianischen Kochbüchern des 16. Jahrhunderts alla tedesca+ genannt); die ausgekochten+ Fleische, die fett und mehlig gemachten Gemüse; die Entartung+ der Mehlspeise+ zum Briefbeschwerer! Rechnet man gar noch die geradezu viehischen+
15 Nachguß-Bedürfnisse+ der alten+ durchaus nicht bloß alten+ Deutschen dazu, so versteht man auch die Herkunft des deutschen Geistes—aus betrübten Eingeweiden+ . . . Der deutsche Geist ist eine Indigestion, er wird mit nichts fertig.—Aber auch die englische Diät, die, im

---

mora'lisch ausgedrückt expressed in moral terms (that is, taken from the moral point of view which, in Nietzsche's eyes, falsifies everything and which he attacks continually)
das **Heil:** zum ~ for the benefit of
Leipziger Küche. Nietzsche lived as a student in Leipzig in Saxony
Schopenhauer. German philosopher, (1788—1860), who longed for happiness in the annihilation of the "will to live"
unzureichend insufficient
genannt aforementioned
1866. In the war of 1866, Saxony, having taken sides with Austria, was defeated by Prussia.
das **Gewissen:** auf dem ~ haben to be guilty of
alla tedesca (*Italian*) after the German fashion
ausgekocht. Boiled to the point that all goodness is extracted
die **Entartung** degeneration
die **Mehlspeise, -n.** Any sweet dish prepared with flour as a base, as pancakes for instance.
viehisch bestial
das **Nachguß-Bedürfnis, -se** Urge to pour something (that is, beer) after (the meal)
alten . . . alten. The first "old" is used in a historical connotation that is, the Germans as they have been since old times; the second "old" opposes age groups, referring to the heavy drinking habits of German students
das **Eingeweide,** – intestine(s)

Vergleich mit der deutschen, selbst der französischen, eine Art „Rückkehr zur Natur",+ nämlich zum Kannibalismus ist, geht meinem eignen Instinkt tief zuwider; es scheint mir, daß sie dem Geist schwere Füße gibt—Engländerinnen-Füße . . . Die beste Küche ist Piemonts.+—Alkoholika+ sind mir nachteilig; ein Glas Wein oder Bier des Tags reicht vollkommen aus, mir aus dem Leben ein „Jammertal"+ zu machen,—in München leben meine Antipoden.+ Gesetzt,+ daß ich dies ein wenig spät begriff, erlebt habe ich's eigentlich von Kindesbeinen an. Als Knabe glaubte ich, Weintrinken sei wie Tabakrauchen anfangs nur eine Vanitas+ junger Männer, später eine schlechte Gewöhnung. Vielleicht, daß an diesem herben+ Urteil auch der Naumburger Wein+ mit schuld ist. Zu glauben, daß der Wein erheitert, dazu müßte ich Christ sein, will sagen glauben,+ was gerade für mich eine Absurdität+ ist. Seltsam genug, bei dieser extremen Verstimmbarkeit+ durch kleine, stark verdünnte Dosen Alkohol, werde ich beinahe zum Seemann,+ wenn es sich um starke Dosen handelt. Schon als Knabe hatte ich hierin meine Tapferkeit. Eine lange lateinische Abhandlung+ in einer Nachtwache niederzuschreiben und auch noch abzuschreiben, mit dem Ehrgeiz in der Feder, es meinem Vorbilde Sallust+ in Strenge und Gedrängtheit+ nachzutun und einigen Grog+ von

„Rückkehr zur Natur". A pun upon Rousseau's "return to nature"

Piemont'. Province in Northern Italy

Alkoho'lika (*Latin*) alcoholic beverages

„Jammertal." The expression "vale of tears", taken from Christian imagery, is to show again that only those that are in a sad physical condition feel according to the Christian conception of life

die **Antipo'den** *pl.* antipodes (that is, people exactly opposed to him, as the inhabitants of Munich, who are known for drinking very much beer)

gesetzt granted

Vanitas (*Latin*) vanity, vaingloriousness

herb harsh

Naumburger Wein. Nietzsche spent his childhood and boyhood in and near Naumburg, in central Germany

will sagen glauben that is to say, I would have to believe

eine Absurdität'. Reference to a certain Christian doctrine (formulated by Tertullian) which says that precisely the absurdity of the dogma provokes the faith in it

die **Verstimmbarkeit** liability to be upset

der **Seeman** (*pl.* Seeleute) sailor (as a person reputed to stand a good deal of liquor)

die **Abhandlung, -en** composition

Sallust'. Roman historian (86–34 B.C.), praised for his terse style

die **Gedrängtheit** conciseness

der **Grog.** A drink made of rum, sugar and hot water

schwerstem Kaliber über mein Latein zu gießen, dies stand schon, als ich Schüler der ehrwürdigen Schulpforta+ war, durchaus nicht im Widerspruch zu meiner Physiologie, noch+ vielleicht auch zu der des Sallust—wie sehr auch immer+ zur ehrwürdigen Schulpforta . . .
5 Später, gegen die Mitte des Lebens hin, entschied ich mich freilich immer strenger gegen jedwedes+ „geistige"+ Getränk: ich, ein Gegner des Vegetariertums aus Erfahrung, ganz wie Richard Wagner,+ der mich bekehrt+ hat, weiß nicht ernsthaft genug die unbedingte Enthaltung von Alkoholicis+ allen geistigeren Naturen anzuraten. Wasser tut's
10 . . . Ich ziehe Orte vor, wo man überall Gelegenheit hat, aus fließendem Brunnen zu schöpfen (Nizza, Turin, Sils+); ein kleines Glas läuft mir nach wie ein Hund. In vino veritas:+ es scheint, daß ich auch hier wieder über den Begriff „Wahrheit" mit aller Welt uneins+ bin: —bei mir schwebt der Geist über dem Wasser+ . . . Ein paar Finger-
15 zeige noch aus meiner Moral.+ Eine starke Mahlzeit ist leichter zu verdauen+ als eine zu kleine. Daß der Magen als Ganzes in Tätigkeit tritt, erste Voraussetzung einer guten Verdauung. Man muß die Größe seines Magens kennen. Aus gleichem Grunde sind jene langwierigen+ Mahlzeiten zu widerraten, dich ich unterbrochne Opferfeste

---

Schulpfor'ta. One of three famous preparatory schools, the so-called Fürstenschulen, founded by the elector of Saxony in 1543, in which a number of great German writers have been educated

noch . . . auch nor

wie sehr auch immer however much

jedwedes any . . . whatsoever

„geistig." Nietzsche scoffs at the word "spirit" used to designate an alcoholic beverage

Richard Wagner. The great musician was Nietzsche's intimate friend before the latter disapproved of Wagner's turn toward Christianity in his opera *Parsifal*

bekehren to convert

Alkoho'licis (Latin dative of Alkoholika) alcoholic beverages

Nizza, Turin', Sils. Important stations in Nietzsche's wanderings: Nice is in southern France, Turin in Northern Italy, and Sils-Maria in the Engadine in the Swiss Alps

In vino veritas (Latin proverb) In wine is truth

uneins: ∼ sein to disagree

bei . . . Wasser. An allusion to Genesis I, 2: "And the Spirit of God moved upon the face of the waters."

meiner Moral'. That is, *his* ethics are based on the obedience to physiological dispositions

verdauen to digest

langwierig long drawn out

nenne, die an der table d'hôte.+—Keine Zwischenmahlzeiten, keinen Café: Café verdüstert. Tee nur morgens zuträglich.+ Wenig, aber energisch: Tee sehr nachteilig und den ganzen Tag ankränkelnd, wenn er nur um einen Grad zu schwach ist. Jeder hat hier sein Maß, oft zwischen den engsten und delikatesten Grenzen. In einem sehr aga- 5
çanten+ Klima ist Tee als Anfang unrätlich: Man soll eine Stunde vorher eine Tasse dicken entölten Kakaos den Anfang machen lassen.— So wenig als möglich sitzen; keinem Gedanken Glauben schenken, der nicht im Freien geboren ist und bei freier Bewegung,—in dem nicht auch die Muskeln ein Fest feiern. Alle Vorurteile kommen aus den 10
Eingeweiden.+—Das Sitzfleisch+—ich sagte es schon einmal—die eigentliche Sünde wider den heiligen Geist.—

KAFKA

The stories and novels of Franz Kafka (1883–1924) have had wide international appeal because they portray human situations in which the reader of today sees his own self. Kafka's expression of the anguish of modern man is nowhere so immediate and moving as in some of his diary entries, a choice of which is offered here.

The extracts from the diaries are reprinted from *Franz Kafka, Tagebücher und Briefe* (Heinrich Mercy Sohn, Prague, 1937) by permission of Schocken Books, New York.

Aus den Tagebüchern

Ich liebte ein Mädchen, das mich auch liebte, ich mußte es aber verlassen.

Warum?

Ich weiß nicht. Es war so, als wäre sie von einem Kreis von Bewaffneten umgeben, welche die Lanzen nach auswärts hielten. Wann

---

table d'hôte (*French*). Common dinner table in a restaurant with a fixed menu
zuträglich beneficial, wholesome
agaçant' (from *French*) stimulating
das **Eingeweide,** – intestine(s)
das **Sitzfleisch** habit of sitting

ich mich auch näherte, geriet ich in die Spitzen, wurde verwundet und mußte zurück.

Ich habe viel gelitten.

Das Mädchen hatte daran keine Schuld? Ich glaube nicht, oder vielmehr, ich weiß es. Der vorige Vergleich war nicht vollständig, auch ich war von Bewaffneten umgeben, welche ihre Lanzen nach innen, also gegen mich hielten. Wenn ich zu dem Mädchen drängte, verfing ich mich zuerst in den Lanzen meiner Bewaffneten und kam schon hier nicht vorwärts. Vielleicht bin ich zu den Bewaffneten des Mädchens niemals gekommen, und wenn ich hingekommen sein sollte, dann schon blutend von meinen Lanzen und ohne Besinnung.

Ist das Mädchen allein geblieben?

Nein, ein anderer ist zu ihr vorgedrungen: leicht und ungehindert. Ich habe erschöpft von meinen Anstrengungen so gleichgültig zugesehen, als wäre ich die Luft, durch die sich ihre Gesichter im ersten Kuß aneinanderlegten.

Das unendliche, tiefe, warme, erlösende Glück, neben dem Korb seines Kindes zu sitzen, der Mutter gegenüber.

Es ist auch etwas darin von dem Gefühl: es kommt+ nicht mehr auf dich an, es sei+ denn, daß du es willst. Dagegen das Gefühl des Kinderlosen: immerfort kommt es auf dich an, ob du willst oder nicht, jeden Augenblick bis zum Ende, jeden nervenzerrenden+ Augenblick, immerfort kommt es auf dich an und ohne Ergebnis. Sisyphus+ war ein Junggeselle.

Ich kämpfe, niemand weiß es; mancher ahnt es, das ist nicht zu vermeiden; aber niemand weiß es. Ich erfülle meine täglichen Pflichten, ein wenig Zerstreutheit ist an mir auszusetzen,+ aber nicht viel. Natürlich kämpft jeder, aber ich kämpfe mehr als andere, die meisten kämpfen wie im Schlaf, so wie man im Traum die Hand bewegt, um

---

an=kommen: es . . . an your effort is no longer important
sein: es . . . daß unless
nervenzerrend nerve-straining
Sisyphus. Person in the Greek nether world who, as a punishment rolls a stone up a hill in vain, the stone rolling back again and again
aus=setzen: etwas (an einem) ∾ to find fault with (someone)

Photo Marburg

Caspar David Friedrich (1774–1840): Kreidefelsen auf der Insel Rügen in der Ostsee

eine Erscheinung zu vertreiben, ich aber bin vorgetreten und kämpfe unter überlegter sorgfältiger Ausnützung aller meiner Kräfte. Warum bin ich vorgetreten aus der für sich zwar lärmenden, aber in dieser Hinsicht+ beängstigend stillen Menge? Warum habe ich die Aufmerksamkeit auf mich gelenkt? Warum stehe ich jetzt auf der ersten Liste+ des Feindes? Ich weiß nicht. Ein anderes Leben schien mir nicht des Lebens wert. Soldatennaturen nennt die Kriegsgeschichte solche Menschen. Und doch ist es nicht so, ich hoffe nicht auf Sieg und mich freut nicht der Kampf als Kampf, mich freut er nur als das einzige, was zu tun ist. Als solcher freut er mich allerdings mehr, als ich in Wirklichkeit genießen kann, mehr als ich verschenken kann, vielleicht werde ich nicht am Kampf, sondern an dieser Freude zugrundegehn.

Dahinter,+ daß ich nichts Nützliches gelernt habe und mich—was zusammenhängt—auch körperlich verfallen ließ, kann eine Absicht liegen. Ich wollte unabgelenkt+ bleiben, unabgelenkt durch die Lebensfreude eines nützlichen und gesunden Mannes. Als ob Krankheit und Verzweiflung nicht zumindest ebenso ablenken würden!

Das Leben ist eine fortwährende Ablenkung,+ die nicht einmal zur Besinnung+ darüber kommen läßt, wovon sie ablenkt.

Alles ist Phantasie, die Familie, das Bureau,+ die Freunde, die Straße, alles Phantasie, fernere oder nähere, die Frau; die nächste Wahrheit aber ist nur, daß du den Kopf gegen die Wand einer fenster- und türlosen Zelle drückst.

Ich war dieser Figur+ gegenüber wehrlos, ruhig saß sie beim Tisch und blickte auf die Tischplatte. Ich ging im Kreis um sie herum und fühlte mich von ihr gewürgt.+ Um mich ging ein dritter herum und

---

die **Hinsicht:** in dieser ~ in this respect (that is, the crowd is noisy in general, but frighteningly quiet in respect to this struggle, since most people only fight as if they were asleep)

die **Liste:** auf der ersten ~ attracting the full attention

dahin'ter. That is, hidden behind the fact

unabgelenkt without being distracted

die **Ablenkung** diversion, distraction

die **Besinnung:** zur ~ kommen (über etwas) to realize (something)

das **Bureau',** -s the office (that is, the job)

die **Figur',** -en person

würgen to choke

fühlte sich von mir gewürgt. Um den dritten ging ein vierter herum und fühlte sich von ihm gewürgt. Und so setzte es sich fort bis zu den Bewegungen der Gestirne und darüber hinaus. Alles fühlt den Griff am Hals.

Früher begriff ich nicht, warum ich auf meine Frage keine Antwort bekam, heute begreife ich nicht, wie ich glauben konnte, fragen zu können. Aber ich glaubte ja gar nicht, ich fragte nur. 5

Fort von hier, nur fort von hier! Du mußt mir nicht sagen, wohin du mich führst. Wo ist deine Hand, ach, ich kann sie im Dunkel nicht ertasten.+ Hielte ich doch nur schon Deine Hand, ich glaube, du würdest mich dann nicht verwerfen. Hörst du mich? Bist du überhaupt im Zimmer? Vielleicht bist du gar nicht hier. Was sollte dich auch herlocken in das Eis und den Nebel des Nordens, wo man Menschen gar nicht vermuten sollte. Du bist nicht hier. Du bist ausgewichen diesen Orten. Ich aber stehe und falle mit der Entscheidung darüber, ob du hier bist oder nicht. 10 15

Es ist nicht notwendig, daß du aus dem Hause gehst. Bleib bei deinem Tisch und horche. Horche nicht einmal,+ warte nur. Warte nicht einmal, sei völlig still und allein. Anbieten wird sich dir die Welt zur Entlarvung,+ sie kann nicht anders, verzückt+ wird sie sich vor dir winden.+ 20

Ewige Jugend ist unmöglich; selbst wenn kein anderes Hindernis wäre, die Selbstbeobachtung machte sie unmöglich.

Schreiben als Form des Gebetes.

ERNST ROBERT CURTIUS

Throughout the centuries European civilization has received many of its new impulses and ideas from France. Great Germans, recog-

---

ertasten find by groping for
einmal: nicht ~ not even
die **Entlarvung** unmasking
verzückt enraptured
sich winden, a, u to writhe

nizing this situation, have again and again tried to know and understand the French mind and French civilization. In French civilization they saw a standard of comparison by which they could evaluate their own cultural and literary achievements and interpret the German national personality.

The latest German attempt at a description and definition of French civilization has been offered by one of the outstanding humanist scholars of present-day Europe, Ernst Robert Curtius (born, 1886). His book *Frankreich* (1930) is acknowledged by the French themselves to be the most penetrating analysis of French civilization that has ever been done.

Curtius's style shows how modern German intellectual prose is enriched by the free use of compounds. Some of these compounds are old and thus have acquired connotations which must be explained. Others are newly formed by each individual writer and can be clearly understood from a knowledge of their component words.

Französischer und deutscher Kulturbegriff

Wenn Deutsche und Franzosen sich bemühen, die psychologische Eigenart der anderen Nation zu verstehen, ergeben sich oft Mißverständnisse grundlegender Art, weil jeder der beiden Partner das—latente oder bewußte—Wertsystem seiner Nationalkultur als Maß-
5 stab an die Fremdkultur heranträgt.

Einige typische Beispiele mögen dies verdeutlichen. Der Deutsche, an Sachlichkeit+ und Ordnung gewöhnt, pflegt in Frankreich oft beides zu vermissen. Er stellt sich vor, auch die Franzosen müßten unter diesem Mangel leiden. Aber sie tun das gar nicht, und darüber
10 wundert sich der Deutsche wiederum, wenn er sich nicht darüber ärgert. Der Franzose weiß, daß die Dinge schließlich „auch so"+ gehen, daß man die Sache „dennoch" schaffen wird. Er beruhigt sich lieber bei diesem „Auch so" und „Dennoch", als daß er eine Zucht+ und Ordnung einführte, welcher die Temperamentsgewohnheiten seiner Lands-
15 leute sich niemals unterordnen würden. Er läßt uns Deutschen den

---

die Sachlichkeit. Manner of doing things in a practical way

so: auch ~ just the same

die Zucht discipline

Ruhm unserer guten Organisation, er erkennt+ sie an, aber er sieht darin einen Vorzug, den er seinem Lande nicht wünscht, weil er in dieser Organisation—ob zu Recht oder zu Unrecht—etwas wie Kasernengeist+ wittert.+ Dem Organismus Frankreichs bekommt die elastische Technik besser als das starre System; er gedeiht bei einem 5
Regime der Unordnung und Schlamperei,+ das wir nicht vertrügen, und fährt+ dabei ebensogut wie Deutschland unter der Herrschaft der bürokratischen und wissenschaftlichen Ordnung. Das sind Unterschiede des Temperaments und der Lebensrhythmik.

Ein anderes, ebenso elementares Beispiel. Wir Deutsche pflegen 10
den Menschen nach seiner Leistung zu bewerten. Wir schätzen die Arbeit um ihrer selbst willen. Wir bemessen ihren Wert nach der Gründlichkeit und Sachlichkeit,+ mit der sie geleistet wird. Frankreich kennt dieses Arbeitsethos+ nicht. Es versteht es darum auch bei uns nicht. Von französischer Seite ist nicht selten der Vorwurf gegen uns erhoben 15
worden, wir arbeiteten zu viel. Was mag das für Gründe haben? fragt sich dann der Franzose. Sollte dahinter nicht so etwas wie eine heimliche Verschwörung verdächtiger Art stecken? Aber auch wir verfallen+ an diesem Punkte leicht einem entsprechenden Mißverständnis. Für unser Gefühl erleidet eine Existenz, die nicht in der Arbeit ihre 20
wesentliche Aufgabe sieht, eine gewisse Einbuße+ an Würde. Wogegen es den Franzosen menschenunwürdig dünkt, die Maßverhältnisse+ zwischen Arbeit und Muße zu verletzen. Er möchte, wenn auch in noch so bescheidner Weise, sich des Lebens freuen. Der Genuß des Daseins ist für ihn ein unbezweifelbarer Wert. Er mißt den Menschen 25
weniger nach Leistungswerten+ als nach Seinswerten,+ und er mißt

---

an=erkennen to recognize the value of; to do justice to
(**Kasernengeist**): die Kaser'ne, –n barracks
wittern to scent
die **Schlamperei'** slovenliness, messiness
fahren: fährt dabei ebensogut gets along just as well
die **Sachlichkeit** practicality
das **Arbeitsethos** moral valuation of work
verfallen to fall a prey to, succumb
die **Einbuße** (**an**) loss (of)
das **Maßverhältnis, –se** proportion
die **Leistungswerte** *pl.* Scale of values that looks to the quality and amount of the output
die **Seinswerte** *pl.* Scale of value that looks to the modes and intensity of being

den Staat an seinem Ertrag+ für das Glück der Gesamtheit: "Le but de la société est le bonheur commun",+ sagte die Erklärung der Menschenrechte von 1795.+ Auch moderne französische Theoretiker konservativer Tendenz schließen sich diesem Leitgedanken an.

5 Im historisch-politischen Denken kehren solche Wertungsgegensätze wieder. Für die offiziellen Vertreter des heutigen französischen Geistes ist z. B. die demokratische, religionslose Republik die Idealform staatlicher Existenz. Von diesem Standpunkt aus beurteilen sie die deutsche Geschichte als eine Fehlentwicklung. Sie sehen ihren Man-
10 gel darin, daß wir keine Revolution gehabt haben, oder doch nur eine innerliche—die Reformation nämlich. Sie buchen+ das als Rückständigkeit+ oder Tragik. Sie bedauern uns deswegen, ohne sich klarzumachen, daß wir unsere Geschichte ganz anders sehen und daß wir einen anderen Begriff von Freiheit und von Staatlichkeit+ haben.
15 Wir unserseits neigen dazu, das demokratisch-republikanische Bewußtsein+ Frankreichs mit der rhetorischen Phraseologie+ gleichzusetzen,+ in der es sich oft ausspricht; und wir übersehen dabei seine gefühlsmäßige Verwurzelung in der Nation.

Es bedarf wohl keiner weiteren Beispiele, um zu zeigen, wie ver-
20 schieden die Wertungen des deutschen und des französischen Bewußtseins sein können. Aber die Verschiedenheit erstreckt sich über alle Kulturgebiete und reicht hinunter bis in die Anschauung vom *Wesen* der Kultur.

Man versteht eine fremde Kultur nicht, wenn man nur ihre einzel-
25 nen *Inhalte*+ kennt. Man muß ihre innere Aufbauform+ und ihre

---

der **Ertrag** yield

"Le . . . commun" "The aim of society is general happiness"

1795. The Human Rights were proclaimed in 1795 in the course of the French Revolution, which began in 1789. The so-called Third Republic, 1871–1940, at the time when Curtius wrote, based its official ideology on the philosophy of the French Revolution

buchen to put it down

die **Rückständigkeit** backwardness

die **Staatlichkeit.** Nature and function of the state

das **Bewußtsein.** Here: frame of mind, way of thinking

die **Phraseologie'** use of slogans

gleich-setzen to identify

die **Inhalte** *pl.* contents (that is, the material and ideal manifestations)

die **Aufbauform, -en** structure

Selbstauffassung+ begreifen. Der deutsche und der französische Kulturbegriff sind schon in ihrer Wurzel verschieden geartet.+ Wenn man dies übersieht, gerät man in einen Grundirrtum, aus dem sich mit Notwendigkeit unzählige andere ergeben.

Es handelt sich dabei nicht um eine Angelegenheit von bloß theoretischem Interesse. Ganz im Gegenteil. Das Mißverstehen der gegenseitigen Kulturideen hat in Deutschland und Frankreich während des Krieges+ zu einer nicht endenwollenden Polemik geführt, es hat sich politisch aber auch ausgewirkt in der Auslandspropaganda unter den Neutralen und in der amtlichen Kulturpolitik+ beider Länder. Der Unterschied der beiden Auffassungen+ spitzte+ sich zu in der Antithese Kultur und Zivilisation. In der deutschen wie in der französischen Kriegsliteratur ist dieser Gegensatz oft genug verhandelt+ worden. Aber er ist nicht erst eine Schöpfung des Krieges. Er hat weitverzweigte, geschichtliche Wurzeln.

Wilhelm von Humboldt+ hat ihn für das Bewußtsein+ unserer klassischen Epoche+ formuliert. Seine Definition lautet: „Zivilisation ist die Vermenschlichung+ der Völker in ihren äußeren+ Einrichtungen+ und der darauf Bezug+ habenden inneren Gesinnung;+ Kultur fügt dieser Veredlung des gesellschaftlichen Zustandes Wissenschaft und Kunst hinzu.“ Das ist die Auffassung des deutschen Neuhumanismus.+

---

die **Selbstauffassung, –en** self-interpretation
arten: verschieden geartet of a different nature
Krieges. As Curtius's book was published in 1930, this refers to World War I.
die **Kultur'politik.** The application of an ideology to cultural fields, such as education
die **Auffassung, –en** conception
sich zu=spitzen to find a pointed expression
verhandeln to treat, discuss
Wilhelm von Humboldt. See introductory note on p. 269.
das **Bewußtsein** (way of) thinking
klassische Epoche. The "classical epoch" of German intellectual history is the period of Goethe and his contemporaries, around 1800
die **Vermenschlichung** humanization
äußere external
die **Einrichtung, –en** institution
der **Bezug:** ~ haben auf to be related to
die **Gesinnung** way of thinking, convictions
der **Neu'humanis'mus.** Germany's "neohumanism" is the period of Goethe, Schiller and their contemporaries. The word "humanism" indicates an enthusiasm for Greek beauty and Roman grandeur. It is a "new" humanism because it came several centuries after the period of the Renaissance, which showed the same phenomenon

Die Zivilisation umfaßt die Sozialisierung[+] und Moralisierung[+] der Menschheit; aber darüber erhebt sich selbständig und unabhängig das Reich des schöpferischen Geistes; ihm allein gebührt der Name Kultur. Es ist eine Auffassung, in der sich die Lage Deutschlands um 1800 widerspiegelt: über der Trostlosigkeit der staatlichen[+] und nationalen[+] Zustände eine kleine Gemeinschaft erlauchter[+] Geister, verbunden durch Dichtung und Philosophie.

Diesem Kulturbegriff der deutschen Klassik stellte dann Nietzsches dionysisch-tragische Prophetie[+] eine neue Tafel der Werte entgegen. Die Zivilisation ist für ihn ein Ideal des Herdenmenschen.[+] Die großen Momente der Kultur beruhen auf der Herrschaft der freiesten und kühnsten Naturen. Kultur und Zivilisation wollen Verschiedenes, sie wollen das Entgegengesetzte.

Man sieht: sowohl von deutscher wie von französischer Seite wurden die beiden Worte und Begriffe in einen Gegensatz gebracht. Man erkannte[+] ihn in beiden Ländern an, aber man bewertete[+] ihn genau umgekehrt.[+] Wir stellen Kultur über Zivilisation. Frankreich wertet Zivilisation höher als Kultur.

Das Wort Zivilisation ist für den Franzosen das Palladium[+] seiner nationalen Idee und zugleich die Bürgschaft allmenschlicher Solidarität. Jeder Franzose versteht dieses Wort. Es entflammt die Massen, und es kann eine Weihe[+] gewinnen, die es in die religiöse Sphäre erhebt.

---

die Sozialisie'rung. Here: development of social qualities

die Moralisie'rung development of moral qualities

staatlich. Referring to the political organization of the state

national'. Referring to Germany's position among the other nations

erlaucht illustrious

Nietzsches diony'sisch-tragische Prophetie'. Nietzsche assumed the attitude of a prophet, proclaiming in his writings the new religion of Dionysus, of the exaltation of life; but he knew that the exalted life is always at the brink of tragedy, because the ordinary people outnumber the great minds and tend to destroy them.

der Herdenmensch. The "herd man" is Nietzsche's contemptuous expression for the common run of people

an-erkennen to recognize

bewerten to value, rate

umgekehrt inversely

das Palla'dium. Sacred symbol under whose protection life is secure (as in Troy the statue of Pallas Athena)

die Weihe solemn and sublime character

WILHELM VON HUMBOLDT

Wilhelm von Humboldt (1767–1835) was an important figure of the German classical period. He was an intimate friend of Goethe's and Schiller's, a statesman and a poet. His letters give an excellent picture of the way life was felt and experienced by his generation. Humboldt's lasting scholarly contributions concern comparative philology and the philosophy of language. In the evolutionary development of a language he recognized a reflection of the intellectual growth of mankind. An English translation follows the German text.

Über die Sprache

Wenn man bedenkt, wie auf die jedesmalige Generation in einem
Volke alles dasjenige bildend einwirkt, was die Sprache desselben
alle vorigen Jahrhunderte hindurch erfahren hat, und wie damit nur
die Kraft der einzelnen Generation in Berührung tritt, und diese nicht
einmal rein, da das aufwachsende und abtretende Geschlecht unter- 5
mischt neben einander leben, so wird klar, wie gering eigentlich die
Kraft des Einzelnen gegen die Macht der Sprache ist. Nur durch die
ungemeine Bildsamkeit der letzteren, durch die Möglichkeit, ihre Formen, dem allgemeinen Verständnis unbeschadet, auf sehr verschiedene
Weise aufzunehmen, und durch die Gewalt, welche alles lebendig 10
Geistige über das tot Überlieferte ausübt, wird das Gleichgewicht
wieder einigermaßen hergestellt. Doch ist es immer die Sprache, in
welcher jeder Einzelne am lebendigsten fühlt, daß er nichts als ein
Ausfluß des ganzen Menschengeschlechts ist.

If one considers that what the language of a people has experienced through all preceding centuries is a shaping force on each generation; that the strength of just a single generation resists it; that even this is not unmixed, since the rising and the retiring generations live intermingled—it becomes clear how limited is the power of the individual against the force of language. Only through the great plasticity of language; our ability, without danger to general understanding, to comprehend its forms in many different ways; and the force that living spirit exercises upon the traditional and the dead is balance restored to a degree. Still it is in language that each individual feels most vividly that he is only an effluence of all mankind.

Fragen

Das kluge Gretel

1. Warum versuchte Gretel von dem Essen, das sie kochte? 2. Warum wollte der Herr den Gast holen? 3. Was dachte Gretel, nachdem sie das eine Huhn gegessen hatte? 4. Warum glaubte der Gast, was Gretel ihm erzählte? 5. Was meint der Herr mit „nur eins", und was glaubt der Gast?

Der Friesen Bekehrung

1. Warum sollte Occo gehängt werden? 2. Woran erkannte Radbot die Macht des Heilands? 3. Wie zerstörte der Diacon das goldene Haus des Satans? 4. Warum läßt Herzog Radbot sich nicht taufen?

Jorinde und Joringel

1. Was konnte die Zauberin tun? 2. Was tat sie mit jungen Mädchen, die sich ihrem Schloß näherten? 3. Warum gingen Jorinde und Joringel in den Wald? 4. Wovor warnt Joringel seine schöne Braut? 5. Was träumte Joringel? 6. Wodurch erkannte Joringel die richtige Nachtigall?

Unverhofftes Wiedersehen

1. Warum konnten der Bergmann und seine Braut nicht heiraten? 2. In welchem Zustand fanden die Bergleute den Leichnam des Jünglings? 3. Worüber weinten die Umstehenden, als die ehemalige Braut ihren toten Verlobten wiedersah? 4. Womit schmückte die alte Frau den Leichnam ihres Verlobten? 5. Was sagte die alte Frau zu dem Toten als er ins Grab gelegt wurde?

Eine fürstliche Liebesheirat

1. Warum hörte der alte Fürst gern auf den Rat des Pastors? 2. Was hatte der junge Fürst gelernt? 3. Warum war der alte Fürst mit dem Kaiser unzufrieden? 4. Warum sollte der junge Fürst nach Paris gehen? 5. Was konnte der junge Fürst von seinem Aufenthalt in Paris erzählen? 6. Was für Eigenschaften hatte Klärchen? 7. Warum entstand ein Mißverständnis? 8. Wie bereitete man das Festmahl vor? 9. Wer war der junge Bursche, den der junge Fürst um Rat fragte? 10. Warum glaubte der

junge Fürst, er würde Klärchen um 9 Uhr allein finden? 11. Wie begrüßte die Familie Schmidt den Fürsten? 12. Was taten die anderen Leute?

13. Worüber war der Fürst erstaunt? 14. In welcher Ordnung saßen die Leute am Tisch? 15. Wie benahm sich Klärchen bei Tisch? 16. Was tat die Nachbarin bei dem Festessen? 17. Wie war die Suppe gekocht? 18. Worüber unterhielt man sich bei der Mahlzeit? 19. Warum kam dem Fürsten der Gedanke, Klärchen zu heiraten? 20. Was erfahren wir über die Schwierigkeiten der Verlobten, über ihre Hochzeit und ihre Ehe?

Geschichte vom braven Kasperl und dem schönen Annerl

1. Warum glaubte der Erzähler, es könnte ein Unglück geschehen sein? 2. Wie machte es sich die Bäuerin bequem? 3. Warum glaubten die Umstehenden, daß die Bäuerin blödsinnig oder betrunken sei? 4. Warum fürchtete sich die Bäuerin nicht, krank zu werden oder sich zu langweilen? 5. Welchen Eindruck hatte der Erzähler von dem Charakter der Bäuerin? Welchen Rat gab die Bäuerin dem Erzähler? 7. Warum nahm die Alte die Hilfe des Erzählers an? 8. Warum wollte Graf Grossinger, daß der Erzähler ihm das Lied der Alten aufschreiben sollte?

9. Warum freute die Alte sich über die Rose? 10. Was wollte die Alte mit den Talern tun, die ihr geschenkt wurden? 11. Was erzählte die Alte von ihrem Enkel? 12. Was erzählte der Enkel von einem französischen Unteroffizier? 13. Wie beurteilten der Vater und der Bruder die Geschichte von dem französischen Unteroffizier? 14. Warum wußte der Erzähler nicht, wie er der Alten seinen Beruf erklären sollte? 15. Warum brauchen Gelehrte sich weniger zu schämen als Dichter? 16. Warum bat die Alte den Erzähler, ihr eine Bittschrift aufzusetzen? 17. Was soll in der Bittschrift stehen? 18. Warum war das schöne Annerl ein besonderes Mädchen? 19. Was hätte Annerl ihrer Ehre vorziehen sollen?

20. Warum ließen die Offiziere den Ulanen nachhause reiten? 21. Warum brachte Kasper zwei Kränze mit nachhause? 22. Warum kam Kasper nicht schneller nachhause? 23. Was konnte der Müller von Kaspers Familie berichten? 24. Was dachte Kasper, als er hörte, daß Annerl in die Hauptstadt gegangen sei? 25. Was träumte Kasper in der Mühle? 26. Wie gelang es Kasper, aus dem Zimmer zu entkommen? 27. Warum verdankte der Müller dem Kasper die Rettung seines Vermögens? 28. Was verabredeten der Müller und Kasper? 29. Was hatten die Diebe Kasper gestohlen?

30. Mit welchem Auftrag ging Kasper zu dem Haus seines Vaters? 31. Wie merkte Kasper, daß sein Vater und Bruder die Diebe waren? 32. Um was baten die Diebe den Kasper? 33. Warum konnte Kasper

seinem Vater nicht helfen? 34. Wie fand die Großmutter den Kasper auf dem Kirchhof? 35. Warum konnte die Großmutter den Schuß auf dem Kirchhof hören? 36. Warum war der Kranz für Anna blutig und geschwärzt? 37. Warum begleitete der Erzähler die Alte? 38. Was erfahren wir aus Kaspers Brief über die Gründe seines Selbstmords? 39. Um was bat Kasper das schöne Annerl in seinem Brief? 40. Was sollte mit Kaspers hinterlassenen Sachen geschehen? 41. Warum sollte Kasper nicht begraben werden, sondern auf die Anatomie kommen? 42. Warum kann man keinen Unterschied machen zwischen Selbstmord aus Verzweiflung und Selbstmord aus Melancholie?

43. Welchen Auftrag hatte die Alte für den Jäger Jürge? 44. Was wollte die Alte beim Scharfrichter? 45. Warum wollte der Scharfrichter dem Annerl den Hals ritzen? 46. Was sagte der Bürgermeister zu dem Scharfrichter? 47. Was war der letzte Wunsch des Jägers Jürge? 48. Wie kam es, daß der Scharfrichter in seinem Aberglauben bestärkt wurde? 49. Welchen Rat gab der Pfarrer der Alten? 50. Was war Annas Schuld? 51. Warum wollte Anna hingerichtet werden? 52. Was nahm der Erzähler als gute Vorzeichen, als er zum Schloß lief? 53. Warum wollte Grossinger den Erzähler nicht zum Herzog lassen? 54. Womit drohte Grossinger dem Erzähler? 55. Wie erreichte der Erzähler, daß der Herzog ihn empfing? 56. Um was bat der Erzähler den Herzog? 57. Was befahl der Herzog dem Fähnrich?

58. Warum konnte man auf dem Richtplatz die Rufe der beiden Männer nicht hören? 59. Wie behandelten die Leute Grossinger? 60. Wodurch beruhigte sich die Menge? 61. Wie versuchte der Herzog, die Gegenwart der Gräfin zu entschuldigen? 62. Was tat die Großmutter unterdessen? 63. Was versprach der Herzog der Alten? 64. Was befahl der Herzog dem Prediger? 65. Was geschah bei Kaspers und Annas Beerdigung? 66. Was bekannte Grossinger in seinem Brief an den Erzähler? 67. Was stellte das Denkmal auf den Gräbern von Kasper und Anna vor?

Der Laufen

1. Warum geht der Erzähler immer wieder nach Laufenburg? 2. Wie entstehen die Stromschnellen von Laufenburg? 3. Woran erinnert sich der Erzähler beim Anblick des Stromes? 4. Wie verändert die Schneeschmelze den Strom? 5. Wie hat sich der alte Herr verändert, seit der Erzähler ihn zuletzt gesehen hatte? 6. Warum wollte der Diener die jungen Leute nicht in des Doktors Haus kommen lassen? 7. Warum wollten die jungen Männer den Doktor besuchen? 8. Was hatte den Doktor in die Fremde

getrieben? 9. Wie kommt der Doktor dazu, die Geschichte seiner Rettung zu erzählen? 10. Warum hatten die jungen Leute Zutrauen zu dem Doktor?

11. Wie stellt sich der Erzähler die Entstehung der beiden Städte am Rhein vor? 12. Was hatte der Doktor erlebt, als er vom Fenster aus einem Floßknecht bei der Arbeit zusah? 13. Wohin setzten sich die beiden Männer? 14. Warum ist es vorteilhaft, in einer kleinen Stadt aufzuwachsen? 15. Warum besuchte der Doktor als Schüler einen Medizinstudenten? 16. Warum machte der ältere Student einen vornehmen Eindruck? 17. Was riet der Student dem jüngeren Freund? 18. Wie erfuhr der junge Mann, daß es eine Freude sein kann zu lernen? 19. Wie veränderte sich Albiez, wenn er Wein getrunken hatte?

20. Wie kam es zur Prügelei? 21. Warum glaubte Albiez sein jüngerer Freund sei beleidigt worden? 22. Was tat der junge Mann, um nicht in einen Streit mit dem Betrunkenen zu geraten? 23. Warum war es gut für den jungen Studenten, den älteren Freund zu haben? 24. Warum kam der junge Student erst Ende August nachhause? 25. Wer war die Braut des jungen Arztes? 26. Was für Eigenschaften hatte die Braut? 27. Warum hatte der junge Student sich früher nie in Siddy Graf verliebt? 28. Worüber freute sich der junge Student, als er mit der Spielgefährtin redete? 29. Welche Pläne hatte Albiez für seine Zukunft?

30. Bei welchen Anlässen sahen sich Siddy und ihr Jugendfreund? 31. Worüber schämten sich Siddy und der Student? 32. Woran merkte der Student, daß Siddy ihm nicht gleichgültig war? 33. Wie benahmen sich die Jugendfreunde, wenn Siddys Verlobter dabei war? 34. Warum wollte der Student ein Andenken von Siddy haben? 35. Warum wollte Siddy ihrem Freund das Röslein nicht zum Andenken geben? 36. Wie geschah es, daß das Abschiedsgeschenk ein Kuß wurde? 37. Wie versuchte der junge Student, Siddy über den Kuß zu beruhigen? 38. Warum glaubte Siddy, sie hätte ihren Freund nicht küßen dürfen? 39. Warum war Schweigen das beste? 40. Warum sahen sich Siddy und der Student jetzt öfter als vorher? 41. Warum nahm Siddys Unsicherheit zu?

42. Wie wollte der Student Siddy helfen? 43. Warum verschob der junge Student seinen Entschluß, Albiez zu fragen, ob er seine Braut zum Abschied küssen dürfte? 44. Warum gingen sie erst am Abend zur Kahnfahrt? 45. Worauf mußte man achten, wenn man nicht in den Laufen geraten wollte? 46. Warum hatte der Student plötzlich ein schlechtes Gewissen? 47. Warum ruderte der Student so heftig, daß er ganz erschöpft war? 48. Warum konnten Siddy und Rudi nicht singen? 49. Was wollte

Albiez von den beiden anderen wissen? 50. Warum wollte Albiez nicht, daß Rudi ans Land ruderte? 51. Warum wollte Albiez die Ruder haben? 52. Wie versuchte Rudi seinen Freund zu beruhigen? 53. Warum bat Siddy ihren Verlobten, ihr die Hand zu geben? 54. Wie versuchte Rudi, den Kahn zu retten? 55. Wie ertranken Siddy und Albiez? 56. Wie wurde Rudi gerettet?

Die Geschwister

1. Warum kann Wilhelm die stillen Gläubiger nicht leiden? 2. Was sagt Wilhelm über sein früheres Leben? 3. Wie glaubt Marianne mit Wilhelm verwandt zu sein? 4. Warum möchte Fabrice an diesem Abend nichts von Charlotte hören? 5. Wie hatte sich Wilhelms Leben unter Charlottes Einfluß geändert? 6. Was hat Wilhelm Fabrice von Charlottens Tochter erzählt? 7. Wie denkt sich Marianne das Leben mit einem eigenen Kind? 8. Was hat Fabrice beschlossen? 9. Warum läßt Wilhelm Marianne und Fabrice allein? 10. Wie bringt Fabrice das Gespräch auf das Heiraten? 11. Was erfahren wir aus Mariannes Gespräch mit Fabrice über ihre Liebe zu Wilhelm?

12. Wie versucht Fabrice Marianne zu überzeugen, daß sie ihren Mann ebenso lieb haben könnte wie ihren Bruder? 13. Warum will Marianne nicht heiraten? 14. Wie will Fabrice Wilhelm helfen, wenn er mit Marianne verheiratet sein wird? 15. Was erzählt Wilhelm von seinem Spaziergang? 16. Was bietet Fabrice seinem Freund an? 17. Was offenbart Wilhelm seinem Freund? 18. Was wirft Wilhelm seinem Freund vor? 19. Warum sagte Marianne nicht gleich nein, als Fabrice sie um ihre Hand bat? 20. Um was bittet Marianne ihren Bruder? 21. Warum erzählt Marianne von dem Brand auf dem Markt? 22. Was sagt Marianne über ihre Liebe zu Wilhelm? 23. Was glaubt Fabrice, als Marianne ihm sagt, daß sie ihn nicht heiraten will? 24. Was erfährt Marianne von Wilhelm?

Der Tod des Großvaters

1. Beschreiben Sie, wie Vater Stilling, Mariechen und Heinrich in den Wald gehen! 2. Warum entfernte sich Vater Stilling von Mariechen und Heinrich? 3. Warum wunderten sich Mariechen und Heinrich über Vater Stilling, als er zurückkam? 4. Was hatte Vater Stilling erlebt? 5. Warum glaubte Vater Stilling, daß er bald sterben würde? 6. Bei welcher Arbeit sollte Heinrich seinem Großvater helfen? 7. Was wollten die Frauen verhindern? 8. Warum glaubte Margarete, ihr Mann würde beim

Dachdecken verunglücken? 9. Warum fürchtete Vater Stilling nicht, daß ihm etwas passieren könnte? 10. Was tat Vater Stilling am ersten Tag auf dem Dach? 11. Was mußte an dem Dach noch getan werden, als das Stroh gelegt war?

12. Warum ging Vater Stilling von einem Zimmer zum anderen, als ob er etwas suchte? 13. Wodurch war Vater Stilling ein großer und freier Mensch geworden? 14. Was tat Margarete, als sie ihren Mann auf dem Kirschbaum sitzen sah? 15. Worüber erschrak Heinrich so sehr, daß es ihm unvergeßlich blieb? 16. Was tat Heinrich als er sah, daß sein Großvater gestürzt war? 17. Wie fand Mariechen ihren Vater? 18. Was tat Margarete? 19. Was sagte der Arzt?

Sesenheim

1. Worüber ärgerte sich Goethe? 2. In welcher Verkleidung war Goethe am vorhergehenden Tage in das Pfarrhaus gekommen? 3. Worüber lachte Goethes Freund? 4. Was plante Goethe auf dem Weg zur Stadt? 5. Um was bat Goethe den Sohn des Wirtes in Drusenheim? 6. Warum nahm der Wirtssohn den Vorschlag gern an? 7. Was tat Goethe, um dem Wirtssohn so ähnlich wie möglich zu sehen? 8. Warum mußte Goethe drei Stunden in Drusenheim warten? 9. Was tat Goethe, damit er von den Herankommenden nicht erkannt wurde? 10. Warum war Goethe glücklich und zufrieden, als er vor dem Pfarrhaus saß? 11. Was glaubte die Magd? 12. Wie nahm die Pfarrfrau Goethes Scherz auf?

13. Was fand Goethe in dem Wäldchen, in das er floh, um den Landleuten aus dem Weg zu gehen? 14. Was tat Goethe als er Friedrike kommen sah? 15. Warum bat Goethe Friedrike um Verzeihung? 16. Worüber war die Schwester empört? 17. Wie drückte der Freund seine Zustimmung aus?

Unterricht im Dichten

1. Mit welcher Bitte kam die Mutter der beiden Jungen zu dem Erzähler? 2. Warum nahm der Erzähler den Vorschlag der Dame an? 3. Wie fing der Erzähler mit seinem Unterricht an? 4. Was tat der Erzähler, weil er sich über den gelungenen Vers des einen Jungen freute? 5. Warum gehorchten die Jungen am Ende der Stunde nicht mehr? 6. Wie holten sich die Jungen die Pflaumen vom Baum? 7. Warum waren die Jungen weiß wie Kreide? 8. Warum konnte der Erzähler die Mutter der Jungen nicht mehr grüßen?

Heinrich und Anna

1. Warum tat Heinrich, als ob er Anna nicht gern nachhause begleitete? 2. Wie war das Mädchen gekleidet? 3. Wie half die Base Heinrich? 4. Wie wird die nächtliche Landschaft geschildert? 5. Worüber unterhielten sich Heinrich und Anna? 6. Warum wagten Heinrich und Anna sich nicht direkt anzureden? 7. Was erlebte Heinrich, als er durch die nächtliche Stille nachhause ging? 8. Wie hatte sich die Natur am nächsten Morgen verändert? 9. Was tat Anna beim Frühstück? 10. Wie brachten Heinrich und Anna den Vormittag zu? 11. Warum ärgerte Heinrich sich über die Haushälterin?

12. Warum malte Heinrich am Nachmittag sorgfältiger als am Vormittag? 13. Wie verbesserte Heinrich sein Gemälde? 14. Was für einen Eindruck machte Heinrichs Gemälde auf die Familie des Schulmeisters? 15. Warum ging Heinrich nach dem Abendessen nicht nachhause? 16. Warum mußten Heinrich und Anna in der Nacht arbeiten? 17. Wann sollte Anna Heinrich küßen? 18. Warum blieb Anna Heinrich den Kuß schuldig? 19. Wie veränderte sich Anna in der Nacht? 20. Warum mußte Anna das Gemälde am nächsten Morgen herbeiholen? 21. Wozu sollte Heinrichs Gemälde dienen? 22. Wie war Anna angezogen, als sie mit Heinrich zu den Verwandten ging? 23. Was erzählte Anna von der Höhle, die die Heidenstube genannt wurde? 24. Was sahen Heinrich und Anna in der Höhle des Felsens? 25. Was war Annas und Heinrichs Geheimnis?

26. Warum mußte Heinrich den größeren Teil des Tages bei seiner sterbenden Großmutter zubringen? 27. Warum wurde Heinrich von den Frauen gelobt? 28. Wie kam es, daß Anna in den letzten Tagen vor dem Tod der Großmutter mit Heinrich wachte? 29. Warum sorgte sich Heinrich um Anna? 30. Warum schickte der Schulmeister die jungen Leute zum Tanzen? 31. Was geschah auf dem Boden des Hauses, bevor die jungen Leute tanzen durften? 32. Was taten Heinrich und Anna bei dem Tanze? 33. Was geschah, als die Abendglocken zu läuten anfingen? 34. Aus welcher Lage mußte Heinrich Anna befreien? 35. Was flüsterte Anna auf dem Kirchhof ihrem Freund zu?

Wörterverzeichnis

Obvious cognates are omitted, unless it is important to know the gender or plural formation of the German word.

Compounds the meaning of which is obvious from the component parts are omitted.

Numerals and the forms of the article, the personal pronouns, demonstratives and relatives are omitted.

Nouns are followed by the plural ending, if the plural is commonly used: **das Buch, ⸗er = die Bücher.**

Strong verbs are followed by the stem vowels that form the past and perfect: **sehen, a, e = ich sah, ich habe gesehen.**

Verbs without added vowels are weak: **zeigen = ich zeigte, ich habe gezeigt.**

A separable prefix of a verb is designated by a hyphen: **auf=machen = ich mache auf, ich machte auf, aufgemacht, aufzumachen.**

If a verb governs a special preposition or case, the usage is indicated in parentheses: **denken (an)** *to think (of);* **bedürfen (eines Dinges)** *to need.*

In certain instances an ambiguous meaning of a word is clarified by an example, which is given in brackets: **gar** [das Fleisch ist gar] *done.*

Parts of speech are indicated only if a distinction is to be made; the following signs and abbreviations are used:

adj. = adjective: ein **netter** Mensch *a nice person;* das Wetter ist **schön** *the weather is fine.*

adv. = adverb: ich habe **gut** geschlafen *I slept well;* der Zug fuhr **schnell** *the train moved rapidly;* **inzwischen** geschah etwas anderes *meanwhile something else happened.*

arch. = archaic, no longer in common use.

conj. = subordinating conjunction: es passierte, **bevor** er kam *it happened* ***before*** *he arrived.*

pl. = plural: indicates that the form given is a plural form.

prep. = preposition: **vor** dem Krieg *before the war;* **an** der Tür *at the door.*

(sein) indicates that a verb forms the perfect tenses with sein instead of haben: gehen (sein) = er **ist** gegangen.

∾ denotes the repetition of the key word.

The stressed syllable of a word is marked by an accent (**Fami'lie**) if the word does not conform to the following general rules:

1. If a word begins with the prefix **be=, ent=, er=, ge=, ver=,** or **zer=,** the accent is on the next syllable.

2. Other words have the accent on the first syllable.

ab off, away; exit
ab=bitten, bat ab, abgebeten to ask pardon, apologize
ab=brechen, a, o to break off, stop
der **Abend, –e** evening, west
das **Abendbrot** evening meal
abendlich evening
abends in the evening
das **Abenteuer, –** adventure
abenteuerlich strange, sensational
der **Abenteurer, –** adventurer
aber but, however

der **Aberglaube** superstition
abergläubisch superstitious
abermalig repeated
abermal(s) again, once more
ab=fallen, ie, a (sein) to fall off
ab=fassen to compose
ab=gehen, ging ab, abgegangen (sein) to leave
die **Abgeschlossenheit** seclusion
abgestorben dead
abgetragen threadbare
ab=gleiten, glitt ab, abgeglitten, (sein) to glide off
ab=grenzen to define
der **Abgrund, ⸗e** abyss
ab=halten, ie, a to hold back, hinder
der **Abhang, ⸗e** slope
ab=hängen, i, a to depend on
abhängig dependent
ab=holen to call for
ab=irren (sein) to go astray
ab=laufen, ie, au, (sein) to go off, end
ab=legen to take off
ab=lehnen to decline, refuse, reject
die **Ablehnung** refusal
ab=lenken to divert the attention, distract
ab=lösen to replace
ab=merken to notice (by observing a person)
ab=nehmen, a, abgenommen to take off, take away, decrease
ab=nutzen to wear out
ab=reisen (sein) to depart
der **Abschied** leave, farewell, leavetaking, dismissal, discharge
ab=schließen, o, o to come to an end
ab=schneiden, schnitt ab, abgeschnitten to cut off
der **Abschnitt, –e** part, paragraph
ab=schreiben, ie, ie to copy
die **Absicht, –en** intention
ab=sprechen, a, o to refuse
ab=steigen, ie, ie (sein) to put up at
ab=stoßen, ie, o to push away, break off
der **Abstoß** push that sets an object free
die **Absurdität', –en** absurdity
ab=tragen, u, a to wear out, level
ab=warten to await, expect
ab=wechseln to exchange, interchange, alternate
abwechselnd alternate
die **Abwechslung, –en** change
die **Abwesenheit** absence
die **Abwehr** defense
ab=wehren to ward off, avert
ab=weichen, i, i (sein) to deviate, be different
die **Abweichung, –en** deviation
ab=weisen, ie, ie to refuse
ab=wenden, wandte ab, abgewandt to turn away
ab=werfen, a, o to throw off
ach! ah! oh! alas!
die **Achsel, –n** shoulder
acht: in ∼ nehmen to observe
achten (auf etwas) to take care, pay attention to
acht=geben, to take care, pay attention to, be careful
der **Acker, ⸗** field
die **Ackerleute** *pl.* farmers
der **Adel** nobility
die **Ader, –n** vein, artery
adieu' good-bye
adoptie'ren to adopt
das **Adria'tische Meer** Adriatic Sea
der **Advokat', –en** lawyer, attorney
ahnen to foresee, anticipate, divine, conjecture, suspect; nicht ∼ to have no idea; es ahnt mir I have a foreboding
ähnlich similar
die **Ähnlichkeit, –en** resemblance
die **Ahnung, –en** foreboding, faint notion, slight inkling
ahnungslos unsuspecting
der **Akt, –e** act
all all; vor ∼em especially
allein' *adj.* alone: *adv.* but
allemal always, every time; ein für ∼ once for all
aller– [allerbest'] most, very
allerdings' to be sure
allerhand' all kinds of

allerlei all kinds of
die **Allgegenwart** omnipresence
allgemein' general
allmäch'tig almighty
allmäh'lich *or* **–ig** gradual; *adv.* by and by
allmenſch'lich universally human
alltäg'lich daily
das **Alltagsleben** every day life
allzu too, far too
allzuſehr too much
die **Alpen** *pl.* Alps
als as, like, in the quality of; ∾ Kind as a child: [größer als . . .] than; *conj.* [als er kam . . .] as, when; [als wären ſie . . .] as if; ∾ ob as if
alsbald' forthwith, directly, very soon
alsdann' then
alſo thus, so, therefore, then, consequently
alt old
der **Altar', ¨–e** altar
das **Alter** age, old age
altersgrau grey with age
altmodiſch old-fashioned
altruiſt'iſch altruistic
das **Amt, ¨–er** office
amtlich official
an *prep.* at, near, by, on, to; *adv.* [ich habe an 20 Bücher] about
die **Anatomie', –n** morgue, dissecting room
an=bieten, o, o to offer
an=binden, a, u to tie up
der **Anblick, –e** sight
an=blicken to look at
an=brechen, a, o, (ſein) to set in, dawn
an=bringen, brachte an, angebracht to put up, add, set to work
andächtig reverent
das **Andenken, –** memory, remembrance, souvenir
ander other, different, next
andermal another time
ändern to change
anders different: ich kann nicht ∾ I cannot help it
anderswo elsewhere

die **Änderung, –en** change
an=deuten, to suggest, hint
aneinan'dergedrückt huddled together
die **Anekdo'te, –n** anecdote
an=erkennen, a, a to recognize
an=fahren, u, a to address angrily; (ſein) to arrive
der **Anfang, ¨–e** beginning
an=fangen, i, a to begin, start
der **Anfänger, –** beginner
anfänglich at first
anfangs at first, in the beginning
an=faſſen to seize
an=flehen to implore
die **Anforderung, –en** claim
an=führen to lead
an=geben, a, e to give, accuse, report
angeboren innate
an=gehören to belong to, be a relative of
der **Angehörige, –n** relative
die **Angelegenheit, –en** affair, question
angelehnt slightly opened
angenehm agreeable, pleasant
das **Angeſicht, –e** *or* **–er** face
an=greifen, griff an, angegriffen to take up, lay hands on
die **Angſt, ¨–e** anxiety, fear
ängſten *arch.* to frighten
ängſtigen to frighten
ängſtlich anxious, timid, fearful
die **Ängſtlichkeit** anxiety, timidity
an=halten, ie, a to hold, cling to, continue, urge, stop
das **Anhängſel, –** appendix, supplement, faction
an=heben, o, o to begin
an=hören to listen to
an=ketten to chain
die **Anklage, –n** accusation
an=kommen, a, o, (ſein) arrive, come; ∾ auf to depend upon
der **Ankömmling, –e** new-comer
ankränkelnd sickening
an=kündigen to announce
die **Ankunft** arrival
an=lachen to smile at
der **Anlaß, ¨–e** cause, occasion, reason

der **Anlauf, ⸗e** start
an⸗legen to put on
an⸗melden to announce
an⸗messen, a, e to measure, take the measure for
die **Anmut** grace, charm
anmutig graceful, charming
an⸗nähern to approach
an⸗nehmen, a, angenommen to accept, assume, take for granted; sich jemandes ∾ to take care of someone
Annerl endearing form of Anna
die **Anordnung, –en** instruction, arrangement
an⸗raten, ie, a to advise, recommend
an⸗reden to address
an⸗rufen, ie, u to implore, address
an⸗rühren to touch
an⸗sagen to communicate
an⸗schauen to look at, regard
die **Anschauung, –en** conception, idea, viewpoint
der **Anschein:** dem ∾ nach apparently
anscheinend apparent
sich **an⸗schließen, o, o,** (an) to join, follow
an⸗sehen, a, e to look at, regard, watch; jemandem etwas ∾ to know something by looking at a person
das **Ansehen** appearance
ansehnlich considerable, respectable
die **Ansicht, –en** opinion
das **Ansinnen, –** unreasonable request
an⸗sprechen, a, o to address
der **Anspruch, ⸗e** claim; in ∾ nehmen to engage
anspruchslos unassuming, unpretentious
der **Anstand** decency, grace, pleasing deportment
anständig decent, proper, respectable
an⸗starren to stare at
an⸗stecken to fasten on
an⸗steigen, ie, ie, (sein) to rise
an⸗stellen to undertake; einen Prozeß ∾ to start legal proceedings
die **Anstellung, –en** appointment
an⸗stimmen to begin to play
an⸗stoßen, ie, o to clink
an⸗strengen to exert
die **Anstrengung, –en** exertion, effort
der **Anteil** sympathy
die **Antithe'se, –en** antithesis, contrasting terms *or* ideas
das **Antlitz** face
an⸗treiben, ie, ie to urge
an⸗treten, a, e to begin, start, set out on
an⸗tun, a, a to show, do, inflict
an⸗vertrauen to trust, entrust
die **Antwort, –en** answer, reply
antworten to answer, reply
anwesend present
die **Anzeige, –n** notice, announcement; ∾ machen to file a declaration, report
an⸗zeigen to notify, announce
an⸗ziehen, zog an, angezogen to put on, dress
der **Anzug, ⸗e** suit (of clothes)
an⸗zünden to light
der **Apfel, ⸗** apple
der **Apo'stel, –** apostle
die **Apothe'ke, –n** drugstore, pharmacy
der **Apothe'ker, –** druggist
die **Arbeit, –en** work, studying
arbeiten to work, study
der **Arbeiter, –** worker, laborer
arg bad, wicked, nasty: **ein Arges finden** (an) to find (something) objectionable
ärgerlich annoying
der **Ärger** anger
ärgern to anger, irritate; sich ∾ (über etwas) to be annoyed, be angry (at)
arglos harmless
der **Arm, –e** arm, tributary
arm poor, wretched
der **Ärmel, –** sleeve
ärmlich poor
die **Armut** poverty
die **Art, –en** manner, way, kind, way of life, character; auf diese ∾ in this manner
artig well-behaved, civil, polite, nice
die **Artigkeit, –en** courtesy
der **Arti'kel, –** article, matter
der **Arzt, ⸗e** physician

die Arznei', –en medicine
aske'tisch ascetic
der Ast, ⸗e branch, bough
die Aster, –n aster
der Atem breath: ∾ holen to take a breath
atemraubend breath-taking
der Atemzug, ⸗e breath
atmen to breathe
die Au, –en pasture, field
auch also, too, even
die Aue, –n pasture
auf *prep.* on, upon, at, to; *adv*, open; awake, up; ∾ drei Jahre for three years; ∾ und ab up and down; ∾ und nieder up and down; auf . . . hin considering, reacting against; auf . . . zu in the direction of; auf das beste in the best manner
auf=atmen to breathe, draw a deep breath
der Aufbau structure
auf=bewahren to keep
auf=bieten, o, o to summon
der Aufblick raising of one's eyes
auf=brechen, a, o, (sein) to rise, depart, start out
auf=bringen, brachte auf, aufgebracht to raise
der Aufenthalt, –e stay, abode, haunt
auf=erziehen, erzog auf, auferzogen to raise, bring up
auf=fallen, ie, a, (sein) to be striking
die Auffassung, –en conception, concept
auf=fordern to invite, ask
auf=führen to perform
die Aufgabe, –n lesson, assignment, task
auf=geben, a, e to give up, propound (a riddle)
auf=gehen, ging auf, aufgegangen, (sein) to open
auf=halten, ie, a to hold up, stop, arrest; sich ∾ to delay, stay
auf=häufen to accumulate
auf=heben, o, o suspend, keep, pick up; aufgehoben sein to be taken care of
auf=hören to stop, cease, discontinue
auf=keimen (sein) to sprout
auf=liegen, a, e to rest upon
auf=lösen to dissolve
auf=machen to open; sich ∾ to set out on one's way
aufmerksam attentive
die Aufmerksamkeit, –en attention, courteous behavior
die Aufnahme welcome
auf=nehmen, a, aufgenommen to take in, receive
auf=pflanzen to set up
aufrecht upright, erect, vertical
auf=regen to excite
auf=reißen, i, i to tear open
auf=richten to set up, raise, erect; sich ∾ to raise oneself up; hoch aufgerichtet standing up, drawn up to full length
aufrichtig sincere
auf=schauen to look up
auf=schieben, o, o to postpone
auf=schlagen, u, a to open
auf=schließen, o, o to unlock
auf=schrecken to rouse; (sein) be startled
auf=schreiben, ie, ie to take down in writing
auf=schütten to heap up
auf=setzen to put on, draw up in writing
auf=stehen, stand auf, aufgestanden, (sein) to get up, rise
auf=steigen, ie, ie, (sein) to rise, ascend
auf=stellen to set up
auf=suchen to go to see, hunt up
auf=tauchen (sein) to emerge
der Auftrag, ⸗e commission, charge, order, instruction
auf=tragen, u, a to ask, instruct, serve
auf=treten, a, e, (sein) to appear, present oneself, enter
auf=tun, a, a to open
auf=wachen (sein) to awake, wake up
auf=wachsen, u, a, (sein) to grow up
die Aufzeichnung, –en record, paper
das Auge, –n eye
der Augenblick, –e moment, instant
die Augenbraue, –n eyebrow
der Augusti'ner, – Augustine friar

aus out of, from, of; ~ sein to be over; aus . . . heraus out of, resulting from
aus=atmen to breathe forth, exhale
aus=bessern to restore, correct
aus=beuten to exploit
aus=bleiben, ie, ie, (sein) to stay away
aus=brechen, a, o, (sein) to burst out
aus=breiten to spread, extend
aus=brüten to hatch
die **Ausdauer** endurance
aus=dehnen to extend
aus=deuten to try to interpret
der **Ausdruck, =e** expression
aus=drücken to express
auseinan'der apart
aus=fragen to question thoroughly
aus=führen to carry out
aus=füllen to fill
aus=füttern to line, stuff
die **Ausgabe, –n** expenditure, edition
der **Ausgang, =e** errand
aus=geben, a, e to spend (money)
ausgeflogen fledged
aus=gehen, ging aus, ausgegangen, (sein) to go out, end
ausgekocht juiceless
ausgemacht understood
ausgesprochen outspoken
ausgestreckt: lang ~ in full length
ausgewachsen grown
aus=gleiten, glitt aus, ausgeglitten, (sein) to slip
aus=halten, ie, a to bear, endure, stand, take, put up with
aus=helfen, a, o to help, help out, accommodate
aus=holen to obtain information from
aus=lachen to laugh at
das **Ausland** foreign country, abroad
aus=legen to line
aus=machen to put out, agree on, make up
aus=messen, a, e to measure out
die **Ausnahme, –n** exception
aus=nehmen, a, ausgenommen to except
ausnehmend exceptional
die **Ausnutzung** making use of
aus=pumpen to pump out
aus=reden to talk out of, convince of the contrary, finish speaking
aus=reichen to suffice
aus=rufen, ie, u to exclaim, read the hours
aus=ruhen to rest, be resting
aus=rüsten to equip
aus=schlagen, u, a (sein) to take effect
aus=schlafen, ie, a to sleep off the effects of drink
aus=schließen, o, o to exclude
aus=schreiten, schritt aus, ausgeschritten, (sein) to step out, take a good stride
aus=sehen, a, e to look (like)
außer outside, besides, in addition to; ~ Atem out of breath; ~ sich beside oneself
äußer outer
außerdem in addition to
das Äußere external appearance; outside world
äußerlich outward, external
äußern to utter
außerordentlich extraordinary
äußerst utmost, extraordinary
die **Äußerung, –en** statement, utterance
die **Aussicht, –en** view, prospect
die **Aussprache, –n** pronunciation, conversation
aus=sprechen, a, o to pronounce, express, utter; sich ~ (gegen jemanden) to make a clean breast
die **Ausstellung, –en** exhibition
die **Aussteuer, –n** trousseau, dowry
aus=stoßen, ie, o to bring forth
aus=strecken to hold out, throw up; sich ~ to stretch oneself
aus=suchen to pick out, select
aus=treten, a, e to wear out
aus=üben to carry out, execute, practice, exert, produce
auswärts outward, facing the outside
aus=waschen to wash out
aus=weichen (jemandem), **i, i,** (sein) to elude, evade, avoid
aus=weiten to widen, expand
auswendig by heart
sich **aus=wirken** to take effect

aus=ziehen, zog aus, ausgezogen to undress; (sein) to move out
der **Bach, ⸚e** brook
die **Backe, –n** cheek
backen, buk, a to bake
der **Bäcker, –** baker
das **Bad, ⸚er** bath, resort
die **Bahn, –en** railroad, path, road, track
der **Bahnhof, ⸚e** railroad station
bald soon; bald . . . bald . . . now . . . now . . .
das **Band, ⸚er** ribbon, tape, tie, link
die **Bande,** *pl.* ties
das **Bändel, –** ribbon
bang(e) anxious, alarmed, afraid
bangen to be afraid
das **Bangen** alarm, fear
die **Bangigkeit** anxiety
die **Bank, ⸚e** bench
bar cash
der **Bär, –en** bear
barba'risch barbarous
die **Barmher'zigkeit** mercy
der **Bart, ⸚e** beard
bärtig bearded
die **Base, –n** (girl) cousin
der **Bau, –ten** edifice, structure, process of building
bauen to build
der **Bauer, –n** peasant, farmer
der **Baum, ⸚e** tree
beachten to pay attention to, take in, notice
der **Beamte, –n** government official
beängstigen to alarm, frighten
bearbeiten to work on, make ready, prepare
bebändern to decorate *or* ornament with ribbons
beben to quiver, quake, tremble, shake
der **Becher, –** cup
sich **bedanken** to thank
bedauern to regret, pity
bedecken to cover over
bedenken, –dachte, –dacht to think over, consider
bedenklich doubtful, critical
die **Bedenklichkeit, –en** scruple, hesitation
bedeuten to mean, signify, explain
bedeutend significant
bedeutsam significant, meaningful
die **Bedeutung, –en** significance, meaning, importance
sich **bedienen** (eines Dinges) to make use of
die **Bedingung, –en** condition
bedrängen to oppress
bedrücken to distress
bedürfen, –durfte, –durft (eines Dinges) to need, require
das **Bedürfnis, –se** necessity, requirement, want, need
die **Bedürfnislosigkeit** frugality, simplicity
sich **beeilen** to hurry
beenden to end
beengen to make narrow, close in on something
die **Beerdigung, –en** funeral
befallen, ie, a to befall, fall upon, overtake
befangen embarrassed, shy
der **Befehl, –e** order, command
befehlen, a, o to order, command
befestigen to fasten
sich **befinden, a, u** to be, feel
das **Befinden** state of health
befördern to promote
befragen to ask
befreien to free, set free
befremden to seem strange, surprise
befremdlich strange
der **Befreundete, –n** *arch.* friend
befriedigen to satisfy, please
sich **begeben, a, e** to go, betake oneself, happen, occur
die **Begebenheit, –en** event, occurrence
das **Begebnis, –se** happening
begegnen (jemandem) (sein) to meet, encounter, treat, happen
die **Begegnung, –en** meeting, encounter
begehen, –ging, –gangen to commit, celebrate

begehren to crave, covet, desire
begehrlich covetous
die **Begeisterung** enthusiasm, inspiration
die **Begierde, –n** desire
begierig (auf) eager, greedy (for)
beginnen, a, o to begin, start, commence, do
begießen, o, o to pour on, pour over
begleiten to accompany, escort
der **Begleiter, –** companion
beglücken to make happy
begnadigen to pardon
begraben, u, a to bury
das **Begräbnis, –se** funeral
begreifen, –griff, –griffen to comprehend, understand
begreiflich comprehensible
begreiflicherweise as may be easily understood
der **Begriff, –e** conception, idea, concept; im ~ sein to be about to
begrüßen to greet, welcome
die **Begrüßung** exchange of greetings
begütert well-to-do
behagen to please
das **Behagen** ease, comfort
behaglich comfortable, cozy
die **Behaglichkeit** ease
behalten, ie, a to remember, keep
behandeln to treat, discuss
die **Behandlung** treatment
behängen, i, a to cover by hanging something over
behaupten to affirm, maintain, declare
der **Behelf, –e** expedient, resource
sich **behelfen, a, o** to get along
beherrschen to master, rule over, dominate
behilflich: ~ sein (jemandem) to help
behüten to watch, tend
bei at, with, amongst, near, by, considering
bei=bringen, brachte bei, beigebracht to impart to, teach
beichten to confess
beide both
beiderseits on both sides
der **Beifall** applause, cheers
das **Beileid** sympathy
das **Bein, –e** leg
beinahe almost, nearly
beisam'men together
das **Beisam'mensein** being together
beisei'te aside, past (a person)
das **Beispiel, –e** example; **zum ~** for example
beißen, i, i to bite
bei=stehen (jemandem) **stand bei, beigestanden** (sein) to assist
bei=tragen, u, a to help, add, contribute
bei=wohnen (einem Ereignis) to be present at, attend
beizei'ten in time
bejahen to say yes, affirm
bejahrt aged
bekannt known to a person, well-known, renowned
der **Bekannte, –en** acquaintance
bekanntlich as is well known
die **Bekanntmachung, –en** public notice
die **Bekanntschaft, –en** acquaintance
bekehren to convert
die **Bekehrung, –en** conversion
bekennen, –kannte, –kannt to confess, admit; sich ~ zu to profess
das **Bekenntnis, –se** confession; (zu) profession (in favor of)
beklommen oppressed
bekommen, –kam, o to get, receive, obtain; (sein) agree, suit
bekrönen to crown
sich **bekümmern** (um) to pay attention to; care for
belachen to laugh at
beladen, u, a to load
belagern to besiege
belasten to burden
beleben to enliven, animate; encourage
belegen to cover
belehren to inform, instruct
die **Belehrung, –en** instruction, advice
beleidigen to offend
beleuchten to illuminate
beliebt well-liked, popular

beloben to praise
belohnen to reward
belügen, o, o to lie to (a person)
die **Belustigung, –en** amusement
bemalen to paint
bemerkbar noticeable
bemerken to notice, observe, remark
die **Bemerkung, –en** remark
bemessen, a, e to measure
sich **bemühen** to endeavor
benachbart adjoining, neighboring
sich **benehmen, a, o** to behave
beneiden(um) to envy
benutzen to make use of
beobachten to observe, watch
die **Beobachtung, –en** observation
bequem convenient, comfortable, easy
berechnen to calculate, to deliberate
der **Berechner** one who calculates, scheming person
sich **bereden** to confer with
bereit prepared
bereiten to prepare, cause
bereits already
die **Bereitschaft** readiness
die **Bereitwilligkeit** readiness, willingness
bergen, a, o to save, contain, conceal, hide; sich ∾ to hide, hide away
der **Bergmann,** *pl.* Bergleute miner
berichten to report
berüchtigt ill-famed
der **Beruf, –e** profession
berufen, ie, u to call, appoint
berufen *adj.* qualified
beruhen (auf) to depend on, be founded on, rest on
beruhigen to calm, quiet, appease
berühmt famous, well-known
berühren to concern
besät covered, ornamented
beschaffen constituted
beschäftigen to occupy
die **Beschäftigung, –en** occupation
beschämend disgraceful
beschämt ashamed, abashed
die **Beschämung** humiliation
beschaulich meditative
bescheiden modest
die **Bescheidenheit** modesty
beschlagen, u, a to cover, mount
beschließen, o, o to resolve, decide
beschmutzen to make dirty
beschreiben, ie, ie to describe
besehen, a, e to look at, inspect
besetzen to put one thing on another, cover
besichtigen to look at, survey
sich **besinnen, a, o** to think over, remember, recall
die **Besinnung** consciousness; ohne ∾ unconscious, without a moment's consideration
der **Besitz** possession
besitzen, –saß, –sessen to possess, own, occupy
der **Besitzer, –** proprietor, owner, occupant
besonder special, particular
besonders especially
besonnen to sun
besorgen to fear, worry about, arrange, manage, do, provide
die **Besorgnis, –se** apprehension
besorgt anxious, troubled
die **Besorgung** care
besprechen, a, o to discuss
besprengen to sprinkle
besser better
bessern to reform
beständig continuous, constant
bestärken to confirm
bestätigen to confirm
bestauben to cover with dust
bestehen, –stand, –standen to exist, pass the test, hold one's own; ∾ **aus** to consist of
bestehlen, a, o to steal from
besteigen, ie, ie to climb
bestellen order, make to order, cover, ask to come, cultivate, till
bestimmbar definable
bestimmen to determine, choose, fix, destine for, designate

bestimmt definite, firm (tone), positive
die **Bestimmtheit:** mit ∾ positively
bestrafen to punish
bestreichen, i, i to cover with a thin layer, to butter (bread)
bestreifen to touch lightly
der **Besuch, -e** call, visit
besuchen call on, visit
der **Besucher** caller, visitor
das **Bethaus, ⸚er** church
beten to pray
betonen to accent, emphasize
die **Betonung, -en** stress, accent, emphasis
betrachten look at, consider
die **Betrachtung, -en** observation, way of looking at
betragen, u, a to amount to
betreffen, a, o to concern
betreten, a, e to set foot on, enter
betrüben to grieve, afflict, sadden; sich ∾ to be sad, to become cloudy
betrübt sad
die **Betrübnis, -se** grief
betrügen, o, o to deceive
betrunken drunk
das **Bett, -en** bed
betteln to beg
das **Bettuch, ⸚er** sheet
beugen to bend, bow, lean
die **Beunruhigung, -en** alarm
beurteilen to judge, consider, criticise
die **Beute** booty
der **Beutezug, ⸚e** plundering expedition
der **Beutel, -** purse
bevor *conj.* before
bevor=stehen, stand bevor, bevorgestanden (einem) to be imminent, be in store for
bewachen to watch, guard
bewaffnen to arm
bewahren to keep, preserve, save
bewährt established
bewegen to move, stir, set in motion
beweglich agile
die **Bewegung, -en** movement, motion, commotion, agitation, exercise; sich in ∾ setzen to move
der **Beweis, -e** proof, evidence
beweisen, ie, ie to prove, demonstrate
die **Beweisstelle, -n** passage quoted in support, adduced authority
bewerten to value, evaluate, accentuate
bewirken to cause
bewohnen to inhabit, live in
der **Bewohner, -** inhabitant
bewölken to cover with clouds
bewundern to admire
bewußt conscious, knowing, apparent; ich bin mir ∾ (eines Dinges) I am conscious of
bewußtlos unconscious
das **Bewußtsein** consciousness, frame of mind, way of thinking; ohne ∾ unconscious
bezahlen to pay
die **Bezahlung** payment
bezaubern to enchant
bezeigen to show
bezwingen, a, u to master, subdue
biegen, o, o to bend, turn
biegsam flexible
die **Biegung, -en** bend, turn
die **Biene, -n** bee
das **Bier, -e** beer
das **Bild, -er** picture, image
bilden to form, shape
das **Bildnis, -se** portrait, image
die **Bildung** education, culture
billig cheap, fair
binden, a, u to bind, tie
binnen *prep.* within
die **Birne, -n** pear
bis to, up to, until
der **Bischof, ⸚e** bishop
bisher' hitherto, until now
bishe'rig hitherto existing
bißchen: ein ∾ a little, some, somewhat
der **Bissen, -** bite, mouthful
biswei'len sometimes
bitten, bat, gebeten to beg, ask
bitterlich bitterly
die **Bittschrift, -en** petition

blasen, ie, a to blow, sound
blaß pale
bläßlich somewhat pale
das **Blatt, ⸗er** leaf, sheet
blättern to leaf
blau blue
das **Blech, –e** sheet metal, tin (plate)
das **Blei** lead, lead pencil
bleiben, ie, ie, (sein) to stay, remain, stay away
bleich pale, faint
bleichen, i, i, (sein) to turn pale
bleiern leaden
der **Bleistift, –e** lead pencil
blenden to blind, dazzle
der **Blick, –e** glance
blicken to look, glance
der **Blitz, –e** lightning, thunderbolt
blitzen to lighten, sparkle
blitzschnell swift as lightning
blödsinnig feeble-minded
bloß bare, naked, mere; *adv.* only
blühen to bloom, blossom, flourish
die **Blume, –n** flower
blumig flowery
das **Blut** blood
bluten to bleed
blutig bloody
die **Blüte, –n** blossom, flower
der **Boden** ground, soil
der **Boden, ⸗** floor, attic
das **Bodenbrett, –er** plank serving to form the bottom
der **Bogen, ⸗** curve, bend, arch, sheet (of paper), bow
böhmisch Bohemian
die **Bohne, –n** bean
bohren to bore, drill, pierce; **er bohrte seinen Blick** looked with a piercing glance
bombardie'ren to bombard
das **Boot, –e** boat
die **Börse, –n** (stock) exchange, purse
böse bad, evil, wicked, ill, angry
boshaft malicious
der **Bota'niker, –** botanist
botanisie'ren to botanize
der **Bote, –n** messenger
die **Botschaft, –en** message
der **Brand, ⸗e** fire
braten, ie, a to roast, grill, broil, fry
der **Braten, –** roast
brauchen to use, need
brauchbar useful
die **Braue, –n** eyebrow
braun brown
bräunlich brownish, tawny
brausen to roar, rush, sweep
die **Braut, ⸗e** bride, fiancée
der **Bräutigam, –e** bridegroom, fiancé
die **Brautschaft** state *or* quality of being betrothed
brav good, well-bahaved, honest
brechen, a, o to break
breit broad, wide
breiten to spread out
brennen, brannte, gebrannt to burn
das **Brennholz** firewood
das **Brett, –er** board, plank
der **Brief, –e** letter
der **Briefbeschwerer, –** letter-weight
die **Brieftasche, –n** wallet
der **Briefträger, –** mail carrier
bringen, brachte, gebracht to bring
das **Brot, –e** bread
das **Brötchen, –** roll
der **Bruch, ⸗e** fraction, fracture
die **Brücke, –n** bridge
der **Bruder, ⸗** brother
brüderlich brotherly
der **Brunnen, –** well, fountain
die **Brust, ⸗e** breast, bosom, chest
die **Brut** brood
brüten to hatch
das **Buch, ⸗er** book
buchen to note
der **Buchstabe, –n** letter
buchstabie'ren to spell
die **Bucht, –en** bay, cove
das, *arch.* der, **Bündel, –** bundle, burden
der **Bundesbruder, ⸗** fraternity brother
das **Bündnis, –se** alliance
bunt many-colored, motley
die **Bürde, –n** burden

die **Burg, -en** citadel, castle, fortress
der **Bürger, -** citizen, person of the middle class
das **Bürgerhaus, ⸗er** (house of) middle class family
der **Bürgermeister, -** mayor
die **Bürgschaft, -en** security, guarantee
bürokra'tisch bureaucratic
der **Bursch(e), -n** lad, fellow
der **Busch, ⸗e** bush, thicket
buschig bushy
das **Büschel, -** bunch
der **Busen** bosom, breast
büßen to atone, pay for
die **Butter** butter

der **Café** (*arch.* for Kaffee) coffee
der **Charak'ter, -** character
(noun —) **-chen** little (for example Kindchen)
der **Chor, ⸗e** chorus, choir, chancel, sanctuary
der **Chorführer, -** choir leader
der **Chorgesang** singing in chorus
der **Christ, -en** Christian; ∼i (*genetive of Latin* Christus) of Christ
christlich Christian

da *adv.* [da kommt er] there; ∼ und dort here and there; *conj.* [da er nicht kam . . .] since, as, (*arch.*) when
dabei nearby, thereby, therewith, at the same time
das **Dach, ⸗er** roof
die **Dachdeckerei'** roofing job
dadurch through it, by it, thereby
dafür for it, for this purpose; instead of it, as a compensation
dagegen against this, in comparison with; on the contrary
daheim' at home
daher from there, hence, therefore, along, this way
daher'=strömen (sein) to flow along
dahin there, to that place, away, past, gone along; bis ∼ up to then
dahin'=gehen, ging dahin, dahingegangen, (sein) to walk along
dahin'=schreiten, schritt dahin, dahingeschritten, (sein) to walk along
dahin'ter behind it, hidden in it
dahin'ter=stecken to be at the bottom of
damals then, at that time
die **Dame, -n** lady
damit *adv.* [damit geht es schneller] with it; *conj.* [damit' es schneller geht] so that, in order that
der **Damm, ⸗e** dam, dike
der **Dämmergürtel** ribbon of twilight
dämmerig dusky
die **Dämmerung** dusk, twilight, dawn
der **Dämon, ⸍en** demon
dämo'nisch demonic
der **Dampf, ⸗e** steam, vapor, smoke
danach after it, after that, accordingly
dane'ben next to it, besides
der **Dank** thanks, gratitude
dankbar thankful, grateful
die **Dankbarkeit** gratitude
danke thank you
danken to thank
die **Danksagung, -en** expression of thanks
dann then
daran at it, on it, to it
daran'stoßend adjoining
darauf on it, upon it, later
daraus from it, out of it
dar=bieten, o, o to offer
dar=bringen, brachte dar, dargebracht to pay, offer
darein in it, into it
darin in that, in it
darüber over it, across it, concerning it, beyond it
darum around it, about it, therefore
das **Dasein** existence, life, being, presence, way of life
daselbst' there, in that very place
da=sitzen, saß da, dagesessen to sit there, sit in a place, sit around
daß *conj.* [ich wünsche, daß er kommt] that
dauern to last, to make feel sorry
davon of it, from it, off, away

dazu to that, for that purpose, in addition
dazu'=rechnen to add
dazwi'schen in between
die **Debat'te, –n** debate, argumentation
die **Decke, –n** cover, blanket, ceiling, cloth
der **Deckel, –** lid, cover
decken to cover, set (table), protect
die **Definition', –en** definition
der **Degen, –** sword
dein = **deiner** of you
dehnen to stretch, expand
delikat' delicate
demgemäß accordingly
demnach accordingly, consequently
demokra'tisch democratic
die **Demut** humility
demütig humble
demütigen to humiliate
denken, dachte, gedacht (an) to think (of), remember, intend; sich ∾ to imagine
das **Denkmal, ⸚er** monument, memorial
denn for, than, really
dennoch nevertheless, in spite of everything
derglei'chen such things
derjenige that, the one
dersel'be the same
dersel'bige the same
derzeitig at that time
deshalb therefore, for this reason
desto [desto größer] the . . ., so much the . . .
deswegen therefore, for that reason
deuten to explain, interpret, point to
deutlich clear, distinct
deutsch German; auf ∾ in German
Deutschland (das) Germany
der **Dezem'ber** December
d. h. = **das heißt** that is, that means
der **Dialekt, –e** dialect
die **Diät, –en** diet
dicht thick, close
dichten to write poetry
der **Dichter, –** poet
die **Dichtung, –en** poetry
dick thick
der **Dieb, –e** thief
der **Diebstahl** theft, thievery
dienen to serve
der **Diener, –** servant
der **Dienst, –e** service
der **Dienstag, –e** Tuesday
das **Dienstmädchen, –** servant girl, maid
dieser this
diesmal this time
diesseits on this side
das **Ding, –e** thing; *pl.* –er person
diony'sisch Dionysiac, characteristic of the Greek god Dionysus
direkt' direct
doch yet, however, nevertheless, but; (*emphatic*) (gehen Sie doch) do
der **Doktor, ´–en** doctor; doctorate
der **Dom, –e** cathedral
der **Donner** thunder
doppelt double
das **Dorf, ⸚er** village
dort there
die **Dosis, Dosen** dose
der **Draht, ⸚e** wire
drängen to push, make one's way, urge; sich ∾ to push
drauf=hauen to give it to them, scuffle
draußen outside, out of doors
drehen to turn, rotate, revolve
drein in there, into it, at it
dreistimmig for three voices, for three parts
dringen, a, u, (sein) to enter by force, get through, make one's way; in jemanden ∾ to urge a person; (haben) auf etwas ∾ to insist on something
dringend urgent
drinnen inside, within
drin=stecken to be in it
droben above, up there, upstairs
drohen to threaten, menace
die **Drohung, –en** threat, menace
drüben on the opposite side, on the other side; ∾ und dorten here and there
drüber=fahren, u, a, (sein) move over, brush over

der **Druck** squeeze
drücken to press, squeeze, hug, oppress, shake (the hand)
der **Drücker, –** latch
drum therefore
sich **duellie'ren** to fight a duel
dulden to endure, suffer, tolerate
dumm stupid, silly
der **Dummkopf, ⸗e** blockhead, simpleton
dumpf damp, hollow, dull, gloomy, murky
dunkel dark
das **Dunkel** darkness
die **Dunkelheit** darkness
dunkeln to grow dark
der **Dünkel** arrogance
dünken to seem, look, appear
dünn thin, slim
durch through, by
durch=arbeiten to pass (time) in working or studying
durchaus thoroughly, absolutely, certainly
sich **durch=bringen, brachte durch, durchgebracht** to maintain oneself, to support oneself
sich **durch=drängen** to push through
durch=dringen, a, u, (sein) to get through
durchdrin'gen, a, u to penetrate
durcheinander confusedly, promiscuously
durch=fahren, u, a, (sein) to go through
durchfah'ren, u, a to flash
das **Durchgehen** going over
durchglü'hen to send a glow through
durch=kommen, kam durch, o, (sein) to get through
durchle'ben to live through
durchrin'nen, a, o to cover with small streams, irrigate
durch=schießen, o, o, (sein) to rush through
durchschwär'men to move in a swarm through, pass in revelry
durchschwe'ben to float through
durchsichtig transparent

dürfen may, can, to be permitted, be allowed; er darf nicht he must not
dürftig poor, scanty
dürr dry, parched
der **Durst** thirst
dürsten: mich dürstet I am thirsty
durstig thirsty
düster gloomy, mournful
das **Dutzend, –e** dozen

eben *adj.* [das ebene Land] plain, level; *adv.* [er kam eben] just now, shortly ago, just, then, indeed, exactly
das **Ebenbild** image, exact likeness
die **Ebene, –n** plain, flat surface; plane
ebenfalls likewise
ebenso likewise, just as, just as much
echt genuine, authentic
die **Ecke, –n** corner
eckig cornered, angular
edel nobel
die **Edelleute** *pl.* noblemen
der **Edelstein, –e** gem
die **Ehe, –n** marriage
ehe *conj.* (ehe er kam . . .) before
ehedem formerly
die **Ehefrau, –en** wife
ehelich matrimonial, in matrimony
ehemalig former, late
ehemals formerly
der **Ehemann, ⸗er** husband
das **Ehepaar, –e** married couple
eher sooner, rather
ehrbar respectable
die **Ehre, –n** honor; in ∾n honestly
ehren to honor, respect
der **Ehrentag, –e** day of honor
ehrlich honest, honorable
der **Ehrgeiz** ambition
ehrlos without honor
ehrwürdig venerable
das **Ei, –er** egg
ei why! (*interjection*)
die **Eiche, –n** oak
der **Eid, –e** oath; einen ∾ ablegen to take an oath
der **Eifer** zeal, passion

eigen own, proper, particular, peculiar; jemandem ∼ sein to be peculiar to a person, be a person's property; zu ∼ machen to appropriate
die **Eigenart, –en** peculiarity
eigenhändig with one's own hands
das **Eigenlob** self-praise
die **Eigenschaft, –en** quality, attribute
eigensinnig stubborn
eigentlich *adj.* real; *adv.* really, properly
das **Eigentum** property
der **Eigentümer, –** owner
eignen to suit
die **Eile** haste
eilen to hasten, hurry; sich ∼ to hurry
eilend quick
eilig hasty
einan'der one another, each other
ein=biegen, o, o, (sein) to turn
sich **ein=bilden** to imagine
der **Einblick, –e** insight
ein=bringen, brachte ein, eingebracht to bring in; wieder ∼ to make up for
ein=dringen, a, u, (sein) to penetrate, enter by force
der **Eindruck, ⸗e** impression
einerlei all the same, of the same kind
einfach simple, plain
die **Einfahrt, –en** entrance (for vehicles)
der **Einfall, ⸗e** notion, idea
ein=fallen, ie, a, (sein) to join in, occur to, enter one's mind, come back, be remembered
einfältig simple (in mind), innocent
ein=fassen to frame, border, enclose
sich **ein=finden, a, u** to appear
der **Einfluß, ⸗e** influence
einförmig monotonous
ein=führen to introduce, install
der **Eingang, ⸗e** entrance
ein=gehen, ging ein, eingegangen, (sein) to cease to exist
ein=gehen (auf) (sein) to consent (to)
ein=gestehen, gestand ein, eingestanden to confess
ein=hauchen to breathe into, inspire
ein=holen to catch up with, overtake
einig: ∼ sein *or* werden to agree
einige a few, some, several
einigermaßen to some extent, to a certain degree
ein=laden, u, a to invite
ein=leiten to prepare
ein=lenken to steer into
ein=leuchten to be clear
einmal once, just, it cannot be helped that . . .; auf ∼ suddenly; nicht ∼ not even; mit einemmal all at once
die **Einnahme, –n** capture, receipts
ein=nehmen, a, eingenommen to take in, occupy, take possession of
ein=pflanzen to plant, implant
ein=prägen to impress
ein=reichen to hand in
ein=richten (auf *or* für) to arrange, prepare (for)
einsam lonesome, alone
ein=saugen to inhale
ein=schlafen, ie, a, (sein) to fall asleep
ein=schlagen, u, a to grasp, shake hands, consent to
sich **ein=schleichen, i, i** to sneak into
ein=schließen, o, o to include, lock in
ein=schlummern (sein) to fall asleep
ein=sehen, a, e to look into, realize
ein=setzen to insert
die **Einsicht, –en** insight, intelligence, understanding
der **Einsiedel, –** hermit, recluse
der **Einsiedler, –** hermit
einst once, formerly
ein=stimmen to join in
einstimmig as one voice
ein=stoßen, ie, o to break by hitting
ein=streuen to throw in
einstwei'len for the present
einträglich profitable
ein=treffen, traf ein, o, (sein) to be fulfilled, arrive
ein=treten, a, e, (sein) to come in, enter, start, happen, take place
der **Eintritt** entry, entrance
ein=weihen to unveil, dedicate

ein=wenden, wandte ein, eingewandt to object
die **Einwilligung** consent
die **Einzelheit, –en** singleness, individuality; *pl.* details, particulars
einzeln single, individual
ein=ziehen, zog ein, eingezogen to draw in, breathe in
einzig only, sole, unique
das **Eis** ice
der **Eisbrecher** iceguard
das **Eisen, –** iron
eisern *adj.* iron, of iron
eitel vain, conceited, pure, nothing but
die **Eitelkeit, –en** vanity, conceit
das **Element', –e** element
elend miserable, wicked, wretched
das **Elend** misery
elendiglich wretched
die **Elfe, –n** elf
die **Eltern** *pl.* parents
der **Empfang', ⸗e** reception, welcome
empfan'gen, i, a to receive, welcome
empfäng'lich susceptible, impressionable
empfeh'len, a, o to recommend; sich ∾ to take leave
empfin'den, a, u to feel, perceive, consider
empfind'lich sensitive, touchy, susceptible
die **Empfind'lichkeit** discrimination, sensibility
die **Empfin'dung, –en** feeling, sensation, perception
empor' up, upwards, on high
empor'=kochen (sein) to heave up like boiling water
empö'ren to rouse to anger, excite
das **Ende, –n** end, close, finish, stern, extremity; am ∾ finally, maybe
enden to end; nicht ∾wollend unending
endigen to end
endlich final, at last
endgültig final, definite
ener'gisch energetic, strong
eng narrow, tight
die **Enge** narrows, defile
der **Engel, –** angel
enggedrängt huddled together in a narrow space
der **Engländer, –** Englishman
der **Enkel, –** grandchild, grandson
entbehren to do without, miss
entdecken to discover
die **Entdeckung, –en** discovery
enteilen (sein) to hurry away
entfalten to unfold, display
entfernen to remove; sich ∾ to go away, withdraw
entfernt distant
entflammen to inflame, kindle
entfliehen, o, o, (sein) to escape
entgegen in opposition to, contrary to, facing; [dem Städtchen entgegen] towards
entgegen=drücken to press against, hold against
entgegengesetzt opposite, contrary
entgegen=kommen, kam entgegen, o, (sein) to come to meet
entgegen=setzen to set against, place in competition with
entgegen=schauen to look toward
entgegen=stellen to set against, oppose
entgegen=treten, a, e, (sein) to oppose, come to meet
entgegnen to reply
entgehen, –ging, –gangen (sein) to escape
enthalten, ie, a to contain; sich ∾ to abstain, refrain from
die **Enthaltung** abstinence, abstention
die **Enthauptung** beheading
enthüllen to unveil, uncover
entkommen, a, o, (sein) to get away, escape
entlang along
entlassen, ie, a to let go, set free, send away
entlaufen, ie, au, (sein) to run away, escape
sich **entledigen** (eines Dinges) to take off, get rid of

entölen to remove the oil from
entrücken to remove from, put beyond the reach
entsagen to renounce
entscheiden, ie, ie to decide
entscheidend decisive
die **Entscheidung, –en** decision, verdict
entschieden decided, determined; definite, real, outspoken
entschließen, o, o to decide; sich ∼ to resolve, make up one's mind
entschlossen determined
entschlummern (sein) to fall asleep
entschlüpfen (sein) to escape
der **Entschluß, ⸗e** resolution
entschuldigen to excuse
entschwinden, a, u, (sein) to disappear
das **Entsetzen** terror, fright
entsetzlich horrible
entsetzt horrified, terrified
sich **entsinnen, a, o** (eines Dinges) to remember
entsprechen, a, o to correspond to, answer
entspringen, a, u, (sein) to arise, grow out of, grow forth, spring up
entstehen, –stand, –standen, (sein) to arise, originate, form
die **Entstehung** origin
enttäuschen to disappoint
entwachsen, u, a, (sein) to grow out of
entweder . . . oder . . . either . . . or . . .
entweichen, i, i, (sein) to escape
entwenden to take away
entwickeln to develop, expose, explain, evolve
die **Entwicklung, –en** development
entziehen, –zog, –zogen (jemandem ein Ding) to deprive (a person of something)
entzünden to kindle, inflame
die **Epo'che, –n** epoch
sich erbarmen (jemandes) to have mercy, take pity on
das **Erbarmen** pity, mercy
erbauen to build
erben to fall heir to, inherit
erbetteln to obtain by begging
erbieten, o, o to offer
erbitten, –bat, –beten to beg for, ask for, obtain by begging
erblicken to catch sight of
erbrechen, a, o to break
das **Erdbeben, –** earthquake
die **Erde, –n** earth
das **Ereignis, –se** event
erfahren, u, a to learn, find out, experience
erfahren *adj.* experienced
die **Erfahrenheit** experience
die **Erfahrung, –en** experience; in ∼ bringen to learn, find out
erfinden, a, u to invent, find
die **Erfindung, –en** invention
die **Erfindungsgabe** imagination
erflehen to implore, obtain by imploring
der **Erfolg, –e** success, result
erfolgen (sein) to follow, result
erforderlich necessary
erfordern to require
erfreuen to bring joy to, please, delight
erfreulich delightful, pleasing
erfrischen to refresh
erfüllen to fill, fulfill, penetrate
ergeben, a, e to yield: sich ∼ to surrender, result, follow
das **Ergebnis, –se** result, success
ergehen, –ging, –gangen, (sein) to be issued
sich **ergehen, –ging, –gangen** to indulge in
das **Ergehen** state of health, well-being
ergötzen to delight
ergreifen, –griff, –griffen to grab, seize, move
ergriffen *adj.* deeply stirred, moved
erhaben sublime, noble
erhalten, ie, a to get, keep, preserve, support, maintain
erheben, o, o to raise, intone, strike up, elevate; sich ∼ to rise
erheitern to light up, enliven, cheer up
erhellen to illuminate, light up
erhitzen to heat; sich ∼ to get warm

erhöhen to heighten, raise, elevate, ennoble
die **Erhöhung, -en** elevation
sich **erholen** to recover, rest
die **Erholung** recovery, recreation
erhören to grant
erinnern to remind: sich ~ (an) to remember
die **Erinnerung, -en** remembrance, memory
sich **erkälten** to catch cold
erkämpfen to gain by fighting
erkaufen to buy, purchase
erkennen, -kannte, -kannt to recognize, perceive, acknowledge
die **Erkenntnis, -se** realization
erklären to explain; sich ~ to propose, declare
die **Erklärung, -en** explanation, declaration
erklettern to climb
erklingen, a, u, (sein) to sound
erkranken (sein) to grow sick
erkühlen to cool; sich ~ to get cold
sich **erkundigen** to inquire
erlauben to allow, permit
die **Erlaubnis** permission
erlauschen to listen, to hear
erleben to experience
das **Erlebnis, -se** experience, adventure, event
erleichtern to relieve, ease one's situation
erleiden, -litt, -litten to suffer
erlernbar what can be learned
erlernen to learn, study
erleuchten to light up, illuminate
erlöschen, o, o, (sein) to go out, be extinguished, pass away
erlösen to liberate, redeem
der **Erlöser** redeemer
die **Erlösung** liberation
ermahnen to exhort, warn
die **Ermahnung, -en** admonition
ermorden to murder
ermüden to tire out, fatigue
die **Ernährung** feeding, nourishment, nutrition
ernennen, -nannte, -nannt to nominate, appoint
erneuern to renew
ernst serious, grave
der **Ernst** seriousness
ernstgespannt strained in serious attention, observing
ernsthaft serious, serious-minded
ernstlich earnest, serious
die **Ernte, -n** harvest
ernten to harvest, reap, gather in
erobern to conquer
der **Eroberer, -** conqueror
die **Eroberung, -en** conquest
der **Eroberungszug, ⸗e** march of conquest
eröffnen to reveal, open
erquicken to refresh
die **Erquickung, -en** refreshment, comfort
erraten, ie, a to guess
erregen to excite, provoke, awaken
die **Erregung, -en** excitement
erreichen to reach, attain
errichten to erect
erringen, a, u to obtain (by struggle)
erröten (sein) to blush
erschallen, o, o, (sein) to sound, resound
erscheinen, ie, ie, (sein) to appear, seem
die **Erscheinung, -en** appearance, apparition, vision
erschlagen, u, a to slay
erschöpft exhausted
die **Erschöpfung** exhaustion
erschrecken to frighten
sich **erschrecken, -schrak, o,** (sein) to be frightened, be terrified, be startled
erschüttern to shake, move
die **Erschütterung, -en** strong emotion
ersetzen to replace
ersichtlich evident, manifest
ersinnen, a, o to think out, devise, plan
ersparen to save, save up
erst *adj.* [die erste Stunde] first; *adv.* [erst um 8 Uhr] not until; (*more rarely*) at first, even
erstatten to pay, give

erstaunen (sein) to be astonished
das **Erstaunen** astonishment; in ∼ setzen to astonish
erstaunlich astonishing, amazing
erstehen, –stand, –standen to purchase
ersticken to choke, suffocate
sich **erstrecken** to extend
ersuchen to beg
erteilen to give
der **Ertrag, ⸗e** profit
ertragen, u, a to bear, endure
erträglich endurable, tolerable
ertrinken, a, u, (sein) to drown
erwachen (sein) to awake, wake up
erwachsen, u, a, (sein) to result
erwachsen *adj.* adult, grown up
erwählen to select, elect
erwähnen (*arch.* eines Dinges) to mention
erwärmen to warm, heat
erwarten to await, expect
das **Erwarten** expectation
die **Erwartung, –en** expectation
erwartungsvoll full of expectation
erwecken to awaken
sich **erwehren** (jemandes) to defend oneself against (a person), ward off
erweisen, ie, ie to show, do, render, prove
erweitern to widen, enlarge, expand
die **Erweiterung, –en** enlargement, extension
der **Erwerb** acquisition, business
erwerben, a, o to gain, acquire, earn
erwidern to reply, answer; acknowledge, thank for
erwünschen to wish for, desire
erzählen to tell
der **Erzähler, –** narrator, story-teller, writer of fiction
die **Erzählung, –en** tale, narrative, story
erzeugen to produce
erziehen, –zog, –zogen to raise, bring up, educate
erzwingen, a, u to force
essen, aß, gegessen to eat
das **Essen, –** meal
eßlustig eager to eat, hungry
der **Eßtisch, –e** dining table
etliche *pl.* some, a few
etwa about, approximately, perhaps
etwaig eventual
etwas something, some, any, somewhat
ewig everlasting, eternal
die **Ewigkeit, –en** eternity
das **Exa'men, –** examination
die **Existenz', –en** existence, mode of being, human life
existie'ren to exist

das **Fach, ⸗er** drawer, compartment, panel, branch, subject, field
das **Fachwerkhaus, ⸗er** half-timbered house
der **Faden, ⸗** thread, string
fähig able, capable
die **Fahne, –n** flag
der **Fähndrich** *or* **Fähnrich, –e** second lieutenant
fahren, u, a, (sein) to drive, ride, move, go, pass, rush; gut bei etwas ∼ to fare well with; ∼ lassen to let go
die **Fahrt, –en** ride, drive, journey, trip
der **Fall, ⸗e** fall, case, waterfall; auf alle Fälle in any case
fallen, ie, a, (sein) to fall, die in battle; [Wort] be said; [Schläge] be given
falsch false, wrong
falten to fold
die **Fami'lie, –n** family
fangen, i, a to catch, capture
die **Farbe, –n** color
färben to color
das **Faß, ⸗sser** barrel
fassen to seize, take hold of, grasp, comprehend
fast almost, nearly
faul lazy, rotten
die **Faulheit** laziness
die **Faust, ⸗e** fist
die **Feder, –n** feather, pen; in die ∼ sagen to dictate
fehl– mis-
fehlen to miss, fail; es fehlt mir (an) I lack; was fehlt Ihnen? what is the matter with you?

die **Fehlentwicklung** development in the wrong direction
der **Fehler, –** mistake, blunder, error
der **Feierabend** time for leaving off work
feierlich festive, solemn
feiern to celebrate, rest from work
feig cowardly
der **Feigling, –e** coward
fein fine, nice, refined
der **Feind, –e** enemy, foe
feindlich inimical
das **Feld, –er** field, meadow
die **Feldschlacht** battle
der **Feldzug, ⸚e** campaign, expedition
das **Felleisen, –** leather knapsack
der **Fels, –en** rock, cliff
die **Felsbank, ⸚e** ridge of rocks
das **Fenster, –** window
das **Fensterkreuz** crossbars of a window
die **Ferien** *pl.* vacation
fern *adj.* far, distant, remote; *adv.* in the distance
die **Ferne** distance
ferner farther, further, moreover
das **Fernrohr, –e** telescope
fertig ready, finished; ∾ werden mit to manage, cope with, master
die **Fessel, –n** fetter, chain
fesseln to fetter, chain, captivate
fest firm, solid, steady, fixed ∾ machen to confirm, settle
das **Fest, –e** festival, feast
das **Festessen, –** banquet
die **Festigkeit** firmness
festgebannt rooted to the spot
fest=halten, ie, a to hold fast; (an) adhere to
fest=legen to fix
festlich festive
das **Festmahl** banquet
das **Festspiel, –e** gala performance
der **Festtag, –e** festive day, holiday
die **Festung, –en** fortification, fortress
fett fat, greasy
feucht moist, humid, damp
die **Feuchte** moisture, humidity
das **Feuer, –** fire
das **Feuerwerk** fireworks
feurig ardent
das **Fieber, –** fever
die **Figur', –en** figure, person
finden, a, u to find; sich in etwas ∾ to reconcile oneself with, to put up with
die **Fingerspitze, –n** fingertip
der **Fingerzeig, –e** hint
finster dark, gloomy
die **Finsternis, –se** darkness
der **Fisch, –e** fish
der **Fischer, –** fisherman
flach flat
die **Flamme, –n** flame, blaze
flattern to flutter
flechten, o, o to braid
der **Fleck, –en** spot
flehen to implore, entreat
das **Fleisch** meat, flesh
der **Fleischer, –** butcher
der **Fleiß** diligence
fleißig diligent, eager
fliegen, o, o, (sein) to fly
fliehen, o, o to avoid, shun; (sein) to flee
fließen, o, o, (sein) to flow, run
flink quick, rapid, alert
der **Floßknecht, –e** raftsman
flüchten (sein) to flee; sich ∾ to take refuge
flüchtig fickle, fugitive, fleeing
der **Flug, ⸚e** flight
der **Flügel, –** wing
das **Flugzeug, –e** airplane
die **Fluh** *dialect, used as a proper name* cliff
der *or* die **Flur, –e** hall, vestibule
der **Fluß, ⸚e** river
flüstern to whisper
die **Flut, –en** flood, inundation, water
die **Folge, –n** consequence; succession
folgen (sein) to follow; (haben) to obey
fordern to demand, claim
die **Form, –en** form, shape
förmlich formal, ceremonious
formulie'ren to formulate, state in a concise form
forschen to search, search into

der **Forscher, –** scholar
fort away, off, gone, on, farther; in einem ∾ continually
fort=bewegen to move away
fort=fahren, u, a to go on, continue
fort=führen to continue
fort=gehen, ging fort, fortgegangen, (sein) to continue
fort=setzen to continue, carry on
fort=stürmen (sein) to rush away
fort=ziehen, zog fort, fortgezogen, (sein) to leave
fortwährend continual, perpetual, continuous
die **Frage, –n** question
fragen to ask, question, interrogate
Frankreich (das) France
der **Franziska'ner, –** Franciscan monk
der **Franzo'se, –n** Frenchman
franzö'sisch French
die **Frau, –en** woman, wife
das **Frauenzimmer, –** *arch.* woman
frei free, independent, vacant
das **Freie** the open air, the open country
freigebig generous
die **Freiheit, –en** freedom, liberty
freilich *adv.* certainly, to be sure, however
der **Freitag, –e** Friday
fremd strange, foreign
fremdartig strange
der **Fremde, –n** stranger, foreigner
die **Fremde** foreign country, abroad
fressen, a, e to eat (of animals), devour
die **Freude, –n** joy, delight, pleasure
freudig joyful
die **Freudigkeit** joyfulness, cheerfulness, joy
freudlos joyless
freuen to make glad; mich freut I enjoy; sich ∾ (über etwas *or* (*arch.*) eines Dinges) to be glad of, rejoice in, enjoy; (auf etwas) look forward to
der Freund, –e friend
die **Freundin, –nen** woman friend
freundlich friendly, kind
die **Freundlichkeit, –en** friendliness, kindness
die **Freundschaft, –en** friendship; ∾ schließen to make friends
freundschaftlich in a friendly way, in the manner a friend would act
der **Frevel, –** ill deed, outrage
der **Frevler, –** wicked person, perpetrator
der **Friede** peace
friedlich peaceful
der **Friese, –n** inhabitant of Frisia
frisch fresh, brisk, healthy
froh joyful, glad, happy
fröhlich joyful, glad, happy
die **Fröhlichkeit** happiness
fromm pious, religious
der **Frost, ⸗e** frost
die **Frucht, ⸗e** fruit
früh early, in the morning
früher former
das **Frühjahr** spring
der **Frühling** spring
das **Frühstück** breakfast
fügen to join, will, ordain; sich ∾ to submit
fühlbar noticeable
fühlen to feel, perceive, be sensitive
das **Fühlen** sensitivity, conviction concerning a matter
führen to lead, conduct, guide
der **Führer, –** leader, guide
füllen to fill
der **Fund, –e** discovery
der **Funke, –n** spark
funkeln to sparkle, glitter
die **Furcht** fear
fürchten to fear; sich ∾ (vor) to be afraid (of)
fürchterlich horrible, horrid
die **Fürsorge** care
der **Fürst, –en** sovereign, prince
der **Fürstenstand** princely rank
das **Fürstentum, ⸗er** principality
die **Fürstin, –nen** princess
fürstlich princely
der **Fuß, ⸗e** foot; zu ∾ on foot

das Futter fodder, forage, food, lining
füttern to feed, reline

die Gabe, –n gift, present
gallenbitter bitter as gall
im **Galopp'** at a gallop
galoppie'ren to gallop
der Gang, ⸗e walk, course, hall, hallway
die Gans, ⸗e goose
ganz whole, entire; ~ und gar completely, entirely; eine ganze (Strecke) quite a (distance)
gänzlich completely
gar *adv.* quite, entirely; really, very; especially, even; ~ nicht not at all; *adj.* [das Fleisch ist gar] done, ready
der Garten, ⸗ garden
die Gasse, –n alley, lane
der Gast, ⸗e guest
der Gastfreund, –e host
gastfreundschaftlich hospitable
der Gasthof, ⸗e inn, tavern
der Gatte, –n husband
die Gattin, –nen wife
der Gaul, ⸗e horse
die Gebärde, –n gesture
das Gebäude, – building, edifice
geben, a, e to give, lead to; von sich ~ to utter, show; es gibt there is, there are; was gibt es? what is the matter?
das Gebet, –e prayer
das Gebiet, –e territory, district, province, sphere
gebieten, o, o to order, command, master
gebildet well-bred, educated, cultured
das Gebirge, – (range *or* chain of) mountains
geboren born
geborgen protected, in safety
das Gebot, –e order
der Gebrauch, ⸗e use, custom
gebrauchen to use
gebühren to be due; sich ~ to be proper, be seemly
der Geburtstag, –e birthday
das Gebüsch bushes, underbrush
das Gedächtnis memory
die Gedächtnistafel, –n commemorative tablet
der Gedanke, –n thought, idea
gedanklich speculative, concerning the thought
gedeihen, ie, ie, (sein) to thrive, prosper, come to, develop into
das Gedeihen growth
gedenken, –dachte, –dacht (eines Dinges) to think of, remember, intend
das Gedicht, –e poem
das Gedränge crowd, pushing of a crowd
gedrängt concise
die Gedrängtheit terseness
gedrückt depressed, melancholy
geduldig patient
geeignet suited, appropriate
die Gefahr, –en danger, peril, risk
gefährden to endanger
gefährlich dangerous, risky
der Gefährte, –n companion
gefallen, ie, a to please; sich ~ to be pleased, to like it; sich etwas ~ lassen to submit to; es gefällt mir I like it
der Gefallen favor; jemandem zu ~ tun to do to please a person
gefällig obliging, accommodating, courteous, smooth
die Gefälligkeit, –en kindness, favor, complaisance, civility
gefangen: ~ nehmen to take prisoner, captivate; ~ sitzen to be in prison
der Gefangene, –n prisoner
das Gefängnis, –se prison, jail
das Gefäß, –e container, vessel
das Gefühl, –e feeling, sensation, impression, consciousness, sympathy, liking
gefühlsmäßig emotional
gegen *prep.* against; ~ dem Haus über (*arch.*) opposite the house; gegen . . . hin toward . . ., approaching . . .; [gegen Abend] toward; *adv.* [er hat gegen 100 Mark] approximately

die Gegend, –en region, country, quarter
der Gegensatz, ⸗e contrast
gegenseitig mutual
der Gegenstand, ⸗e object, subject
die Gegenströmung, –en counter-current
im Gegenteil on the contrary
gegenü'ber opposite; [seinem Vater gegenüber] face to face, in relation to
die Gegenwart presence, present time
gegenwärtig present
der Gegner, – opponent
geheim secret
das Geheimnis, –se secret, mystery
geheimnisvoll mysterious
gehen, ging, gegangen, (sein) to go, walk, run, move, face; zur Hand ∾ to help; es geht it is possible, soso; es geht nicht it does not do; es ging auf Freund und Feind friends and enemies were hit indiscriminately
das Gehirn brain
das Gehöft, –e farm
das Gehölz, –e wood, underbrush
gehorchen to obey
gehören to belong to; (zu) to be a part of
die Geige, –n violin
geigen to play the violin
der Geist, –er ghost, spirit, mind, intellect
geisterhaft ghostly, ghostlike
geistig mental, intellectual, spiritual, alcoholic
geistlich spiritual, religious, clerical, ecclesiastical
geizig stingy, avaricious
das Gelächter laughter
gelangen (zu) (sein) to arrive at, come to, get to
gelassen calm
geläufig fluent
gelb yellow
das Geld, –er money
die Gelegenheit, –en opportunity, occasion
gelegentlich occasional
die Gelehrsamkeit learning
der Gelehrte, –n scholar
geliebt beloved
der Geliebte, –n lover
die Geliebte, –n sweetheart, mistress
gelingen, a, u, (sein) to succeed; es gelingt mir I am successful
gelten, a, o to be worth, be of value, pass for, be aimed at, count; ∾d machen to assert, show to advantage; claim, count
gelungen *adj.* well-done
das Gemach, ⸗er room, apartment
die Gemahlin, –nen wife
das Gemälde, – painting, picture
gemäß according to
gemein common, vulgar
die Gemeinheit, –en meanness; vulgarity
gemeinsam common
die Gemeinschaft, –en community, communion, organization
gemeinschaftlich common, joint, mutual
gemessen measured, sedate, deliberate
das Gemüse, – vegetable
das Gemüt, –er soul, mind
gemütlich comfortable
genau exact, accurate
geneigt favorably disposed
genial' ingenious
das Genie', –s genius
genießen, o, o to enjoy, take food and drink
genug enough
genügen to suffice
die Genugtuung satisfaction
der Genuß, ⸗e enjoyment, pleasure
das Gepolter rumbling noise
gerade *adj.* [ein gerader Weg] straight, direct; *adv.* [ich bin gerade gekommen] just, just then, so much the more, exactly
geradezu' downright
das Gerät, –e tool(s), implement, chattels
geraten, ie, a, (sein) to get into, fall into, enter; (jemandem) turn out, succeed
geräumig spacious
das Geräusch, –e noise

gerecht just
der **Gerechte, –n** righteous man
das **Gerede** talk
das **Gericht** (*arch.* Gerichte), **–e** court of justice, (*arch.*) place of execution; das Jüngste ∾ Last Judgment
die **Gerichtete** *arch.* the executed girl
der **Gerichtshalter, –** *arch.* judicial magistrate
die **Gerichtsstube, –n** courtroom
gering slight, inferior
die **Geringschätzung** disdain, contempt
das **Geringste** least
gern(**e**) gladly, willingly; ∾ haben to like, be fond of; ∾ tun to like to do
der **Geruch, ⸚e** smell, odor, fragrance
geruhig quiet
gerührt (sein) to be touched
gesammelt undistracted
die **Gesamtheit** totality, community
der **Gesang, ⸚e** song, singing
das **Geschäft, –e** business, affair, occupation
geschehen, a, e, (sein) to happen, come to pass, take place, be done
das **Geschenk, –e** present, gift
die **Geschichte, –n** story, history, affair
geschichtlich historical
die **Geschicklichkeit** skill
geschickt apt, skilled
das **Geschlecht, –er** sex, gender, family, race
der **Geschmack** taste
das **Geschöpf, –e** creature
das **Geschrei** cry, shouting
das **Geschwätz** idle talk, confidential chat
geschwind rapid
die **Geschwister** *pl.* brother(s) and sister(s)
der **Geselle, –n** fellow, companion, journeyman
sich **gesellen** (zu) to join
die **Gesellschaft, –en** company, party, society
gesellschaftlich social, pertaining to society
das **Gesetz, –e** law
gesetzlich legal, lawful, that which corresponds to a law
gesetzt *conj.* in case, suppose that
das **Gesicht, –er** face, sight; die Gesichte *pl.* vision, field of vision
der **Gesichtskreis** horizon
die **Gesinnung, –en** sentiment, conviction
gespannt tense, anxious
das **Gespenst, –er** ghost, specter
das **Gespiel** *arch* playmate
der **Gespiele, –n** playmate
das **Gespräch, –e** conversation; ein ∾ führen to have a conversation
die **Gestalt, –en** form, figure, shape, stature, structure, behavior
gestalten to form, shape: sich ∾ to turn out
gestatten to allow, permit
gestehen, –stand, –standen to admit, avow, confess
gestern yesterday
das **Gestirn, –e** star, heavenly body
das **Gesträuch, –e** shrubbery
gestrig yesterday's
gesund healthy, sound
die **Gesundheit** health
das **Getränk, –e** beverage
das **Getreide** grain
getreu loyal
getrösten *arch.* to console
das **Gewächs, –e** growth, plant
gewahr: ∾ werden to notice
gewahren to see, perceive, notice
gewähren to grant
die **Gewalt, –en** power, force
gewaltig mighty, powerful
gewaltsam violent, forcible
die **Gewalttat, –en** violence, outrage
der **Gewalttäter, –** violator, perpetrator
das **Gewand, ⸚er** gown, garment
gewandt skillful
das **Gewässer, –** water
das **Gewehr, –e** gun, rifle
das **Gewerbe, –** trade(s), business
das **Gewicht, –e** weight
der **Gewinn, –e** profit

gewinnen, a, o to win, gain, procure; lieb ∾ to become fond of
gewiß certain, sure
das **Gewissen** conscience
gewissenhaft conscientious
das **Gewitter, –** thunderstorm
gewöhnen to accustom; sich ∾ (an etwas) to become accustomed (to), get used (to)
die **Gewohnheit, –en** custom, habit
gewöhnlich usual, ordinary, common, vulgar; für ∾ usually
die **Gewöhnung** habit
das **Gewölk, –e** mass of clouds
das **Gezweig** branches
gießen, o, o to pour
das **Gift, –e** poison
der **Gipfel, –** summit, top; height, mountain top
die **Girlan'de, –n** garland, festoon
die **Gitar're, –n** guitar
der **Glanz** brightness, gleam, splendor
glänzen to glitter
glänzend brilliant, splendid, shining
das **Glas, ⸗er** glass, vase
glatt smooth, even, slippery, slick
das **Glatteis** slippery ice
der **Glaube** faith; ∾n schenken to give credence to
glauben to believe
der **Gläubige, –n** believer, faithful
der **Gläubiger, –** creditor
gleich *adj.* like, same, equal, similar; *adv.* [ich komme gleich] instantly, directly, immediately
gleichfalls likewise
das **Gleichgewicht** equilibrium, balance
gleichgültig indifferent
gleich=kommen, kam gleich, o, (sein) to equal
gleichmäßig in equal measure, steady
gleichmütig indifferent, poised, calm
das **Gleichnis, –se** simile, metaphor
gleichsam as it were
gleich=sehen, a, e to look like
gleich=setzen to equate, identify
gleichzeitig simultaneous, at the same time
gleiten, glitt, geglitten, (sein) to glide, slide, slip
das **Glied, –er** limb, member
glimmen, o, o to glimmer
die **Glocke, –n** bell
das **Glück** happiness, luck, success
glücklich lucky, fortunate, happy
der **Glückwunsch, ⸗e** congratulation
glühen to glow
die **Glut, –en** glow, heat
die **Gnade** grace, mercy
gnädig merciful
goldfarben gold colored
die **Goldwage** scales to weigh gold; auf die ∾ legen to be most particular about
gönnen not to begrudge
der **Gönner, –** patron
gotisch Gothic
der **Gott, ⸗er** god
die **Gottheit, –en** deity
göttlich divine
das **Grab, ⸗er** grave
graben, u, a to dig
der **Graben, ⸗** ditch
der **Grabstein, –e** tombstone
der **Grad, –e** degree, grade
grade just then, exactly
der **Graf, –en** count, earl
grämen to grieve
das **Gras, ⸗er** grass, herb
die **Grasmücke, –n** warbler
gratulie'ren to congratulate
grau grey
grauen to dawn
grausam cruel
die **Grazie** grace, charm
greifbar seizable, clear
greifen, griff, gegriffen to grab, seize; (nach) to put one's hand to, reach for
der **Greis, –e** old man
der **Grenadier', –e** grenadier
die **Grenze, –n** limit, border, frontier
Gretel endearing form of Margaret

der **Griff, –e** grip, grasp, hold, touch
der **Grimm** fury, rage
grimmig grim, furious
grob coarse, rude, rough, impolite
groß great, grand, large, big, tall
großartig magnificent, grand
die **Größe, –n** greatness, size
die **Großmutter, ⸚** grandmother
großrandig with a wide rim
der **Großvater, ⸚** grandfather
die **Grube, –n** pit
grün green
der **Grund, ⸚e** ground, bottom; valley, cause, reason; im ∾e really
Grund– (plus *noun* or *adj.*: grundfalsch) fundamental, fundamentally
das **Grundeis** bottom layer of ice
grundlegend fundamental
gründlich thorough
die **Gründlichkeit** thoroughness
der **Grundsatz, ⸚e** principle
grünlich greenish
der **Gruß, ⸚e** greeting, salute
grüßen to greet; grüß Gott how do you do
gültig valid, legal
die **Gunst** favor
der **Günstling, –e** favorite
der **Gürtel, –** belt
gürten to put on
das **Gut, ⸚er** possession, property, goods, merchandise, farm, estate
gut good, rather large, well; [gute 50 Jahre] not less than; ∾ daran sein to be well off; jemandem ∾ sein to be fond of somebody
die **Güte** kindness
gütig kind
gutmütig goodnatured, kind; goodhumored
der **Gymnasiast', –en** secondary school boy
das **Gymnasium, –sien** secondary school

das **Haar, –e** hair
das **Hab und Gut** goods and chattels
die **Habe** possessions, property
haben, hatte, gehabt to have; was hast du? what is the matter with you?
die **Habsucht** avarice, greed
halb half
–halben [meinethalben] for the sake of
halbgedeckt half covered over with a roof
die **Hälfte, –n** half
Hallauer, – man of Hallau referring to Hallau
die **Halle, –n** hall
der **Halm, –e** stalk, blade
der **Hals, ⸚e** neck, throat
das **Halstuch, ⸚er** neckerchief
halt *adv.* I dare say, simply, just
halt machen to stop
der **Halt** hold, support
halten, ie, a to hold, support, contain, restrain, keep, consider; [eine Ernte halten] to gather: *without object*, [der Wagen hält] to stop; ∾ für to take to be, regard as, consider; ∾ nach to steer (toward): auf etwas ∾ to watch over; auf jemanden viel ∾ to think highly of a person; eine Rede ∾ to give a speech; etwas ∾ von to think much of; (sich) ∾ an to stick to, cling to
die **Haltung** posture, position, attitude
hämmern to hammer
die **Hand, ⸚e** hand
der **Händedruck** handshake
der **Handel** trade, commerce, action, affair
handeln to act; es handelt sich um it is a question of
händeringend wringing one's hands
die **Handlung, –en** action, shop, store
das **Handwerk, –e** trade, handicraft
der **Hang** inclination
hangen, i, a *arch.* to hang
hängen, i, a to hang, be suspended, hang up; (an) cling (to)
harmlos harmless, innocent
die **Harmlosigkeit** harmlessness, innocence
harren to wait for, hope for
hart hard, harsh

härten to harden
hartnäckig obstinate
haschen to catch
hassen to hate
hastig hasty
der **Hauch** breath, breeze
hauen, hieb, gehauen to hew, chop, cut, flog, thrash
der **Haufen, –** heap, pile, crowd
häufen to pile up, accumulate
häufig frequent
das **Haupt, ¨er** head
die **Hauptsache, –n** main thing, main point
die **Hauptstadt, ¨e** capital
der **Hauptmann,** *pl.* Hauptleute captain, chief
die **Hauptwache, –n** main-guard, guard station
das **Haus, ¨er** house; **nach ∾e** home; zu ∾e at home
der **Hausbau** building of a house
hausen to live, dwell
die **Hausfrau, –en** housewife
die **Haushälterin, –nen** housekeeper
die **Haushaltung, –en** household
häuslich domestic
die **Hausmutter, ¨** mother of the family
die **Haustür, –en** house door
die **Haut, ¨e** skin
Haydn Austrian composer (1732–1809)
heben, o, o to lift, raise
das **Heer, –e** army
das **Heft, –e** notebook
heften to fasten; sich ∾ (an) to cling to
heftig vehement, violent
die **Heftigkeit** violence, vehemence
hegen to foster
die **Heide** heath
der **Heide, –n** pagan, heathen
das **Heidentum** heathenism, heathendom
heidnisch pagan
das **Heil** salvation, happiness
der **Heiland** Savior
heilen to heal, cure
heilig holy, sacred, saint
heiligen to hallow, consecrate
das **Heiligtum, ¨er** sanctuary, shrine
die **Heilung, –en** cure, healing
das **Heim, –e** home
heim *adv.* home
die **Heimat** home, home country, native place, place where one feels at home
heimatlos homeless
heimisch domestic, native, feeling at home
heim=kehren (sein) to return home
heimlich secret
die **Heimlichkeit, –en** secrecy
die **Heirat, –en** marriage
heiraten to marry, wed
heiratsfähig marriageable, fit for marriage
heiß hot
heißen, ie, ei to be called, bid, order, call; es heißt it is said; **das** heißt that is, that means
heiter serene, bright, cheerful
die **Heiterkeit** cheerfulness
heizen to heat
der **Held, –en** hero
heldenmütig heroic
helfen, a, o to help, aid, assist; **da** ist nicht zu ∾ nothing can be done
hell bright, light, pale-colored, fair, clear, loud
hellgekleidet clothed in light colors
das **Hemd, –en** shirt
der **Henker, –** hangman, executioner
her toward the speaker, here, hither, on, along; [zehn Jahre her] ago; **von** (der Stadt) ∾ from (the city)
herab down, downwards
herab'=hängen, i, a to hang down
herab'=schießen, o, o, (sein) to shoot down, rush down
sich **herab'=spannen** to lose tension, relax
heran' on, near, up to, approaching the speaker
heran'=dringen, a, u, (sein) to come near
heran'=rücken (sein) to approach
heran'=tragen, u, a to apply
heran'=treiben, ie, ie, (sein) to move up, approach

heran'=wachsen, u, a, (sein) to grow up
heran'=ziehen, zog heran, herangezogen to consult, raise, bring up; (sein) draw near
herauf' up, upwards
heraus' out, outside, from out of
sich **heraus'=arbeiten** to work one's way out of
heraus'=bringen, brachte heraus, herausgebracht to utter
heraus'=geben, a, e to give back
heraus'gewölbt protruding
heraus'=kommen, kam heraus, o, (sein) to come out, result, become known
heraus'=schauen to look out of
herbei' here, hither
herbei'=rufen to call to the scene
herbei'schleppen to drag up
die **Herberge, –n** inn
der **Herbst** autumn, fall
der **Herd, –e** hearth
die **Herde, –n** flock
herein' in, inside, into
her=fallen, ie, a, (sein) to fall upon
die **Herkunft** origin
her=laufen, ie, au, (sein) to walk along
her=locken to allure to this place
hernach' after that, later
hernie'der down
hernie'der=steigen, ie, ie, (sein) to come down
der **Herr, –en** gentleman, master, sir, prince, Mr., Lord
herrlich excellent, splendid
die **Herrlichkeit, –en** splendor
die **Herrschaft, –en** rule, reign, master and mistress of the house
herrschen to rule, prevail, be practiced, be in vogue
der **Herrscher, –** ruler, sovereign
her=rühren to come from, be derived from
her=stellen to produce, restore, arrange, place here
her=stürzen (über etwas) (sein) to throw oneself upon
herü'ber over (toward the speaker), across
herü'ber=drängen to push over towards the speaker's side
herü'ber=schleudern to throw, hurl over toward the speaker
herum' around
herum'=beißen, i, i to bite on, chew
herum'=bringen, brachte herum, herumgebracht to pass (time)
herum'=kommen, a, o, (sein) to get around
herum'=stehen, stand herum, herumgestanden to stand about
herum'=ziehen, zog herum, herumgezogen, (sein) to rove
herun'ter down, downstairs; off
hervor' forth
hervor'=bringen, brachte hervor, hervorgebracht to produce, yield, utter
hervor'=treten, a, e, (sein) to stand out
her=wehen to blow over (toward the speaker)
sich **her=werfen, a, o** to burst upon
das **Herz, –en** heart; sich zu ∼en nehmen to take to heart; von ∼en heartily, cordially
herzen to caress
herzhaft courageous, hearty
herzlich hearty, cordial
der **Herzog, ⸚e** duke
herzu' to this place
heute today; ∼ früh this morning
heutig today's, present
heutzutage nowadays
der **Hieb, –e** hit, blow, stroke; *pl.* thrashing
hieher to this place
hier here, in this place
hierauf on this, hereupon, after this
hierdurch by this, hereby
hierher hither, this way
hierhin in this, herein, in this respect
hiermit with this, herewith
hierüber over, about, concerning this
hiesig local, living here
die **Hilfe, –n** help, aid, relief

der **Hilfeschrei, –e** cry for help
hilflos helpless
die **Hilflosigkeit** helplessness
der **Himmel, –** sky, heaven
das **Himmelreich** Kingdom of Heaven
himmlisch heavenly
hin there, to that place, away, gone, lost, along; ∾– (plus verb: **hinlegen**) down, to the ground; out; away; ready for use; ∾ **und her** up and down, to and fro
hinab' down, downward, downstairs
hinab'=schwinden, a, u, (sein) to be submerged
hinan' up, upstairs
hinauf' up, upstairs
hinaus' out, outside, looking out toward
hinaus'=gehen, ging hinaus, hinausgegangen, (sein) to go out, leave, look out toward, face
hinaus'=lachen to burst out laughing
hinderlich hindering
hindern to hinder, impede, prevent, check
das **Hindernis, –se** hindrance, impediment
hindurch' through
hinein' in, inside; in (das Haus) ∾ into (the house)
hinein'=drängen to push into
hinge'gen *conj.* whereas; *adv.* on the other hand
hin=geraten, ie, a, (sein) to get to a place by accident, to go to
hin=halten, ie, a to stretch out
hin=kommen, kam hin, o, (sein) to get there
hin=nehmen, a, o to accept
hin=reichen to stretch out
hinreichend sufficient
hin=reißen, i, i to carry away
hin=richten to execute
die **Hinrichtung** execution
hin=sagen to say without thinking
hin=sehen, a, e (auf) to look toward
die **Hinsicht** regard, respect
hin=stellen to put down, place ready for use
hinten *adv.* behind, in the rear; **nach** ∾ backwards
hinter *adj.* [das hintere Zimmer] back, rear; *prep.* [hinter der Tür] behind; ∾ ihr her following after her
der **Hintergrund, ⸗e** background
hinterlas'sen, ie, a to leave behind
hinü'ber over, across; past, gone
hinun'ter down, downstairs
hinun'ter=steigen, ie, ie, (sein) to descend
hinweg' away; über (das Haus) ∾ passing over (the house), over
hin=weisen, ie, ie, (auf) to point (to)
hin=werfen, a, o to make a casual remark
hin=ziehen, zog hin, hingezogen to draw out, drag along
hinzu' there, to that place, besides, in addition
hinzu'=fügen to add
hinzu'=setzen to add
hinzu'=treten, a, e, (sein) to approach
das **Hirn** brain
der **Hirt, –en** shepherd
histo'risch historical
der **Histo'riker, –** historian
die **Hitze** heat
hoch high, tall; ∾ lebe! long live!
hoch=achten to esteem
der **Hochmut** arrogance
hochmütig arrogant
höchst utmost
höchstens at the most
das **Hochwasser** flood
die **Hochzeit, –en** wedding
der **Hochzeiter, –** bridegroom
der **Hof, ⸗e** court, yard, farm; **den** ∾ machen to court
hoffen to hope
hoffentlich it is to be hoped
die **Hoffnung, –en** hope
höflich courteous, polite
die **Höflichkeit** courtesy, politeness
die **Höhe, –n** height, hill
die **Hoheit, –en** majesty; (*as title*) Highness
hohl hollow, concave, open (hand)
die **Höhle, –n** cave, cavern

der Hohlweg, –e hollow way, defile
hold kind, lovely
holdselig most lovely
holen to bring, fetch, go and get
die Hölle hell
höllisch hellish, infernal
das Hospital', ⸗er hospital
das Holz, ⸗er wood, piece of wood, timber
der Honig honey
hörbar audible
horchen to listen
hören to hear; (auf) to listen to
das Horn, ⸗er horn
die Hose, –n (pair of) trousers
hübsch pretty, nice
der Hügel, – hill
das Huhn, ⸗er chicken
die Huldigung, –en homage
die Hülfe, –n *arch.* help
die Hülle, –n cover
hüllen to cover, wrap
der Humor' humor, wit
humori'stisch humorous
der Hund, –e dog
hungrig hungry
der Hut, ⸗e hat
hüten (*arch.* eines Dinges) to guard, watch, tend
sich hüten to beware, be on one's guard
die Hütte, –n hut, cabin
der Hypochon'der, – hypochondriac
das Ideal', –e ideal
die Idee', –n idea, notion
ihretwegen for her sake, on her account
der Ihrige, –n her relative
immer always; ever; just; [immer größer] more and more; ∼ **wieder** again and again
immerfort all the time
immerhin' still, yet, nevertheless
in in, within, at, into
indem *adv.* [indem geht er hinaus] meanwhile; *conj.* [indem er hinausgeht] while, in (doing), by (doing)
indes *or* **indessen** *adv.* [indessen geht er hinaus] meanwhile; [indessen er geht hinaus] however, nevertheless; *conj.* [indessen er hinausgeht] while
die Individualität', –en individuality
inferna'lisch infernal
infol'ge in consequence of
innen inside
inner *adj.* inner, interior, inward
innerlich inner, spiritual
ingrimmig grim, furious, fierce
der Inhalt, –e contents
innig hearty, ardent, intense, deep-felt; intimate
insbeson'dere especially
die Inschrift, –en inscription
die Insel, –n island
sich insinuie'ren to insinuate oneself, to ingratiate oneself
interessant' interesting
das Interes'se, –n interest
interessie'ren to interest; sich ∼ (für etwas) to be interested in
inzwi'schen meanwhile
irdisch earthly, wordly
irgend: ∼ ein any, some kind of
irgendwie anyhow, somehow
irgendwo anywhere, somewhere, at any place
irre astray, lost, confused, insane
der Irrtum, ⸗er error, mistake
Ita'lien (das) Italy
italie'nisch Italian

ja yes, now, indeed, certainly
die Jacke, –n coat, jacket
die Jagd, –en chase, hunt
der Jäger, – hunter
jäh abrupt
jählings precipitately
das Jahr, –e year; seit ∼ und Tag for many years
jahraus': ∼ jahrein' the year round
jahrdurch throughout the year
die Jahreszeit, –en season
das Jahrhun'dert, –e century
jährlich yearly, annual
das Jahrzehnt', –e decade
der Jammer pity, lamentation

jämmerlich pityful
jammern to lament
jammervoll pityful
das **Jammertal** vale of tears
der **Januar** January
jawohl' yes (emphatic)
das **Jawort** consent
je ever, at any time; **mit ∾ einem Arm** with one arm each; **∾ nach** according to
je (*abbr. for* Jesus)! **O ∾!** my goodness
jedenfalls at all events, in any case, at any rate, certainly
jeder each, every, any
jedermann everyone, everybody
jederzeit at any time; at all times
jedesmal every time
jedoch' however
jedwe'des *arch.* every
jeglicher each, every
jeher: von ∾ at all times, from times immemorial
jemals ever, at any time
jemand somebody, someone, anybody
jener that
jenseits on the other side; beyond
jetzt now, at present
Jorinde' proper name
Jorin'gel proper name
der **Jubel** joy, rejoicing, jubilation
der **Jude, –n** Jew
jüdisch Jewish
die **Jugend** youth
jugendlich youthful
jung young, youthful
der **Junge, –n** boy, lad
das **Junge, –n** young one (animal)
die **Jungfer, –n** maiden, girl
die **Jungfrau, –en** maiden, virgin
der **Junggeselle, –n** bachelor
der **Jüngling, –e** youth, young man
der **Juni** June
just just, exactly

der **Kaffee** coffee
der **Käfig, –e** cage
der **Kahn, ≐e** row boat, boat, barge
der **Kaiser, –** emperor
der **Kaka'o** cocoa
das **Kali'ber, –** caliber, size (of a cannon), kind
kalt cold, frigid
die **Kälte** cold, coldness
das **Kamel', –e** camel
der **Kamerad', –en** comrade, companion
die **Kamerad'schaft, –en** companionship
kämmen to comb
die **Kammer, –n** chamber
der **Kampf, ≐e** combat, fight, struggle
kämpfen to combat, fight, struggle
der **Kämpfer, –** fighter
der **Kano'nendonner** roar of guns
der **Kanzler, –** chancellor
die **Kapel'le, –n** chapel
der **Käse** cheese
Kasperl endearing form of **Kaspar**
die **Kasse, –n** money chest
der **Kasten, ≐** chest, box, case
die **Katze, –n** cat
der **Kauf, ≐e** purchase
kaufen to buy, purchase
der **Käufer, –** buyer, purchaser
der **Kaufladen, ≐** store
der **Kaufmann,** *pl.* **Kaufleute** shopkeeper, merchant
kaum scarcely, hardly
der **Kavallerist', –en** cavalryman
kehren to brush, sweep; (**sein**) turn
kein no, not any
keineswegs in no way, by no means
der **Keller, –** cellar
kennen, kannte, gekannt to know (a person or as a person)
kennen=lernen to become acquainted with
die **Kenntnisse** *pl.* knowledge, information
der **Kerker, –** dungeon, prison
der **Kerl, –e** fellow
die **Kette, –n** chain
das **Kind, –er** child
kinderhaft childlike
kinderlos childless
die **Kindermanier** manner of a child, way in which a child acts

die **Kinderzeiten** *pl.* period of childhood
das **Kindesalter** infancy, childhood
Kindesbeine: von ~n an from childhood
die **Kindheit** childhood
kindisch childish
kindlich childlike, filial
das **Kinn** chin
die **Kirche, –n** church
der **Kirchhof, ⸚e** cemetery
der **Kirchturm, ⸚e** steeple
die **Kirsche, –n** cherry
die **Kiste, –n** box
die **Klage, –n** complaint, lament
klagen to complain, lament
klagend plaintive
kläglich pitiful
der **Klang, ⸚e** sound
klar clear, distinct, bright, plain
die **Klarheit** clearness, clarity
die **Klarinet'te, –n** clarinet
sich **klar=machen** to realize
die **Klasse, –n** class
klassifizie'ren to classify
die **Klassik** classics, classical period
klassisch classical
das **Kleid, –er** dress, gown, clothes
kleiden to dress, clothe
die **Kleidung** clothing
klein small, little
die **Kleinigkeit, –en** very small quantity, trifle
das **Kleinmachen** process of chopping
kleinstädtisch characteristic of a small, provincial town
klettern to climb
das **Klima, –ta** climate
die **Klinge, –n** blade, sword
klingeln to ring
klingen, a, u to sound
klinisch clinical
klopfen to knock, rap
das **Kloster, ⸚** monastery, convent
klug clever, intelligent
die **Klugheit** cleverness
der **Knabe, –n** boy, lad
die **Knabenhaftigheit** boyishness
knapp concise, tight, tight-fitting
der **Knecht, –e** servant, farmhand, slave
das **Knie, –** knee
knien to kneel
der **Knochen, –** bone
der **Knopf, ⸚e** button, stud
die **Knospe, –n** bud
der **Knoten, –** knot
knüpfen to tie, bind
der **Koch, ⸚e** cook, chef
kochen to cook, boil
die **Köchin, –nen** (woman-) cook
der **Kolle'ge, –n** colleague
kolossal' huge, enormous
komisch comical, funny, ridiculous
kommen, kam, o, (sein) to come, come to one's mind, occur; ~ **auf** to hit upon; **wie** ~ **Sie dazu?** what makes you? how dare you?; **zu sich** ~ to regain consciousness
die **Komö'die, –n** comedy
die **Kompanie', –n** company, group
konfus' confused
der **König, –e** king
königlich kingly, royal
können, konnte, gekonnt can, to be able to, know how to, be allowed to; **dafür** ~ to be to blame
der **Kopf, ⸚e** head
der **Korb, ⸚e** basket
das **Korn, ⸚er** corn, grain
die **Kornblume, –n** cornflower
körperlich bodily
die **Kost** food
die **Kostbarkeit, –en** preciousness, jewel, valuable
die **Kosten** *pl.* costs, expenses
kosten to cost; taste
köstlich precious, delicious, delightful
die **Kraft, ⸚e** strength
kräftig strong, vigorous, deep (color), nourishing
kraftvoll vigorous
krank sick, ill
kränken to offend, wrong
das **Krankenhaus, ⸚er** hospital
die **Krankenstube, –n** sickroom

die **Krankheit, –en** sickness, illness, disease
der **Kranz, ⸗e** wreath
das **Kraut, ⸗er** herb
die **Kreide** chalk, crayon
der **Kreis, –e** circle, sphere; range
kreisen to move in a circle
das **Kreuz, –e** cross
kriechen, o, o, (sein) to creep, crawl
der **Krieg, –e** war
kriegen (*colloquial*) to get, obtain
die **Kriegsgeschichte** military history
der **Kriegsminister, –** secretary of war
die **Krippe, –n** manger
kritisie'ren to criticise
die **Krone, –n** crown
krönen to crown
krumm bent, crooked
die **Krümmung, –en** winding
die **Küche, –n** kitchen, cooking, food
der **Kuchen, –** cake
der **Kuckuck, –s** cuckoo
die **Kugel, –n** bullet
die **Kuh, ⸗e** cow
kühl cool, fresh
kühlen to cool
die **Kühle** coolness
kühn bold, daring
die **Kultur', –en** culture, civilization
der **Kultur'begriff, –e** concept of civilization
das **Kultur'gebiet, –e** sphere of civilization
die **Kultur'idee, –n** concept of culture
der **Kummer** grief, sorrow
kümmerlich miserable
sich **kümmern** (um) to care about
kund tun, a, a to make known
die **Kunde** knowledge, (piece of) news
der **Kunde, –n** customer
kundig knowing
künftig future
künftighin for the future
die **Kunst, ⸗e** art, skill
der **Künstler, –** artist
das **Kupfer** copper
der **Kurier', –e** courier
kurz *adj.* short, brief, abrupt; *adv.* in short; nach ∼em after a short time; ∼ und gut in short
kürzlich shortly, lately, recently
der **Kuß, ⸗e** kiss
küssen to kiss
die **Küste, –n** coast, shore

lächeln to smile
lachen to laugh
lächerlich ridiculous
laden, u, a to load, charge
der **Laden, ⸗** store, shop
die **Ladung, –en** load
die **Lage, –n** situation, position
das **Lager, –** camp, bed
lähmen to cripple, paralyze
das **Lamm, ⸗er** lamb
die **Lampe, –n** lamp
das **Land, ⸗er** land, country
der **Landesherr, –en** sovereign
ländlich countrylike, rustic
der **Landmann,** *pl.* **Landleute** peasant, farmer
die **Landschaft, –en** landscape, countryside
der **Landsmann,** *pl.* **Landsleute** countryman, compatriot
lang long
die **Langewei'le** tediousness, boredom
länglich longish, oblong, elongated
langsam slow
längst long ago, long since
längstvergangen gone by long ago
sich **langweilen** to be bored
langweilig tedious, boring, dull
langwierig lasting, protracted, tedious
die **Lanze, –n** lance
der **Lärm** noise, racket
lärmen to be noisy
lassen, ie, a to let, have, cause to, leave, allow; es sein ∼ to let it go, give up
die **Last, –en** load, burden
lasten to weigh upon
lästern to slander, defame
lästig burdensome, troublesome, annoying

das Latein' Latin
latei'nisch Latin
latent' latent, hidden, subconscious
der **Lauf, ⸗e** course, run
die **Laufbahn, –en** career
laufen, ie, au, (sein) to walk, run
der **Laufen** (*dialect*) rapids
die **Laune, –n** humor, temper, whim
lauschen to listen
laut loud, noisy, spoken aloud, aloud
lauten to sound; to read, run
läuten to ring
lauter pure, nothing but
leben to live, be alive; **jemanden ∼** lassen to drink to a person's health; leb' wohl good-bye
das **Leben** life
leben'dig alive, lively
lebensgefährlich perilous
die **Lebensweise, –n** manner of living
lebhaft lively, vivid
das **Leder, –** leather
ledig free from, rid of, single, unmarried
leer empty, vacant
legen to lay, put, place
lehnen to lean
lehren to teach, instruct
der **Lehrer, –** teacher
das **Lehrfach, ⸗er** subject
das **Lehrgeld, –er** tuition fee
der **Lehrjunge, –n** apprentice
der **Lehrling, –e** apprentice
der **Leib, –er** body
die **Leiche, –n** corpse, (*dialect*) funeral
das **Leichenbegängnis, –se** funeral
der **Leichnam, –e** corpse
leicht light, easy, gentle, slight, faint, cheerful, easygoing, light-minded
die **Leichtfertigkeit** frivolity
die **Leichtigkeit** ease
der **Leichtsinn** frivolity
leichtsinnig frivolous
das **Leid** grief, sorrow, harm
es tut mir leid I am sorry
leiden, litt, gelitten to bear, suffer, tolerate, endure; **jemanden ∼ können** to like
das **Leiden, –** suffering
die **Leidenschaft, –en** passion
leidenschaftlich passionate
leider unfortunately
leise low, soft, gentle
leisten to do, perform, render; **sich ∼** (etwas) to indulge in, treat oneself to
die **Leistung, –en** performance, accomplishment, output
leiten to lead, guide, direct
die **Leiter, –n** ladder
der **Leitgedanke, –n** guiding idea
lenken to direct, head for, guide, steer
lernen to learn, study; be a good student
lesen, a, e to read
der **Leser, –** reader
letzt last, final; **zu guter Letzt** finally
leuchten to shine, light, make light for
der **Leuchtwurm, ⸗er** glowworm
die **Leute** *pl.* people
der **Leutnant, –s** lieutenant
das **Licht, –er** light
licht light, bright
das **Lid, –er** (eye) lid
lieb dear, beloved, sweet; **∼ haben** to be fond of; **es ist mir ∼** I like it; **am ∼sten** most gladly
das **Liebchen, –** sweetheart
die **Liebe** love
der **Liebe, –n** beloved
liebenswürdig kind, amiable
lieber rather
die **Liebesheirat** love marriage
die **Liebeswahl** choice of a partner
liebevoll loving, affectionate
der **Liebhaber, –** lover
lieblich lovely
die **Lieblichkeit** loveliness
der **Liebling, –e** darling
Lieblings– (plus noun) favorite . . .
der **Liebste, –n** lover, sweetheart
das **Lied, –er** song, air, tune
liefern to furnish, supply, give
liegen, a, e to lie, be situated
die **Linde, –n** linden (-tree)
der **Lindengang, ⸗e** path lined with lindentrees

die **Linie, –n** line
link *adj.* left; die Linke left hand
links *adv.* to the left, at the left
die **Lippe, –n** lip
die **List, –en** trick, cunning
listig tricky, sly
die **Litanei', –en** litany
litera'risch literary
das **Lob** praise
loben to praise
das **Loch, ¨–er** hole, opening
locken to entice, allure, lure
der **Löffel, –** spoon
löffeln to eat with a spoon
der **Lohn, ¨–e** wages, pay, reward
lohnen to compensate, reward
das **Los, –e** fate, destiny, lottery ticket
(*adj.* plus) **–los** -less (nutzlos)
los– (plus verb) off, to start doing (los=gehen)
los(e) loose, free; was ist los? what is the matter?
löschen to put out, extinguish
los=drücken to fire off
lösen to loosen, untie, solve: sich ~ to relax
los=lassen, ie, a to let go
los=schlagen, u, a, (auf) to start hitting vigorously
sich **los=trennen** to part
los=werden, u, o, (sein) to get rid of
die **Luft, ¨–e** air
lügen, o, o to lie, tell a lie
die **Lunge –n** lung
die **Lust** pleasure, enjoyment, desire; ~ haben to feel like
lustig gay, merry, funny
die **Lustigkeit** merriment
die **Lyrik** lyric poetry

machen to make, do, prepare; sich ~ to come to pass, be arranged, come right
die **Macht, ¨–e** power, force, might, authority; mit ~ rapidly
mächtig mighty, powerful, enormous, huge
das **Mädchen, –** girl, maid
das **Mädel, –** (*colloquial*) girl
die **Magd, ¨–e** servant girl, hired girl, (*arch.*) maiden
das **Mägdlein** (*poetic*) girl
der **Magen, ¨–** stomach; sich den ~ verderben to upset one's stomach
magisch magic
das **Mahl** meal
mahlen to grind, mill
die **Mahlzeit, –en** meal
mahnen to admonish, remind, warn
der **Mai** May
das **Mal, –e** time; mit einem ~ all of a sudden
malen to paint, draw
der **Maler, –** painter
die **Malerei', –en** painting
das **Mammenkind, –er** infant, child that is in its mama's care
mancher many a
mancherlei various, all kinds of
manchmal sometimes
der **Mangel, ¨–** deficiency, defect, lack
die **Manier'** manner, fashion
manier'lich courteous
der **Mann, ¨–er** man, husband
männlich manly, male
mannigfach manifold, various
die **Mannsleute** *pl.* men
der **Mantel, ¨–** cloak, coat
das **Märchen, –** fairytale, fabulous story
der **Markt, ¨–e** marketplace
der **Marmor** marble
marschie'ren to march
der **März** March
die **Maske, –n** mask
das **Maß, –e** measure, amount
die **Masse, –n** mass, bulk
massenhaft abundant
mäßig moderate
maßlos without measure, beyond all bounds
der **Maßstab, ¨–e** scale, standard
der **Mastbaum, ¨–e** mast
matt faint, dim, feeble
die **Mauer, –n** stonewall
die **Maus, ¨–e** mouse

die **Medizin′, –en** medicine
medizi′nisch medical
das **Meer, –e** sea, ocean
das **Mehl** flour
mehlig mealy, with much flour
die **Mehlspeise, –n** sweet dish prepared with flour as its main ingredient
mehr more
mehrmals several times
meiden, ie, ie to avoid
die **Meile, –n** mile
der **Meine** mine
meinen to think, mean, say
meinetwillen for my sake
meinig mine
die **Meinung, –en** opinion
meist most, most numerous
meistens usually, generally, for the most part
der **Meister, –** master
melden to announce
die **Meldung, –en** announcement, report
melo′disch melodious
die **Menge, –n** crowd, quantity
der **Mensch, –en** human being, person
das **Menschenkind, –er** human being
die **Menschenrechte** *pl.* Rights of Man
die **Menschheit** humanity, mankind
menschlich human
merken (an) to note, notice (by); sich ~ to remember, keep in mind
merkwürdig strange, curious, remarkable
messen, a, e, (an) to measure, evaluate (by)
das **Messer, –** knife
das **Metall′, –e** metal, ore
die **Miene, –n** mien, air, countenance
die **Miete, –n** rent
mieten to rent
die **Milde** gentleness, mildness
mildern to soothe
minder less, lesser, inferior
mindest least
mindestens at least
die **Minu′te, –n** minute
mischen to mix
mißbrau′chen to abuse
die **Mißgestalt, –en** deformity
mißhan′deln to ill-treat, maltreat, abuse
mißtrauisch distrustful, suspicious
das **Mißverständnis, –se** misunderstanding
mißverstehen, –stand, –standen to misunderstand
mit *prep.* with; *adv.* [ich gehe mit] along, also, in company with others
Mit– (plus noun) fellow-
der **Mitchrist, –en** fellow Christian
mit=erleben to witness, participate
das **Mitleid** pity, sympathy
mitleidig condescending
mit=machen to join in with
mit=nehmen, a, mitgenommen weaken, take along, carry along
mit=sprechen, a, o to raise one's voice, participate
der **Mittag, –e** noon
die **Mitte** middle, center
das **Mittel, –** means; remedy
das **Mittelalter** Middle Ages
mittelalterlich medieval
mitten *prep.* in the midst (of)
die **Mitternacht, ⸚e** midnight
der **Mittler, –** negotiator
mittler *adj.* middle
mitun′ter now and then, sometimes
Mittwoch Wednesday
mögen, mochte, gemocht may, to like to, wish to; ich möchte (gern) I should like to
möglich possible
die **Möglichkeit, –en** possibility
möglichst schnell as fast as possible
der **Monat, –e** month
monatlich monthly
der **Mönch, –e** monk, friar
der **Mond, –e** moon
der **Mondschein** moonlight
monoton′ monotonous
Montag, –e Monday
das **Moos, –e** moss
die **Moral′** morals, ethics
mora′lisch moral

die Moralisie'rung, –en moralization
der Mord, –e murder
der Mörder, – murderer
der Morgen, – morning
morgen tomorrow
morgens in the morning
müde tired, weary
die Mühe, –n pains, trouble; sich ∾ geben to take pains
die Mühle, –n mill
das Mühlenrad, ⸗er millwheel
mühsam painstaking, toilsome
der Müller, – miller
der Mund, ⸗er mouth
munter merry, lively, awake
die Münze, –n coin
die Musik' music
der Musikant', –en musician
der Muskel, –n muscle
die Muße leisure
müssen, mußte, gemußt must, to have to, be compelled to
müßig idle
der Mut courage
mutig courageous
der Mutwille playfulness
mutwillig mischievous
die Mutter, ⸗e mother
mütterlich motherly, maternal
die Mütze, –n cap

nach to, toward; after; according to; ∾ und ∾ by and by; ∾ wie vor as usual
nach=ahmen to imitate
der Nachbar, –n neighbor
die Nachbarschaft neighborhood
nachdem *conj.* [nachdem er das gesagt hatte . . .] after
nach=denken, dachte nach, nachgedacht (über) to reflect (upon), meditate
nachdenklich thoughtful, pensive, reflective
der Nachdruck stress, emphasis
nach=folgen (sein) to follow
die Nachfrage, –n inquiry
nach=geben, a, e to give in
der Nachglanz afterglow
nachhau'se home
nachher afterwards
nach=kommen, kam nach, o, (sein) to follow
nach=lassen, ie, a to diminish, slacken
nach=laufen, ie, au, (sein) to run after, follow
nach=machen to imitate, copy
der Nachmittag, –e afternoon
nachmittags in the afternoon
die Nachricht, –en news, report
die Nachschrift, –en postscript
nach=setzen to pursue
nach=sinnen, a, o to ponder, meditate
nächst nearest, next
die Nacht, ⸗e night
nachteilig disadvantageous, harmful
das Nachtessen, – evening meal
die Nachtigall, –en nightingale
nächtlich nightly
nachträglich supplementary
der Nachtstuhl, ⸗e night stool
nach=tun, a, a, (es jemandem) to imitate a person in, try to rival
die Nachtwache, –n night session, vigil, night watch
die Nachwirkung, –en after effect
nach=ziehen, zog nach, nachgezogen, (sein) to follow
der Nacken, – neck, nape of the neck
nackt naked
die Nadel, –n needle
der Nagel, ⸗ nail
nageln to nail
nah close, nearby
nahbar accessible, approachable
die Nähe nearness, neighborhood; **in der** ∾ nearby
nahen to approach
nähen to sew
nähern to bring near; sich ∾ to draw near, approach
nähren to nourish
die Nahrung nourishment, food
die Nahrungssorgen *pl.* worries about making a living

der Name, -n name; einen ∾n führen to be called
namens called
namentlich especially
nämlich *adj.* same; *adv.* namely, to be sure
der Narr, -en fool
närrisch foolish, silly
die Nase, -n nose
naß wet
die Natur', -en nature, disposition, person, creature
natürlich *adj.* natural; *adv.* of course
der Nebel, - mist, fog
neben *prep.* beside, by the side of, next to; ∾ (dem Flusse) her aside, alongside (the river)
nebeneinander one beside the other
nebenher' close by, by the way, incidentally
das Nebenhaus, ⸗er neighboring house
nebst *prep.* together with, besides
necken to tease
neckisch teasing
nehmen, a, genommen to take, eat, drink; sich das Leben ∾ to commit suicide
der Neid envy
neigen to bend, decline, incline
die Neigung, -en affection, tendency, inclination
nein no
nennen, nannte, genannt to name, call, tell a person's name
das Nest, -er nest
das Netz, -e net
neu new; aufs ∾e anew, again
der Neubau, -ten building in course of erection
die Neuigkeit, -en novelty, news
neulich recently, the other day
die neunziger Jahre nineties
der Neutra'le, -n neutral party
nichts'destowe'niger nevertheless
nicken to nod
nie never
nieder *adj.* low; *adv.* down, downward
nieder=fallen, ie, a, (sein) to fall down
niedergeschlagen cast down
nieder=grüßen to send a greeting downward
nieder=legen to lay down, deposit
nieder=rauschen (sein) to fall down with a rustling noise
nieder=schreiben, ie, ie to write down, compose
nieder=sinken, a, u, (sein) to fall down
niedrig low
niemals never
niemand nobody, no one
nimmer never, never more
nimmermehr never, never more
auf **Nimmerwiedersehen** never to be seen again
nippen to sip
nirgend *arch.* **nirgends** nowhere
noch still, yet
nochmals once more
der Nord (*arch.*) *or* **Norden** north
nördlich northern
die Not, ⸗e need, want, distress
not tun to be necessary
nötig necessary; ∾ haben to need; **du** hast es nicht ∾ you can afford to do otherwise
nötigen to urge
notwendig necessary
die Notwendigkeit, -en necessity
die Novelle, -n short novel
nüchtern sober, prosaic
die Nüchternheit sobriety
nummerie'ren to number
nun now, well
nur only, just
nichts nütze of no use
nützlich useful
nutzlos useless

ob whether
oben *adv.* above, upstairs
obenhin' superficially
ober *adj.* upper
oberhalb *prep.* above, upstream

der Oberkörper, – upper part of the body
obgleich′ although
obschon′ although
das Obst fruit
obwohl′ although
der Ochse, –n ox
öde desolate
oder or
der Ofen, ⸚ stove, oven
offen open
offenbar′ evident, apparent, transparent
offenba′ren to reveal
die Offenheit sincerity, frankness
öffentlich public
offiziell′ official
der Offizier′, –e military officer
öffnen to open
die Öffnung, –en opening, frame (of a door)
oft often
öfters rather frequently
der Oheim, –e uncle
ohne without; ∼ **daß** *conj.* without that, without (being)
ohnehin anyhow
ohnmächtig unconscious
das Ohr, –en ear
ohrenzerreißend ear-splitting
das Öhr eye (of a needle)
der Okto′ber October
das Öl oil
die Oper, –n opera
opfern to sacrifice, offer as a sacrifice
das Opfer, – victim, sacrifice; ∼ **bringen** to offer, sacrifice
das Opferfest, –e sacrificial feast
die Opfergabe, –n offering
der Orden, – (religious) order, medal
ordentlich *adj.* proper, orderly; *adv.* really, exactly
die Ordnung, –en order, arrangement
ordnen to put in order; **sich** ∼ get organized
der Ornitholo′ge ornithologist
der Ort, –e place; village, hamlet
der Ost (*arch.*) *or* **Osten** east
österreichisch Austrian
die Ostsee Baltic Sea
ostwärts east(ward)

das Paar, –e pair, couple; **ein paar** a few
sich paaren to pair off
packen to pack, seize
die Palet′te, –n palette
das Papier′, –e paper
die Para′de parade, military review
das Paradies′ paradise
der Parnaß′ Parnassus, seat of Apollo and the Muses
die Partie′, –n match
passen to suit, fit
passie′ren (**sein**) to happen
der Pastor, ⸗en (Protestant) minister
die Pate, –n godchild (female)
die Pause, –n pause, intermission
die Pein pain
peinlich embarrassing
die Pension′, –en boarding house, room and board
perlend looking or falling like pearls, glittering
die Person′, –en person
persön′lich personal
der Pfad, –e path
die Pfarre, –n rectory
der Pfarrer, – clergyman, parson
die Pfarrgasse Church Lane
das Pfarrhaus rectory
die Pfarrin, –nen *arch.* minister's wife
die Pfarrwohnung, –en rectory
die Pfeife, –n pipe
pfeifen to whistle
der Pfeil, –e arrow
der Pfeiler, – pillar
der Pfennig, –e penny
das Pferd, –e horse
der Pfiff, –e whistle
pflanzen to plant
die Pflaume, –n plum
die Pflege care, nursing, cultivation
pflegen to nurse, be used to, be accustomed to
die Pflegeeltern *pl.* foster parents

die **Pflicht, –en** duty
das **Pfund, –e** pound
die **Phantasie', –n** fancy, imagination
phantasie'ren to expose fantastic ideas, rave
der **Pharisä'er, –** pharisee
der **Pilger, –** pilgrim
das **Pistol'** *arch. or* die **Pisto'le, –n** pistol
die **Plage, –n** plague, torment
plagen to torment
der **Plan, ⸗e** plan
planen to plan
die **Platte, –n** plate, tray
der **Platz, ⸗e** place, space; ∾ **nehmen** to take a seat, sit down: ∾ **machen** to make room, clear the way
plaudern to chat
plötzlich sudden, suddenly
die **Poesie'** poetry
der **Poet', –en** poet
die **Pole'mik, –en** polemics, controversy
die **Politik'** politics
die **Polizei'** police
die **Pore, –n** pore
die **Posse, –n** prank, trick; ∾**n treiben** to play tricks
das **Porphyrgestein** porphyry
die **Post** post, mail
der **Posten, –** sentinel
die **Pracht** splendor
prächtig splendid, magnificent
sich **präsentie'ren** to present oneself
der **Prediger, –** preacher
die **Predigt, –en** sermon
der **Preis, –e** price, prize
preisen, ie, ie (*arch.* **–te, –t**) to praise
pressen to press, compress
Preußen (das) Prussia
preußisch Prussian
der **Priester, –** priest
der **Prinz, –en** prince
die **Probe, –n** trial
probie'ren to try
das **Problem', –e** problem
die **Profession'**: von ∾ by profession
promenie'ren to promenade, take a stroll
die **Prophetie', –n** prophecy
die **Prozession', –en** procession
prüfen to examine
die **Prügelei, –n** row
der **Prunk** show, pomp, display
der **Psalm, –en** psalm
das **Pult, –e** desk
das **Pulver, –** powder
der **Punkt, –e** point, dot
putzen to adorn

die **Qual, –en** torment
quälen to torment, worry
das **Quartier', –e** lodging
das **Quecksilber** quicksilver, mercury
die **Quelle, –n** spring, source

die **Rache** revenge
rächen to avenge, take vengeance
das **Rad, ⸗er** wheel
der **Rahmen, –** frame
der **Rand, ⸗er** rim, edge
rar rare
rasch quick, swift
der **Rasen, –** piece of sod
der **Rasende, –n** madman
der **Rasenplatz, ⸗e** lawn
die **Rast** rest, repose; **eine** ∾ **halten** to make a halt
der **Rat** advice, council
raten, ie, a to advise, propose, guess
das **Rathaus, ⸗er** city hall
die **Ratlosigkeit** helplessness
das **Rätsel, –** riddle; mystery
rätselhaft mysterious
der **Raub** robbery
rauben to rob
der **Räuber, –** robber
der **Raubvogel, ⸗** bird of prey
der **Rauch** smoke
rauchen to smoke
der **Raum, ⸗e** room, space
der **Rausch** intoxication
rauschen to rustle, murmur
rauschend thundering; exuberant
rebel'lisch rebellious, refractory
rechnen to reckon, figure, calculate
die **Rechnung, –en** account, bill

recht *adj.* right, real, much, right-hand; *adv.* exactly, quite, rather; ∾ haben to be right; mir ist es ∾ it is alright with me, I like it; etwas Rechtes something real, something good
das **Recht, –e** right, law, justice; ∾ auf right, claim to; mit ∾ rightly; zu ∾ rightly
die **Rechte** right hand
rechtfertigen to justify
rechts to the right, at the right
rechtschaffen righteous, honest
die **Rede, –n** talk, speech; es ist die ∾ von etwas something is mentioned; ∾n führen to talk; eine ∾ halten to make a speech
reden to talk, speak
regelmäßig regular
sich **regen** to move
der **Regen** rain
der **Regenbogen, –** rainbow
der **Regenschirm, –e** umbrella
regnen to rain
regnerisch rainy
die **Regung, –en** emotion, impulse
regungslos motionless
das **Reich, –e** nation, realm, empire
reich rich
reichen to reach, hand to, suffice, attain; (die Hand) stretch out
reichlich *adj.* abundant, ample; *adv.* rather, quite
der **Reichtum, ⸗er** riches, wealth
reif ripe, mature
der **Reif** frost
die **Reife** maturity
reifen to ripen
die **Reihe, –n** row, rank; in Reih und Glied in rank and file, in ranks
reihen to string
rein clean, pure
reinigen to clean, cleanse
reinlich clean, neat
die **Reinlichkeit** cleanliness
das **Reis, –er** shoot
die **Reise, –n** trip, journey
reisen to travel
reißen, i, i to tear; pull; rush
reiten, ritt, geritten, (sein) to ride (on an animal)
der **Reiter, –** horseman
der **Reiz, –e** charm
reizen to provoke, irritate, charm
reizend charming
religions'los not connected with any creed
rennen, rannte, gerannt, (sein) to run
die **Residenz'** palace
der **Rest, –e** rest, remainder
das **Resultat', –e** result
retten to save, rescue
die **Rettung** rescue
die **Reue** repentance
es reut mich I repent
reumütig repentant
rheinauf'wärts upstream in the Rhine
der **Rheinfall** the falls of the Rhine
rheto'risch rhetorical, purely verbal
die **Rhythmik** rhythm
der **Rhythmus** rhythm
richten to judge, prepare, execute, adjust; (auf) to direct (toward); sich ∾ (nach) to be guided (by)
der **Richter, –** judge
richtig correct, accurate; right, real; all right
der **Richtplatz, ⸗e** place of execution
die **Richtung, –en** direction, line
riechen, o, o to smell
der **Riegel, –** bolt, bar
der **Riese, –n** giant
die **Riesenfamilie** family of giants
riesig gigantic
die **Rinde, –n** bark
der **Ring, –e** ring
ringen, a, u to wring, wrestle, struggle
rings round about; ∾ herum round about
ringsum' round about
rinnen, a, o, (sein) to run (of water), flow
der **Ritt –e** ride (on horseback)
der **Ritter, –** knight
ritzen to scratch

der **Rock, ⸚e** (man's) coat, (woman's) skirt; garb
roh raw, brutal, rare (meat)
die **Roheit, –en** brutality
die **Röhre, –n** pipe
rollen to roll
der **Roman, –e** (*arch.* **–en**) novel
roma'nisch Romanesque
römisch Roman
rosa rose colored, pink
die **Rose, –n** rose
rosig rosy
das **Röslein, –** little rose
das **Roß, –sse** horse
rot red; ∼ werden to blush
rotbäckig red-cheeked
die **Röte** red color, blush
röten to make red, redden
das **Rotkehlchen, –** English robin
rötlich reddish
rücken to move
der **Rücken, –** back
die **Rückfahrt** return trip
die **Rückkehr** return, way back
die **Rückreise** return trip
die **Rückseite, –n** reverse
die **Rücksicht, –en** consideration, regard, precaution
rückwärts backwards
der **Rückweg, –e** way back
das **Ruder, –** oar
rudern to row
der **Ruf, –e** call, reputation
rufen, ie, u to call, shout
der **Rufer, –** person that calls or called
die **Ruhe** quiet, calm, rest; jemandem seine ∼ lassen to let somebody alone; in ∼ lassen to leave alone
die **Ruhelosigkeit** restlessness
ruhen to rest
der **Ruhm** fame, glory
rühmen to boast
rühren to stir, move, touch
rührig active
die **Rührung** emotion, sentiment, sympathy
die **Rui'ne, –n** ruin
rund round
die **Runde, –n** guard making the rounds
der **Rundgang, ⸚e** round
die **Rundreise, –n** tour
russisch Russian
die **Rüstung, –en** armor

der **Saal,** *pl.* **Säle** hall, large room
der **Säbel, –** sabre
die **Sache, –n** thing, affair, cause
die **Sachlichkeit** objectivity
der **Sack, ⸚e** sack, bag
säen to sow
der **Saft, ⸚e** juice, sap
die **Sage, –n** legend, myth
sagen to say, tell
der **Samen, –** seed
sammeln to collect, gather; sich ∼ to compose oneself, pull oneself together
der **Sammelplatz, ⸚e** gathering place
der **Sammler, –** collector
der **Samstag, –e** Saturday
samt together with
sämtlich all
sanft soft, gentle, gradual
sanftmütig tenderhearted, gentle
der **Sänger, –** singer
satt satisfied (with food); sich ∼ essen (an) to eat one's fill of
satteln to saddle
der **Sattel, ⸚** saddle
sättigen to satisfy
der **Satz, ⸚e** sentence, leap
sauber clean, neat, fine
sauer sour, hard
saugen, o, o *or* **–te, –t** to suck, draw on by suction
säumen to hem
es ist schade (um) too bad, a pity
der **Schaden, ⸚** harm, damage
schädigen to harm, injure
das **Schaf, –e** sheep
schaffen, u, a to create
schaffen to work, accomplish, be busy, be creative, take, bring, put, do
Schaffhau'sen city on the Rhine
der **Schall** sound

schallen to sound, resound, ring
schallend resounding
die **Scham** shame, modesty
sich **schämen** (vor) to be ashamed (of)
schamhaft bashful
schamlos shameless
schamrot blushing with shame
die **Schande** disgrace
schändlich disgraceful, shameful, wicked
die **Schar, –en** band, group, throng
scharf sharp; [ansehen] hard, closely
die **Schärfe** precision, sharpness
der **Scharfrichter** executioner
der **Schatten, –** shade, shadow
schattig shady
die **Schatulle, –en** strongbox
der **Schatz, ⸚e** treasure, sweetheart
schätzbar valuable, estimable
schätzen (auf) to value, estimate (at), esteem, count, register
schatzhütend treasure-guarding
die **Schatzung, –en** *arch.* census
der **Schauder, –** shudder
schaudern to shudder; es ∾t mir I shudder
schauderhaft horrid, abominable
schauen to look, see
der **Schaum** foam
schaümen to churn
das **Schauspiel, –e** spectacle, scene, sight, play, performance, drama
die **Scheibe, –n** disk, slice (of bread), (window) pane
scheiden, ie, ie to separate, divide; (sein) to part, depart, die
der **Schein, –e** shine, glow; certificate, bill, receipt, I. O. U.
scheinbar apparent
scheinen, ie, ie to shine, seem, appear
schelten, a, o to scold
schenken to make a present of
der **Scherz, –e** jest, joke, pleasantry, fun
scherzen to jest, joke
scherzhaft joking
scheu shy, embarrassed
scheuen to shun, avoid, shy; sich ∾ to be embarrassed
die **Schicht, –en** shift
schicken to send
das **Schicksal, –e** fate, destiny; *pl.* vicissitudes
schieben, o, o to shove, push
schief slanting
schießen, o, o to shoot; ins Grab ∾ to fire a salute (at a funeral)
das **Schießhaus, ⸚er** rifle range
das **Schiff, –e** ship
der **Schiffer, –** sailor, seaman
der **Schild, –e** shield
das **Schild, –er** signboard, door plate
schildern to describe, depict
der **Schimmer** gleam, glitter, sparkle
schimmern to gleam, glitter, shine
schimpfen to scold, call in abuse
der **Schinken, –** ham
der **Schirm, –e** umbrella, screen, shade
die **Schlacht, –en** battle
schlachten to slaughter
der **Schlaf** sleep
schlafen, ie, a to sleep
die **Schlafkappe, –n** sleeping bonnet
der **Schlag, ⸚e** blow, stroke, clap
schlagen, u, a to beat, strike; Holz ∾ to cut timber
die **Schlange, –n** snake
schlank slender
schlau subtle, artful, cunning, sly
schlecht bad, wicked
schleichen, i, i, (sein) to sneak, creep
der **Schleier, –** veil
schleppen to drag
schleudern to throw, hurl
schließen, o, o to close, lock, end; (auf) draw a conclusion (as to); to perform
schließlich finally, after all
schlimm bad, unpleasant
das **Schloß, ⸚er** castle, palace
schluchzen to sob
der **Schluck, –e** gulp
schlummern to slumber
schlüpfen to slip
der **Schluß, ⸚e** close, end, conclusion
der **Schlüssel, –** key
die **Schmach** disgrace, insult

schmal narrow
schmecken to taste; es schmeckt mir I like it (food)
schmeicheln to flatter
schmelzen, o, o, (sein) to melt
der **Schmerz, –en** pain, grief
schmerzlich painful, grievous
der **Schmied, –e** smith
der **Schmuck** ornament, jewelry
schmuck pretty
das **Schmuckstück** ornament, jewel
der **Schnabel, ⸗** bill, beak
der **Schnee** snow
die **Schneeschmelze** melting of the snow
schneiden, –itt, –itten to cut
der **Schneider, –** tailor
schnell fast, quick, swift
die **Schnelligkeit** rapidity, hurry
der **Schnitt** cut, style
schnüren to tie, to tie up
schon already, for sure
schön beautiful
die **Schönheit, –en** beauty
schonen to spare
die **Schonung** indulgence, forbearance
schöpfen to draw (water)
schöpfen to create
schöpferisch creative
die **Schöpfung, –en** creation
der **Schoß, ⸗e** lap
der **Schrank, ⸗e** closet, wardrobe
der **Schreck** *or* **Schrecken, –** fright, shock
schrecklich terrible, frightful
der **Schrei, –e** cry, shout
schreiben, ie, ie to write
der **Schreiber, –** one who writes, clerk
die **Schreibtafel, –n** note-book
der **Schreibtisch, –e** desk
schreien, ie, ie to cry, shout
schreiten, –itt, –itten, (sein) to go, walk, stride; ∾ zu to proceed to do
die **Schrift, –en** writing, script
schriftlich written, in writing
der **Schriftsteller, –** writer, author
der **Schritt, –e** step; jeder ∾ und Tritt every single step
schüchtern bashful, timid
der **Schuh, –e** shoe
schulbubenhaft like a schoolboy
die **Schuld, –en** (an) guilt, blame, debt
schuld sein (an) to be responsible (for); be to blame
schulden to owe
schuldig guilty, indebted; ∾ sein to owe; ∾ bleiben (etwas) to delay payment (of something)
die **Schule, –n** school
der **Schüler, –** pupil
der **Schulmeister, –** teacher
die **Schulter, –n** shoulder
der **Schuß, ⸗sse** shot
die **Schürze, –n** apron
schütteln to shake
der **Schutz** protection
der **Schutzbefohlene, –n** protégé, ward
der **Schütze, –n** marksman
schützen to protect
der **Schützling, –e** protégé
die **Schutzwehr, –en** safeguard, defense
schwach weak, feeble
die **Schwäche, –n** weakness
schwächlich weakly, feeble
die **Schwadron', –en** squadron
schwanger pregnant
schwanken to waver, fluctuate, sway, stagger
die **Schwankung, –en** fluctuation, oscillation, instability
der **Schwanz, ⸗e** tail
der **Schwarm, ⸗e** swarm, throng, troop
schwärmen to swarm, rave
die **Schwärmerei', –en** enthusiasm, false enthusiasm, raving, fanaticism
schwärmerisch enthusiastic
die **Schwarte, –n** thick hard skin, rind
schwarz black
schwärzen to blacken
schwatzen to chat, chatter, gossip
schweben to be suspended, hover, float, move in the air
schweifen (sein) to roam, ramble
schweigen, ie, ie to be silent, keep silent
das **Schwein, –e** pig
das **Schweinefleisch** pork

der **Schweiß** sweat, perspiration
der **Schweizer, –** Swiss
die **Schwelle, –n** threshold
ſchwellen, o, o, (ſein) to swell, rise, heave
ſchwer heavy, difficult
ſchwerlich hardly, scarcely
das **Schwert, –er** sword
die **Schweſter, –n** sister
ſchweſterlich sisterly
ſchwierig difficult
die **Schwierigkeit, –en** difficulty
ſchwimmen, a, o, (ſein *or* haben) to swim, float
ſchwinden, a, u, (ſein) to disappear, vanish
ſchwingen, a, u to swing
ſchwitzen to sweat, perspire
ſchwören, o, o to swear, take an oath; (auf) swear by, profess
die **ſechziger Jahre** sixties (1860's)
der **See, –n** lake
die **See** sea, ocean
die **Seefahrt, –en** sea voyage
die **Seele, –n** soul
das **Segel, –** sail
der **Segen, –** blessing, prayer
der **Segenswunſch, –̈e** blessing
ſegnen to bless
ſehen, a, e to see, look
ſich **ſehnen** (nach) to long (for)
die **Sehnſucht** longing, yearning
die **Seide** silk
ſeiden silken
die **Seife, –n** soap
ſein, war, geweſen, (ſein) to be; es iſt mir (als ob) it seems to me; mir iſt (wohl) I feel (well); was iſt (mit) dir? what is the matter with you?
das **Sein** existence
ſeinig his
das **Seinige** what is his, his possessions
die **Seinigen** his family
ſeit *prep.* for, since; *conj.* since the time that
ſeitdem *adv.* since that time; *conj.* since the time that
die **Seite, –n** side; von ſeiten on the part of
das **Seitenſtück, –e** counterpart
ſeither' since that time
ſeitlich to the side
ſelber self (himself, herself, *etc.*)
ſelbiger the same
ſelbſt *adj.* self; von ∼ automatically; *adv.* even
ſelbſtändig independent, autonomous
die **Selbſtbiographie, –n** autobiography
ſelbſtlos unselfish, altruistic
der **Selbſtmord** suicide
ſelbſtverſtändlich self-evident, that takes everything for granted
ſelig blessed, late, happy, blissful
die **Seligkeit** happiness, bliss
ſelten seldom, rare
ſeltſam strange
ſenden, ſandte, geſandt to send
die **Sendung, –en** dispatch, shipment, consignment
ſenken to let down, lower
ſenkrecht perpendicular
die **Senkung, –en** descent, slope
die **Serviette, –n** napkin
Seſenheim village in Alsace
ſetzen to set, place, put; ſich **in Beſitz** ∼ to take possession
ſeufzen to sigh
ſicher safe, secure
die **Sicherheit, –en** safety, security, certainty
ſicherlich certainly
ſichtbar visible
der **Sieg, –e** victory
ſiegen to be victorious
der **Sieger, –** victor
die **Silbe, –n** syllable
das **Silber** silver
ſilbern of silver
ſingen, a, u to sing
ſinken, a, u, (ſein) to sink
der **Sinn, –e** sense, mind, meaning; eines ∼es ſein to agree
ſinnen, a, o to think, meditate, plan
die **Sitte, –n** custom, morals, morality

sittlich moral
die **Sittlichkeit** morality
der **Sitz, –e** seat
sitzen, saß, gesessen to sit, dwell, suit, fit
skrupulös' scrupulous
so so, thus, in this manner, just; so . . . auch [so schön es auch ist] however; so . . . wie as . . . as; ∾ sehr sie ihn liebt, ∾ sehr haßt sie mich as much as she loves him she hates me; ∾ wenig als möglich as little as possible
sobald' as soon as
sodann' then, thereupon
sofort' at once, immediately
sogenannt so-called
sogleich' at once, immediately
der **Sohn, ⸗e** son
solch such
der **Soldat', –en** soldier
die **Solda'tennatur, –en** soldierly character
die **Solidarität'** solidarity
sollen to be to, ought to; to be said to
der **Sommer, –** summer
sonderlich peculiar, special
sondern but
der **Sonnabend, –e** Saturday
die **Sonne, –n** sun
der **Sonnenschirm, –e** parasol
der **Sonnenstrahl, –en** sunbeam
sonnig sunny
der **Sonntag, –e** Sunday
sonnverbrannt sunburned
sonst otherwise, or else, formerly, at other times
die **Sorge, –n** care, worry
sorgen to care; (für) to provide for, take care of; (um) to worry about
die **Sorgfalt** care, carefulness
sorgfältig careful
sorglos careless, carefree
soviel' *conj.* [soviel ich weiß] as far as
sowohl as well; sowohl . . . als (*or* wie) auch both . . . and, as well . . . as
die **Sozialisie'rung** socialization
sozusa'gen so to speak
der **Spalt, –e** split
spalten to cleave
spanisch Spanish
spannen to strain, make tense
spannend exciting, thrilling
die **Spannung, –en** tension
sparen to save
der **Sparpfennig, –e** penny for a rainy day
sparsam saving, economical
die **Sparsamkeit** economy, saving spirit
der **Spaß, ⸗e** joke; (jemandem) ∾ machen to amuse, delight; zum ∾ for fun
spät late, tardy
spazie'ren (sein) to stroll; ∾ gehen (sein) to go walking
der **Spazier'gang, ⸗e** walk
der **Spazier'stock, ⸗e** walking stick
der **Speer, –e** spear
die **Speise, –n** food, dish of food
speisen to give to eat
die **Spende, –n** donation
spenden to donate
sperren to block
speziell' special
die **Sphäre, –n** sphere
der **Spiegel, –** mirror
spiegeln to reflect
das **Spiel, –e** play, game
spielen to play, act; ∾ lassen to display
der **Spielgefährte, –n** playmate
das **Spielzeug** toy
spinnen, a, o to spin
das **Spital', ⸗er** hospital
spitz pointed
die **Spitze, –n** point
der **Sporn,** *pl.* **Sporen** spur; die ∾ geben to set spurs to one's horse
der **Spott** mockery
spotten to mock, scoff, jest
spöttisch mocking
die **Sprachbegabung** linguistic ability
die **Sprache, –n** language
sprachlich concerning the language, linguistic
sprachlos speechless
sprechen, a, o to speak, talk

sprengen to sprinkle, blast, burst, blow up; (sein) to gallop
springen, a, u, (sein) to spring, jump, hurry, run
der **Spruch, ∸e** saying, maxim
der **Sprung, ∸e** leap
die **Spur, –en** trace, track
spürbar noticeable
spüren to feel, perceive
der **Staat, –en** state, commonwealth, pomp
staatlich state, public, what concerns or involves the state
der **Stab, ∸e** staff, bar, rod
die **Stadt, ∸e** city, town
städtisch citylike
der **Stahl** steel
der **Stall, ∸e** stall, stable, barn
der **Stamm, ∸e** stem, trunk, log, race, tribe, family
der **Stammbaum** genealogical tree, pedigree
stammen to originate
der **Stand, ∸e** position, rank, social class
der **Standpunkt, –e** viewpoint
die **Stange, –n** pole
stark strong, heavy
stärken to strengthen
starr rigid, numb, motionless; (vor Furcht) paralyzed (with fear)
starren to stare
statt instead of, in place of
die **Stätte, –n** place
statt=finden, a, u, to take place
der **Status quo** state of things as they are, conditions as they are
der **Staub** dust
stechen, a, o to sting, prick, stab, scorch
stecken to stick, put, be involved, be in the midst of, be hidden
stehen, stand, gestanden to stand; ∼ bleiben to stop; vor dem Examen ∼ to prepare an examination; es steht fest it is proved
die **Stehlampe, –n** floor lamp
stehlen, a, o to steal
steif stiff
steigen, ie, ie, (sein) to climb, rise
steigern to increase
die **Steigerung** increase
der **Stein, –e** stone, rock
der **Steinbruch, ∸e** quarry
steinern of stone
die **Stelle, –n** place, spot, passage (in a book); an ∼ in the place of; auf der ∼ immediately
stellen to place, put; sich ∼ to put on an appearance
die **Stellung, –en** position, situation
sterben, a, o, (sein) to die
das **Sterbelied, –er** hymn for a dying person
der **Sterbetag, –e** anniversary of death
der **Stern, –e** star
stet steady, constant, continuous
stets always, constantly
steuern to steer
der **Stiefel, –** boot
der **Stiefsohn, ∸e** stepson
der **Stiel, –e** stem
der **Stift, –e** pin, pencil
stiften to found, cause
der **Stil** style
still still, silent, quiet, calm
die **Stille** stillness, calm
stillen to calm, quiet, appease, soothe, quench (thirst)
im **Stillen** secretly
still=stehen, stand still, stillgestanden to stop
still=schweigen, ie, ie to be silent
die **Stimme, –n** voice
stimmen to vote, tune
die **Stimmung, –en** mood
die **Stirn, –en** forehead
der **Stock, ∸e** stick, cane, story, floor
stocken to stop, falter
stockfinster pitch dark
stofflich regarding the subject matter
stolz proud
der **Stolz** pride
stören to disturb, bother
der **Stoß, ∸e** push, thrust, blow
stoßen, ie, o to push, produce; (in ein Ding) project into

die **Strafe, –n** punishment
strafen to punish
strahlen to beam, radiate
der **Strand** beach, seashore
die **Straße, –n** street, road, strait
der **Strauch, ⸗er** shrub
der **Strauß, ⸗e** bouquet
streben to strive, endeavor, tend, hurry
die **Strecke, –n** stretch, distance
streckenweise for certain distances
der **Streich, –e** blow, trick
streichen, i, i to stroke, strike, spread, paint
das **Streichholz, ⸗er** match
streifen to touch lightly, streak; (sein) roam, hurry
der **Streifen, –** streak
der **Streit** dispute, quarrel
streiten, –itt, –itten to dispute, quarrel, oppose, conflict
streitig disputable, debatable
die **Streitsucht** quarrelsome disposition
streng severe, strict, stern
die **Strenge** severity, austerity
streuen to strew
das **Stroh** straw, thatch
der **Strom, ⸗e** river, stream, current
stromab'wärts downstream
strömen to stream, flow
die **Stromschnelle, –n** rapids
das **Stromstadtbild** prospect of a city built on a river
die **Strömung, –en** current
der **Strumpf, ⸗e** stocking
die **Stube, –n** room
das **Stück, –e** piece, deed, distance
stundenlang for hours
der **Student', –en** student
studen'tisch of a student
das **Studienjahr, –e** college year
studie'ren to study
die **Studier'stube, –n** study (room)
das **Studier'zimmer** study (room)
das **Studium,** *pl.* **Studien** study, studies, course
die **Stufe, –n** step, degree
der **Stuhl, ⸗e** chair
stumm dumb, mute, silent
stumpf blunt, dull
die **Stunde, –n** hour, lesson, an hour's way
stundenweit at a distance of several hours' way
der **Sturm, ⸗e** storm, tempest, assault
stürmen to rage; (sein) to rush, hurry
der **Sturz, ⸗e** tumble, fall, overthrow
stürzen to throw down; (sein) to tumble, fall, be precipitated, rush, hurry
stützen to prop, support; sich ∾ (auf) to lean (upon)
suchen to seek, look for, try
der **Süden** South
der **Südländer, –** inhabitant of a southern country
südlich southern, south of
die **Summe, –n** sum
die **Sünde, –n** sin
der **Sünder, –** sinner, criminal
sündig sinful
sündlich sinful
die **Suppe, –n** soup
süß sweet
die **Szene, –n** scene

der **Tabak** tobacco
der **Tadel, –** blame
die **Tafel, –n** tablet, table
die **Tafelrunde** round table
der **Tag, –e** day; des ∾s once a day; den ∾ über all day long; zu ∾e treten to appear
das **Tagebuch, ⸗er** diary
tagelang for days
tagen to dawn
täglich daily
der **Takt** tact
das **Tal, ⸗er** valley, lowland
das **Talent', –e** talent
der **Taler, –** German silver coin
der **Talweg** way downstream to the lowlands
die **Tanne, –n** fir tree
die **Tante, –n** aunt
der **Tanz, ⸗e** dance

tanzen to dance
der **Tänzer, –** dance partner
tapfer brave
die **Tapferkeit** bravery, valor
die **Tasche, –n** pocket; bag
das **Taschentuch, ⸗er** handkerchief
die **Tasse, –n** cup
die **Tat:** in der ~ indeed, in fact
der **Täter, –** doer, culprit
die **Tätigkeit, –en** activity
der **Tau** dew
taub deaf
die **Taufe** baptism, christening
taufen to baptize
taugen to be of use, be good for, be valid
tauglich good, fit, of value, appropriate
täuschen to deceive
die **Täuschung, –en** illusion, dream, deception
das **Tausend, –e** thousand
die **Technik, –en** technique, way of doing
der **Tee** tea
der **Teich, –e** pond
der *or* das **Teil, –e** part, share, interest
teilen to divide, share
die **Teilnahme** sympathetic interest, sympathy
teil=nehmen, a, teilgenommen to take part in, participate
teilnehmend sympathetic
der **Teilnehmer, –** participant
teils partly
teilweise partially, in part
der **Teller, –** plate
die **Temperaments'gewohnheiten** *pl.* habits due to a certain type of mental reaction
die **Tendenz', –en** tendency
teuer dear, expensive
der **Teufel, –** devil
die **Teuerung, –en** dearth, famine
theolo'gisch theological
der **Theore'tiker, –** theorist, theoretical writer
theore'tisch theoretical
der **Thron, –e** throne
der **Thronfolger, –** heir to the throne
tief deep
die **Tiefe, –n** depth
das **Tier, –e** animal
tilgen to destroy, cancel, extinguish
der **Tisch, –e** table; nach ~ after dinner; vor ~ before dinner; zu ~ for dinner
die **Tischplatte, –n** table top
toben to rage, be uproarious
tobend boisterous, tumultuous
die **Tochter, ⸗** daughter
der **Tod** death
todbang deathly afraid
der **Todesfall, ⸗e** (case of) death
tödlich deadly
toll mad
der **Ton, ⸗e** tone, sound
tönen to sound
die **Tonart, –en** way of singing, tone, tune, key
der **Tor, –en** fool
das **Tor, –e** gate, gateway, portal
die **Torheit, –en** folly
töricht foolish, silly
tot dead
der **Tote, –n** dead person, corpse
töten to kill
der **Totschlag** manslaughter
der **Trab** trot
traben to trot
träge idle
tragen, u, a to carry, bear, wear
die **Tragik** tragic situation, tragedy
tragisch tragic
die **Träne, –n** tear
tränken to imbue
trauen to trust, marry; sich ~ lassen to get married
die **Trauer** sorrow
der **Trauermarsch, ⸗e** funeral march
trauern to grieve, mourn
das **Trauerspiel, –e** tragedy
trauervoll sad, mournful
traulich intimate, homely
der **Traum, ⸗e** dream
träumen to dream
der **Träumer, –** dreamer

die **Träumerei', –en** dreaming
traurig sad
die **Traurigkeit** sadness
die **Trauung, –en** marriage ceremony, wedding
treffen, traf, o to hit, meet; ~ **zu** (sein) to join
trefflich excellent
das **Treiben** doings, activities
treiben, ie, ie to drive, put in motion, do, play, carry on, practise, turn; (sein) drift, float
trennen to separate; sich ~ to part
die **Trennung, –en** separation
treppauf' upstairs
die **Treppe, –n** staircase, stairs, flight of stairs
treten, a, e to kick; (sein) to step, walk, enter
treu faithful, true
die **Treue** loyalty, fidelity, faith
treuherzig naive, candid
treulos faithless, disloyal
der **Trieb, –e** impulse, instinct, drive
trinken, a, u to drink
die **Trinkstätte, –n** place where one drinks, bar
trippeln to trip
der **Tritt, –e** step, kick
trocken dry
trocknen to dry
die **Trockenheit** dryness
der **Tropfen, –** drop
der **Trost** consolation
trösten to console
trostlos disconsolate, cheerless, sad, dejected
die **Trostlosigkeit** sadness, despair, desperate condition
trotz *prep.* in spite of
trotzdem *adv.* nevertheless, in spite of it
trotzig defiant, obstinate
trüb turbid, not translucent, dull, gloomy
sich **trüben** to become overcast
trübselig dismal, saddening
die **Trümmer** *pl.* ruins

der **Trunk** drink
die **Trunkenheit** intoxication
die **Truppe, –n** troop
das **Tuch, ⸗er** cloth, kerchief, sheet
tüchtig able, capable, excellent, hearty
die **Tugend, –en** virtue
tugendhaft virtuous
tun, a, a to do, make, put; (einen Schrei) to utter (a cry); **es tut nichts** it does not matter; Wasser tut's water will do
die **Tür, –en** door
der **Türke, –n** Turk
der **Turm, ⸗e** tower, spire
typisch typical
der **Tyrann', –en** tyrant
die **Tyrannei', –en** tyranny

übel evil, ill
das **Übel, –** evil
üben to exercise, practice
über over, above, across, during; ~ (das Haus) her passing over (the house); über . . . hinaus beyond; **über . . .** hinüber all the way over; **über . . .** hinweg passing over
über– (plus *adj.*) extremely (übergroß)
überall everywhere
überaus exceedingly, extremely
das **Überbleibsel, –** remainder
überbli'cken to survey, have a view of, master
überein'=kommen, kam überein, o, (sein) to agree
überein'=stimmen to agree
überfal'len, ie, a to attack suddenly, surprise, overtake
überflüssig superfluous
überfüllt' crowded
überge'ben, a, e to surrender, give
über=gehen, ging über, übergegangen, (sein) to go over to
übergol'den to gild
überhaupt' at all, on the whole, after all
überho'len to overtake
überirdisch supernatural
überlas'sen, ie, a to abandon, leave to, yield; sich ~ to yield

überlau'fen, ie, au to pester
überle'ben to survive
überle'gen to consider, reflect upon
überle'gen *adj.* superior
die **Überle'genheit** superiority
überlegt' deliberate
die **Überle'gung, –en** reflection, premeditation
überlie'fern to hand over, hand down
der **Übermut** exuberance, frivolity
übernach'ten to stay over night
überneh'men, a, –nommen to take over
überra'schen to surprise
die **Überrascht'heit** *arch.* surprise
die **Überra'schung, –en** surprise
überre'den to persuade
überren'nen, –rannte, –rannt to overrun
überschat'ten to overshadow
überschrei'en, ie, ie to drown one voice by a stronger one
überschrei'ten, –schritt, –schritten to cross
überse'hen, a, e to overlook, perceive in its whole extent, judge
die **Überset'zung, –en** translation
überste'hen, –stand, –standen to endure
überstei'gen, ie, ie to climb over
übertra'gen, u, a to transfer
übertrei'ben, ie, ie to exaggerate
überwäl'tigen to overpower
überwin'den, a, u to overcome
überzeu'gen to convince
die **Überzeu'gung, –en** conviction
üblich usual, customary
übrig remaining; im ∼en by the way
übrigens by the way, besides
die **Übung, –en** exercise, practise, custom, discipline
das **Ufer, –** bank, shore
die **Uhr, –en** watch, clock
der **Ulan', –en** lancer
um *prep.* around, about, at (o'clock); *adv.* [um zehn Meter lang] around, approximately; ∼ (das Haus) herum around (the house); um . . . willen for the sake of; ∼ Gottes willen for heaven's sake; nicht ∼s Leben not for my life
umar'men to embrace
um=biegen, o, o, (sein) to turn the corner
sich **um=blicken** to look back
sich **um=drehen** to turn around
um=fallen, ie, a, (sein) to fall down
der **Umfang** extent, scope, range
umfas'sen to include, embrace
der **Umgang** association, company
umge'ben, a, e to surround
umge'hen, –ging, –gangen to evade
um=gehen, ging um, umgegangen, (sein) to wander about; mit jemandem ∼ (sein) to treat a person; mit einem Gedanken ∼ to contemplate a thing, intend, consider
umher' about, around
umhül'len to wrap, cover
die **Umhül'lung, –en** cover
sich **um=kleiden** to change clothes
umliegend surrounding, living in the neighborhood
um=nehmen, a, umgenommen to put on
umrin'gen to surround
um=schlagen, u, a to change, put around
umschnü'ren to enlace tightly, oppress
sich **um=sehen, a, e** to look around; (nach) look for
umso: ∼ besser so much the better
umsonst' in vain
der **Umstand, ⸗e** circumstance, reason
die **Umstehenden** *pl.* bystanders
um=wandeln to transform
der **Umweg, –e** roundabout way, detour
um=wenden, wandte um, umgewandt to turn; sich ∼ to turn around
umwer'ben, a, o to court, woo
sich **um=ziehen, zog um, umgezogen** to change clothes
unabhängig independent
unabläs'sig incessant
unangenehm disagreeable
unartig naughty
unaufhör'lich incessant
unbedacht thoughtless
unbedeutend unimportant
unbedingt absolute, unconditional

unbefangen unaffected, naive, without embarrassment
die **Unbefangenheit** naturalness, ease
unbegreif'lich incomprehensible
unbehaglich uncomfortable, uneasy
unbehilflich clumsy
unbekannt unknown
unbekümmert unconcerned
unbemerkt unnoticed
unbequem inconvenient, uncomfortable
die **Unbequemlichkeit, –en** inconvenience, discomfort
unberührt untouched, unmoved
unbeschreib'lich indescribable
unbeugsam firm
unbewußt unconscious, subconscious
unbezwei'felbar unquestionable, undoubted
der **Undank** ingratitude
undankbar ungrateful
die **Undankbarkeit** ingratitude
undurchsichtig not transparent, opaque
unend'lich endless, infinite
unentbehr'lich indispensable
unerbitt'lich pitiless
unerhört unheard of
unermüd'lich untiring
unerschöpf'lich inexhaustible
unerträg'lich unbearable, intolerable
unerwartet unexpected
die **Ungeduld** impatience
ungeduldig impatient
ungefähr about, approximately
ungeheuer huge, enormous, monstrous
das **Ungeheuer, –** monster
ungehindert unchecked
ungemein uncommon, extraordinary
ungeritten not ridden upon
ungern unwillingly; not gladly
die **Ungeschicklichkeit, –en** awkwardness, clumsiness
ungeschickt awkward, clumsy
ungestört undisturbed
ungewöhnlich unusual
ungewohnt unaccustomed
ungezählt countless
unglaub'lich incredible
das **Unglück** misfortune, bad luck, accident, unhappiness
das **Unheil** misfortune, harm, trouble
unheimlich uncomfortable, uncanny
unhöflich discourteous, impolite
unhold unkind, unfriendly
die **Universität', –en** university
unklar not clear
die **Unkosten** *pl.* expense
unmäßig enormous
unmittelbar immediate, direct
unmög'lich impossible
der **Unmut** ill humor
unnötig unnecessary
die **Unordnung** disorder, lack of order
unpersönlich impersonal
unrätlich inadvisable, inexpedient
das **Unrecht** wrong, injustice; zu ~ wrongly; unrecht haben to be wrong
unreif immature
die **Unruhe** anxiety
unruhig restless, uneasy
unsäg'lich unspeakable, inexpressible
unsanft unkindly
unschätz'bar inestimable
unschuldig innocent
unserseits on our part
unsicher uncertain, uneasy
die **Unsicherheit** uneasiness
unsichtbar invisible
der **Unsinn** nonsense
unten *adv.* [er steht unten an der Brücke] below, downstairs
unter *prep.* under, below, among; ~ (der Brücke) her from under (the bridge); unter . . . hervor from under; ~ diesen Worten while saying this
der **Unterarm, –e** forearm
unterbre'chen, a, o to interrupt
unter=bringen, brachte unter, untergebracht to classify
unterdes'sen *adv.* meanwhile, in the meantime
der **Untergang** destruction
unterhalb *prep.* below, downstream
unterhal'ten, ie, a to entertain (with conversation); sich ~ to converse

die **Unterhal'tung, –en** entertainment, conversation
unterhöh'len to undermine
unterirdisch underground, subterranean
unterlas'sen, ie, a to leave undone, omit, abstain
die **Unterneh'mung, –en** enterprise
der **Unteroffizier, –e** noncommissioned officer
unter=ordnen to subordinate, submit
der **Unterricht** instruction
unterrich'ten to instruct; sich ∼ to obtain information
untersa'gen to forbid
unterschei'den, ie, ie to distinguish
der **Unterschied, –e** difference, distinction
die **Unterschrift, –en** signature
die **Unterstüt'zung, –en** support
untersu'chen to investigate, examine
der **Untertan, –en** subject
unterwegs' on the way
unterwei'sen, ie, ie to instruct
unüberwind'lich invincible
ununterbrochen uninterrupted
unverändert unchanged
unverdächtig above suspicion
unvergeß'lich unforgettable
unverhofft unexpected
unvermerkt unnoticed
unvermu'tet unexpected
unverschämt insolent, impudent
unverstanden misunderstood
unverzeih'lich unpardonable
unwillig indignant, angry, moody
unwirklich unreal
unwürdig unworthy
unzäh'lig innumerable, countless
unzart not tender, rough, coarse
unzerteilt undivided, in one piece
unzertrenn'lich inseparable
unzufrieden discontent
unzugänglich inaccessible
unzureichend insufficient
unzweideutig unambiguous, unmistakable
üppig luxurious, voluptuous, luxuriant
uralt very old
der **Urlaub** furlough
urplötz'lich all of a sudden
die **Ursache, –n** cause, reason, motive
der **Ursprung, ⸚e** origin
das **Urteil, –e** judgment, sentence

der **Vater, ⸚** father
das **Vaterland** fatherland, native country
väterlich fatherly, paternal
die **Vaterschaft** fatherhood
das **Vegeta'riertum** vegetarianism
venetia'nisch Venetian
verabreden to agree upon, plan
die **Verabredung, –en** agreement, date
sich **verabschieden** (von) to bid goodbye (to)
verachten to despise, scorn
die **Verachtung** contempt, disdain
verändern to change
die **Veränderung, –en** change
veranlassen to cause
die **Veranlassung, –en** cause
verbergen, a, o to hide, conceal
verbessern to correct, improve
verbieten, o, o to forbid
verbinden, a, u to connect, unite, join, bandage
verbindlich obliging
verbittern to embitter
verblenden to blind, dazzle
das **Verbot, –e** prohibition
verbrauchen to use up, consume
verbrechen, a, o to do wrong
das **Verbrechen, –** crime
der **Verbrecher, –** criminal
verbreiten to spread
verbrennen, –brannte, –brannt to burn
verbringen, –brachte, –bracht to spend (time)
der **Verdacht** suspicion
verdächtig suspicious
verdammen to condemn, curse
verdammt damned
verdanken to owe
die **Verdauung** digestion

verdecken to cover, hide
verderben, a, o to ruin; (sein) spoil, perish
das **Verderben** destruction, ruin
der **Verderber, –** seducer
verdeutlichen to make clear, elucidate
verdienen to earn; deserve
der **Verdienst, –e** merit
verdrängen to push out of the way, displace, supersede
verdrießlich annoying, irksome, irritable, annoyed
die **Verdrossenheit** annoyance
der **Verdruß** annoyance, disappointment
verdünnen to dilute
verdüstern to make gloomy, make sad
die **Veredlung** improvement, refinement
die **Verehrung** devotion, adoration
der **Verein, –e** club, organization
vereinigen to join, unite
vereinsamt isolated, lonesome
vereint united
vereinzelt isolated
verengen to narrow down
verfahren, u, a, (sein) to proceed; (mit) to treat, use a person
das **Verfahren, –** process, procedure, way of acting
verfallen, ie, a, (sein) to go to ruin, decay, fall a prey to, succumb
sich **verfangen, i, a** to be caught
verfinstern to darken
verfließen, o, o, (sein) to elapse
verflucht accursed, devilish
nach **Verfluß** after the expiration of
verfolgen to pursue
verfrüht premature
die **Verfügung** disposal
verführen to lead astray, seduce, entice
der **Verführer, –** seducer
verfüttern to use up as fodder
vergangen passed, last (year)
vergänglich transitory, perishable
vergeben, a, e to forgive
vergebens *adv.* in vain
vergeblich *adj.* vain, fruitless; *adv.* in vain
die **Vergebung** pardon
sich **vergegenwärtigen** to picture to oneself
vergehen, –ging, –gangen, (sein) to pass (time), go by, perish, die
vergessen, a, e (*arch.* eines **Dinges**) to forget
vergießen, o, o to shed
vergiften to poison
das **Vergißnichtmein** forget-me-not
der **Vergleich, –e** comparison
vergleichen, i, i to compare, check
das **Vergnügen, –** enjoyment, pleasure
vergnüglich merry
vergnügt happy, gay, merry
vergönnen not to begrudge, grant with pleasure
vergraben, u, a to bury
sich **vergreifen, –griff, –griffen** to do wrong
verhaften to arrest
das **Verhältnis, –se** proportion, circumstance, situation, relation, relationship; *pl.* conditions
verhandeln to debate
verhehlen to conceal
sich **verheiraten** to get married
verheiratet married
verhindern to prevent
verhüllen to cover, veil
sich **verirren** to go astray
die **Verirrung, –en** going astray, aberration
verjüngen to rejuvenate
der **Verkehr** traffic, communication, intercourse, relationship, companionship
verkehren to associate with, be together with
verkennen, –kannte, –kannt to misunderstand, misjudge
verklären to clarify, transfigure
verkleiden to disguise
verklingen, a, u, (sein) to die away, fade away
verkünden to announce
verkündigen to announce

verkürzen to shorten
verlangen to require, demand, ask
das **Verlangen** request, longing, desire
verlassen, ie, a to leave, forsake, abandon
der **Verlauf** course of events
verlegen embarrassed
die **Verlegenheit** embarrassment; in ~ kommen to be embarrassed
verleben to spend (time)
verleiten to lead, seduce
verletzen to injure, hurt, destroy
sich **verlieben** (in jemanden) to fall in love (with someone)
verliebt (in) enamored, in love (with)
verlieren, o, o to lose; sich ~ disperse
verlobt engaged, betrothed
die **Verlobung, –en** betrothal
verlocken to entice, bait
verlöschen, o, o, (sein) to go out, pass away
der **Verlust, –e** loss
vermählen (mit) to marry (to)
das **Vermahnen** *arch.* admonition, warning
die **Vermahnung, –en** admonition, warning
vermehren to increase
vermeiden, ie, ie to avoid
die **Vermenschlichung** humanization
vermieten to hire out
vermischen to mix
vermissen to miss, regret
die **Vermittlung, –en** mediation
vermögen, –mochte, –mocht to be able to do
das **Vermögen,** – ability, fortune, wealth
vermuten to presume, expect, suppose, conjecture, suspect
vermutlich *adv.* supposedly, presumably
vernehmen, a, –nommen to find out, learn, cross-examine, hear
vernehmlich audible
verneinen to say no, deny, disavow
die **Vernunft** reason
vernünftig reasonable, sensible
sich **verpflichten** to bind oneself, oblige oneself
der **Verrat** betrayal
verraten, ie, a to betray
der **Verräter,** – traitor
verrichten to perform, carry on
verriegeln to bolt
der **Vers, –e** verse
versammeln to gather
die **Versammlung, –en** gathering
versäumen to miss, neglect
verschämt timid
verschenken to give away as a present
verschieben, o, o to delay
verschieden different, various; ~ sein to vary
verschiedenartig of a different kind
die **Verschiedenheit** difference, variety
verschlafen, ie, a to lose by sleeping
verschleiern to veil
verschleudern to waste
verschließen, o, o to lock up
verschlossen hidden
verschlucken to swallow, devour
verschmelzen, o, o to mingle
verschneiden, –schnitt, –schnitten to cut away, cut off
verschonen to spare, forbear
die **Verschuldung** guilt, sinful action
verschweigen, ie, ie to keep secret
verschwenden to squander
verschwinden, a, u, (sein) to disappear
sich **verschwören, o, o** to conspire
die **Verschwörung, –en** conspiracy
versenken to cause to sink, submerge
versetzen to retort, answer
versichern to assure
versinken, a, u, (sein) to sink, go down, set (sun), disappear
versöhnen to reconcile
versöhnlich forgiving
versperren to block
versprechen, a, o to promise; sich ~ to to become engaged
sich **versprechen, a, o** to make a slip of the tongue
das **Versprechen,** – promise
die **Versprechung, –en** promise
verspüren to feel, perceive

der **Verstand** intelligence, understanding
verständig sensible
das **Verständnis** understanding
verständnislos incapable of comprehending
verstärken to strengthen, reinforce
verstecken to hide, conceal
verstehen, -stand, -standen to understand; das versteht sich that is understood; sich ∼ (auf etwas) to be an expert (in); zu ∼ geben to make understand
versteinert petrified
verstreuen to scatter, disperse
verstummen (sein) to grow dumb, be speechless
der **Versuch, -e** attempt
versuchen to try, attempt, try out
die **Versuchung, -en** temptation
vertauschen to exchange
die **Verteidigung, -en** defense
die **Vertiefung, -en** hollow
vertragen, u, a to bear, endure, put up with; sich ∼ to be compatible, get along with
verträglich compatible
vertrauen to trust, confide in
das **Vertrauen** trust, confidence
vertraulich confidential, familiar, intimate
vertraut intimate
vertreiben, ie, ie to drive away
vertreten, a, e to represent; die Stelle ∼ to take the place
der **Vertreter, -** representative, spokesman
verüben to exercise, practice
verunglücken to meet with an accident
der **Verunglückte, -en** victim (of an accident)
verursachen to cause
vervollkommnen to improve
verwandeln to transform
verwandt related
der **Verwandte, -n** relative
die **Verwandtschaft** relations, relationship
verwehen to blow away, scatter
verwehren to forbid, prevent
verweigern to refuse
verweilen to stay, sojourn, linger, delay
verweisen, ie, ie to exile, banish, reprimand
verwenden to use, apply, turn away from
verwerfen, a, o to reject, disagree with
verwickeln to entangle, involve
verwirren to confuse
die **Verwirrung, -en** confusion
verwitwet widowed
verwunden to wound
sich **verwundern** to marvel, be astonished
verwundert surprised
die **Verwunderung** astonishment
die **Verwurzelung** roots
verzaubern to bewitch
verzehren to consume, eat, use up
verzeihen, ie, ie to pardon, forgive
die **Verzeihung** pardon
verzichten to renounce
verziehen, -zog, -zogen to draw, distort
die **Verzierung, -en** ornament
die **Verzögerung, -en** delay
verzweifeln to despair
die **Verzweiflung** despair
verzweigt ramified
die **Vesper** vespers, evening service
der **Vetter, -n** (male) cousin
das **Vieh** cattle
der **Viehdoktor, -en** veterinarian
viehisch bestial
viel much
viele many
vielerlei many, a great variety of
vielfach *adj.* manifold; *adv.* often
vielleicht' perhaps, perchance
vielmehr rather
das **Viereck, -e** rectangle, square
viereckig rectangular
viertel fourth (part)
der **Vogel, ⸗** bird
das **Volk, ⸗er** people, nation
das **Volksleben** life of the common people
das **Volkslied, -er** folk song

voll full
vollbrin'gen, –brachte, –bracht to accomplish
vollen'den to finish, complete, perfect
vollends completely, fully, to the end
voller full of
völlig full, entire, complete
vollkommen complete
vollständig complete
vollzie'hen, –zog, –zogen to carry out, execute, perform
von of, from; von . . . an starting from, as far back as; von . . . auf upward from; von . . . aus from, viewed from; von . . . her from, from the direction of
vor before, in front of; [vor acht Tagen] ago; before (time); [vor Hunger] because of; ∼ mich hin (*arch.* ∼ mich) to myself; ∼ sich hin schauen to have an empty stare
voran' ahead, in front
voran'=gehen, ging voran, vorangegangen, (sein) (einem) to go ahead (of someone)
voraus' ahead, in advance
voraus'=setzen to presuppose
die **Voraus'setzung, –en** presupposition, condition
sich **vorbehalten, ie, a** to reserve the right to
vorbei' along, by, over, past
vorbei'=gehen, ging vorbei, vorbeigegangen, (sein) to pass by
vorbereiten to prepare
die **Vorbereitung, –en** preparation
sich **vor=beugen** to lean forward
sich **vor=biegen, o, o** to bend forward
das **Vorbild, –er** model, ideal
vor=bringen, brachte vor, vorgebracht to bring forth, produce, propose, advance (an opinion)
vordem *adv.* before
vorder *adj.* forward, anterior, front
vor=drängen to push forward
vor=dringen, a, u, (sein) to push through
der **Vorfall, ⸗e** occurrence, incident
vorfallen, ie, a, (sein) to occur
der **Vorfrühling** early spring
vor=führen to bring forward
der **Vorgänger, –** predecessor
vor=geben, a, e to pretend
vor=gehen, ging vor, vorgegangen, (sein) to happen, proceed
vorgestern day before yesterday
der **Vorgrund, ⸗e** *arch.* foreground
vor=halten, ie, a to hold out, charge, reproach
vorher, *adv.* before, previously, beforehand
der **Vorherbsttag** day in early fall
vorhin a little while ago
vorig previous
vor=kommen, kam, o, (sein) to seem, appear, occur, happen, be found, be met with; sich (dumm) ∼ to feel (silly)
vor=lesen, a, e to read aloud, read to a person
vor=lügen, o, o to lie to a person
der **Vormittag, –e** morning, forenoon
vorn *adv.* in front
vornehm distinguished, noble
der **Vornehme, –n** person of rank
vor=nehmen, a, vorgenommen to undertake, perform, reprimand; sich ∼ to intend
sich **vor=neigen** to lean forward
der **Vorrat, ⸗e** supply, provision
vor=rücken to advance
der **Vorsaal, –säle** anteroom
vor=sagen to recite
der **Vorsatz, ⸗e** purpose, plan
vor=schlagen, u, a propose
der **Vorschlag, ⸗e** proposal, offer
vor=schreiten, schritt vor, vorgeschritten, (sein) to progress, advance
vor=schwatzen (jemandem) to talk to the face of, brag, prattle
vor=setzen to place before
die **Vorsicht** precaution
vorsichtig prudent, cautious
vor=spiegeln (jemandem etwas) to make believe
vor=springen, a, u, (sein) to project

die **Vorstadt, ⸗e** suburb
der **Vorstand, ⸗e** managing committee, director
vor=stellen to lay before, represent, mean, present, introduce; sich ∼ to imagine
die **Vorstellung, –en** introduction, conception, idea, notion, admonition
der **Vorteil, –e** advantage
vorteilhaft advantageous, favorable
der **Vortrag, ⸗e** lecture, recitation
vor=tragen, u, a to lecture, recite
vortreff'lich excellent, wonderful
vor=treten, a, e, (sein) to step forward, step in front of the line
vorü'ber *adv.* past, over (time), along, by
vorüber=gehen, ging vorüber, vorüber=gegangen, (sein) (an) to go by, pass
das **Vorurteil, –e** prejudice
der **Vorwand, ⸗e** pretext, pretense
vorwärts forward, onward
vorwärts=hasten (sein) to hurry ahead, hurry on
vor=werfen, a, o (jemandem etwas) to reproach
der **Vorwurf, ⸗e** reproach
das **Vorzeichen, –** omen
vor=zeigen to produce
vor=ziehen, zog vor, vorgezogen to prefer
der **Vorzug, ⸗e** advantage, preference

die **Waage, –n** scale, balance
wach awake
die **Wache, –n** guard, guard house
wachen to watch, guard
das **Wachs** wax
wachsen, u, a, (sein) to grow
der **Wächter, –** watchman
wachthabend on guard, on duty
wacker brave, gallant, honest
die **Waffe, –n** weapon
der **Wagen, –** carriage, wagon
wagen to dare, risk; sich ∼ (an) to dare to approach
die **Wahl** choice
wählen to choose
der **Wahnsinnige, –n** madman
wahr true, real
während *prep.* during; *conj.* while, whereas; ∼ daß while
wahrhaf'tig *adj.* real; *adv.* truly
die **Wahrheit, –en** truth
wahrlich indeed
wahrschein'lich probable, likely
der **Wald, ⸗er** forest
waldig wooded
die **Wallfahrt, –en** pilgrimage
walten to govern, rule
der **Walzer, –** waltz
die **Wand, ⸗e** wall
wandeln (sein) to walk
der **Wanderer, –** wanderer, hiker
wandern (sein) to wander, hike
der **Wanderstab, ⸗e** walking staff
die **Wanderung, –en** tour, trip
der **Wanderzug** group of people moving
die **Wange, –n** (*poetic*) cheek
wanken to totter, waver, sway
wann when (in a question); **wann . . . auch** whenever
ward *arch. past of* werden became
wärmen to warm, heat
warnen to warn
warten to wait
der **Wärter, –** keeper, guard, orderly
–wärts in the direction of (heimwärts)
warum why
was what, how; (*short for* etwas) something
waschen, u, a to wash
das **Wasser, –** water
wasserglänzend wet and thus brilliantly reflecting the light
der **Wasserlauf, ⸗e** watercourse
der **Wasserstaub** spray
der **Wasserträger, –** water carrier
der **Wattenstrand** shallow part of the coast flooded by the high tide
weben, te, t *or* **o, o** to weave
der **Wechsel, –** change
wechseln to change, exchange
wecken to waken, call

weg away, off, aside, gone
der **Weg, -e** way, road, path
wegemüde tired by the way
wegen on account of, because of
weg=reißen, i, i to tear away from
weg=schaffen to take away
der **Wegweiser, -** pioneer
das **Weh** woe, pain; **weh tun** to hurt, pain
wehen to blow; (sein) to be blown
das **Wehgeschrei** shout of distress, lamenting
das **Wehklagen** lament
die **Wehmut** melancholy, sadness
wehmütig melanchloy, sad
die **Wehr** defense, resistance
wehren to defend, forbid
wehrlos defenseless
das **Weib, -er** woman, wife
weiblich womanly, female, feminine
weich soft
weichen, i, i, (sein) to give way, yield, recede
die **Weichheit** softness
die **Weide, -n** pasture
weiden to graze, pasture
die **Weihe, -n** consecration
weihen to consecrate, devote
Weihnachten (das *or pl.* die) Christmas
weinerlich tearful, crying
weil *conj.* because, since
die **Weile** while
der **Wein, -e** wine, vine
der **Weinberg, -e** vineyard
weinen to cry, weep
die **Weise, -n** manner, way, melody, tune, air; **auf diese ~** in this way
weise wise
weisen, ie, ie to direct
weiß white
weißbärtig with a white beard
weit far, distant; [zwei Meilen weit] away; **~ her** from far away; **~ und breit** far and near
weiter further, on; **nichts ~** nothing else; **und so ~** and so on; **niemand ~** nobody else; **ohne ~es** without further ado, immediately
weiter- (plus verb: **weiter=gehen**) to continue doing
weitgehend far off, far-fetched, vast
weitverzweigt far-reaching
welcher which, what
die **Welle, -n** wave
die **Welt, -en** world; **auf aller ~** on earth; **alle ~** everybody
weltlich worldly, secular, lay, profane
das **Weltmeer, -e** ocean
wenden to turn; **sich ~** take a turn, change
die **Wendung, -en** turn, change
wenig little; **ein ~** a little, somewhat; **um so ~er** all the less; **wenige** *pl.* few
wenigstens at least
wenn if, whenever; **wenn . . . auch** even though; **wenn . . . gleich** although
wer who; **~ da** who goes there?
werben, a, o to recruit, woo, court
werden to become, grow, turn; **es wird mir (bange)** I begin to feel (afraid); **was wird mit ihm?** what is happening to him? **mir wird etwas** I obtain something; **es wird mir schwer** it is hard for me, I have difficulties
werfen, a, o to throw, cast
das **Werk, -e** work
die **Werkstatt, ⸗en** *or* die **Werkstätte, -n** workshop
der **Werktag, -e** working day
der **Wert, -e** value, worth
wert worth, worthy
werten to value, evaluate, rate
wertlos worthless
das **Wertsystem, -e** system of values
die **Wertung, -en** valuation, estimation
die **Wertungsgegensätze** *pl.* contending valuations
das **Wesen, -** being, creature, nature, character, system, life, essence, demeanor, doings
wesentlich essential
westlich western, west of
die **Weste, -n** vest
das **Wetter** weather, thunderstorm
wichtig important

die **Wichtigkeit** importance, important thing, important event
wider against
widerfah'ren, u, a, (sein) to occur, happen to
widerra'ten, ie, a to advise against
die **Widerrede, -n** reply that contradicts
wider=spiegeln to reflect
der **Widerspruch, ⸚e** contradiction
der **Widerstand, ⸚e** resistance, opposition
widerste'hen, -stand, -standen to resist
widerstre'ben to be repugnant, resist
der **Widerwille** aversion, dislike
widmen to devote, dedicate
wie as, the same as, as soon as; like, than, as if, how, what; ∼ **sehr auch** (immer) however much
wieder again
wieder=geben, a, e to give back, return, render
wiederho'len to repeat
wieder=her'stellen to restore
wieder=kehren (sein) to come back, return
wieder=sehen, a, e to see again
das **Wiedersehen** reunion; **auf** ∼ goodbye
wieder=spiegeln to reflect
wiederum again, on the other hand, in one's turn
die **Wiege, -n** cradle
wiegen, o, o to weigh
wiegen to rock, sway to and fro, swing back and forth
Wien (das) Vienna
die **Wiese, -n** meadow
der **Wiesenstreifen, -** pasture
wieso' in which way, why
wild wild, savage
die **Wildheit** wildness
der **Wildling, -e** savage
der **Wille** will; **willens sein** to be willing, to be ready; (eines Dinges) **willen** for the sake of
willig willing
willkom'men *adj.* welcome; ∼ **heißen, ie, ei** to welcome
willkürlich arbitrary

der **Wind, -e** wind, breeze
winden, a, u to wind
der **Wink, -e** sign, hint
winken to signal, beckon
der **Winkel, -** angle, corner
der **Winter, -** winter
der **Wirbel, -** whirl, whirlpool, eddy
wirbelig whirly
wirken to work, be busy, effect
wirklich *adj.* real, genuine; *adv.* really, indeed
die **Wirkung, -en** effect
der **Wirt, -e** host, master of the house, innkeeper
die **Wirtin, -nen** hostess, innkeeper's wife, landlady
die **Wirtschaft, -en** inn; household, doings
wirtschaften to manage, keep house
der **Wirtsgarten, ⸚** terrace (of a restaurant)
wischen to wipe
wissen, wußte, gewußt to know (a fact)
die **Wissenschaft, -en** science, knowledge
wissenschaftlich scientific
die **Witterung** weather
die **Witwe, -n** widow
der **Witwer, -** widower
der **Witz, -e** wit, joke
wo *adv.* where, at what place; *conj.* considering that, whereas
wobei' while, while at the same time, in connection with what
die **Woche, -n** week
wodurch' by what
die **Woge, -n** wave
woge'gen against what, whereas
woher' whence, from what place
wohin' whither, to what place, whereto
wohl well, no doubt, perhaps, probably, occasionally, about, approximately
das **Wohlanständige** decency
sich **wohl=befinden, a, u** to feel at ease
wohlerzogen well behaved
wohlgebaut well-built
das **Wohlgefallen** pleasure, satisfaction
die **Wohlgestalt** beautiful figure

wohlhabend well-to-do, rich
wohlig happy
die Wohltat, –en benefit, comfort
wohltuend beneficial, agreeable
wohl=tun, a, a to do good
wohnen to live
das Wohnhaus, ⸗er house
der Wohnort, –e dwelling, residence
die Wohnung, –en house, dwelling, apartment
das Wohnzimmer, – living room
wölben to arch, vault
die Wolke, –n cloud
die Wolle wool
wollen to will, wish to, want to
womit' with what
womög'lich if possible
wonach' after what, whereupon
die Wonne bliss
woran' at, by, on, to what
worauf' whereupon; on, of what
das Wort, –e *or* ⸗er word; das ∼ geben, a, e to promise
wortlos speechless
worü'ber over, across, concerning what, in the process of which
wovor' of what
wozu' why, for what purpose
der Wuchs figure, shape
wund sore
die Wunde, –n wound
das Wunder, – wonder, miracle
wunderbar wonderful, strange
wunderlich queer, quaint, odd, strange
sich wundern (*arch.* eines Dinges) to wonder, marvel (at)
wundersam strange, queer, quaint
wunderschön wonderful
wundervoll wonderful
der Wunsch, ⸗e wish, desire
wünschen to wish, desire
die Würde, –n dignity
würdig worthy
die Wurst, ⸗e sausage
würzen to spice, season, mix
die Wurzel, –n root
die Wüste, –n desert
die Wut fury, rage, anger; mit ∼ furiously
wütend furious

zagen to hesitate
zaghaft hesitating
zahlen to pay
zählen to count, number
der Zahn, ⸗e tooth
zart tender, delicate
zärtlich tender, affectionate, intimate
die Zärtlichkeit, –en fondness, display of affection
der Zauber magic, spell
die Zauberei', –en magic, spell
der Zauberer, – sorcerer, magician
zaubern to do magic tricks
der Zaun, ⸗e fence
der Zaunkönig, –e wren
z. B. = zum Beispiel for example
Zebaoth = Sabaoth
die Zehe, –n toe
das Zeichen, – sign, symptom
zeichnen to draw, sketch, sign
die Zeichnung, –en drawing, sketch, design
der Zeigefinger, – forefinger
zeigen to show; sich ∼ to turn out
die Zeile, –n line
die Zeit, –en time; es ist an der ∼ it is time; eine ∼lang for some time; mit der ∼ after a while, by and by
die Zeitung, –en newspaper
die Zelle, –n cell
zerbrechen, a, o to break, crush
zerfließen, o, o, (sein) to melt away, dissolve
zerreißen, i, i to tear to pieces
zerspringen, a, u, (sein) to crack
zerstören to destroy, annihilate
zerstreuen to disperse, divert
die Zerstreutheit absentmindedness
die Zerstreuung, –en diversion, distraction, pastime
das Zeug stuff
das Zeugnis, –se school report
ziehen, zog, gezogen to pull, draw, pull

forth, raise, grow; (sein) move, change lodgings, go
das Ziel, –e aim, goal, destination
ziemen to be becoming, be proper
ziemlich rather
zieren to adorn, ornament; sich ∾ to pretend to refuse
zierlich graceful, of a delicate shape
die Ziffer, –n cipher, figure, numeral, number
das Zimmer, – room
das Zinn tin
der Zirkel, – circle
zittern to tremble, shiver
zögern to tarry, hesitate
der Zorn anger, ire, wrath
zornig angry
zu to, toward, too, closed, shut; [der Brücke zu] toward, in the direction of; zur Tür hinaus out by the door
zu=bereiten to prepare
die Zubereitung preparation(s)
zu=bringen, brachte zu, zugebracht to pass, spend
zucken to twitch, jerk, wince, flash; mit den Achseln ∾ to shrug the shoulders
zu=decken to cover
zudem' besides, moreover
zuerst' at first
der Zufall, ⸚e chance, accident
zufällig accidental, random; Zufälliges random remarks
zufrie'den content, contented, satisfied; sich ∾ geben to calm oneself; ∾ sein (mit) to agree (to)
die Zufrie'denheit contentment, satisfaction
der Zug, ⸚e move, march, feature, trait, procession, pull, draught; (of birds) flock
der Zugang, ⸚e access
zugänglich accessible
zu=gehen, ging zu, zugegangen, (sein) to happen, occur, take place, go on
zu=gehen (sein) (auf) to go towards
der Zügel, – rein, bridle

zugleich' at the same time, simultaneously
zugrun'de=gehen, ging zugrunde, zugrundegegangen, (sein) to perish
zu=hören to listen
der Zuhörer, – listener
zu=knöpfen to button up
die Zukunft future
zuletzt' at last, in the end
zulie'be tun, a, a (**jemandem etwas**) to do to please
zu=machen to close, shut
zumal' especially, particularly
zumin'dest at least
zumu'te: mir ist (nicht wohl) ∾ I feel (uncomfortable); mir wird ∾ I begin to feel
zunächst' first of all, at first
zünden to catch fire, set fire to, kindle
zu=nehmen, a, zugenommen to increase
die Zuneigung inclination, affection
die Zunge, –n tongue
zurecht'=legen to adjust, place in a comfortable position
zurecht'=machen to prepare
zurecht'=setzen to arrange, place so that it can be readily used
zu=reden (jemandem) to urge
zürnen to be angry
zurück' back, behind
zurück'=fahren, u, a, (sein) to start back
zurück'haltend reserved
die Zurück'haltung reserve, restraint
zurück'=kehren (sein) to turn back, return
zurück'=schrecken (sein) to start back in fright
zurück'=treten, a, e, (sein) to go back, step back, return
zurück'=weisen, ie, ie to reject, repel
zurück'=ziehen, zog zurück, zurückgezogen to withdraw; sich ∾ to retreat, retire
zu=rufen, ie, u to call to
zu=sagen to promise
zusam'men together
zusam'men=brechen, a, o, (sein) to break down, collapse

zusam'men=fahren, u, a, (sein) to start up in alarm
zusam'men=fügen to join together
zusam'men=halten, ie, a to hold together
zusam'men=hängen, i, a to be connected
die **Zusam'menkunft, ⸗e** convention, meeting
sich **zusam'men=nehmen, a, zusammen=genommen** to pull oneself together
zusam'men=schrecken (sein) to start back in alarm
das **Zusam'mensein** being together
die **Zusam'menstellung, –en** compilation, arrangement
zusam'men=stürzen (sein) to collapse
zusam'men=treffen, traf zusammen, o, (sein) (mit) to meet, encounter, coincide
zu=schauen to watch
zu=schneiden, schnitt zu, zugeschnitten to add by cutting
zu=sehen, a, e to watch, look on
zusehends visibly
sich **zu=spitzen** to come to a critical point
zu=sprechen, a, o (jemandem) to encourage
der **Zustand, ⸗e** condition, state of affairs, frame of mind
zu=stellen to hand to
zu=stimmen to consent, agree
die **Zustimmung** consent
zu=teilen to assign
zuträglich: ∼ sein (jemandem) to be good for
zu=trauen (jemandem etwas) to consider capable of
das **Zutrauen** confidence
zu=treffen, traf zu, o, (sein) to prove right
zu=treten, a, e, (sein) (auf) to step up to, approach
der **Zutritt** access, admission
zuverlässig reliable, dependable
zuvor' previously, ahead
zuvor'=kommen, kam zuvor, o, (sein) to get the start of
zuwei'len at times
zuwi'der disagreeable, distasteful
zuwi'der=gehen, ging zuwider, zuwider=gegangen, (sein) to be distasteful
zwar to be sure; und ∼ and that, and so
der **Zweck, –e** purpose
zwecklos useless, to no purpose
zweideutig ambiguous
der **Zweifel, –** doubt
zweifeln to doubt
der **Zweig, –e** twig, branch
zweijährig two years old, biennial
zweimal hunderttausend two hundred thousand
das **Zwiegespräch, –e** (confidential) chat
zwingen, a, u to force, compel, master
zwischen between
die **Zwischenmahlzeit** meal eaten between times, snack
das **Zwischenspiel, –e** interlude